SARA LIDMAN

Nabots sten

Av Sara Lidman har tidigare utgivits:

Tjärdalen 1953
Hjortronlandet 1955
Regnspiran 1958
Bära mistel 1960
Jag och min son 1961
Med fem diamanter 1964
Samtal i Hanoi 1966
Gruva 1968
Vänner och u-vänner 1969
Marta Marta 1970
Din tjänare hör 1977
Vredens barn 1979
Varje löv är ett öga 1980

På annat förlag

Fåglarna i Nam Dinh

SARA LIDMAN

Nabots sten

BONNIERS

ISBN 91-0-045376-5

Printed in Sweden
Bonniers Grafiska Industrier AB 1981
Stockholm

– Där Anna-Stava! Ser du hur hon går där och pekar? Jag ger mig! Det får bli där! Herre herre vad hon är *elegant!* Ser du vad hon gör?

– Hon utmärker stället...

– ... stakar ut en tomt! En plats åt jernbanestationen! Oh du min långhalsade lilla trana! Min lifsens Concordia! Om lantmätarn hade så pass till instrument som hennes näbb och fot!

Didrik ställde sig på ett ben och härmade tranan. Han spretade med ena handens fingrar och vickade på halsen och fläktade med hatten till fågelstjärt.

– Jernbanetåg måste ju vara tunga? sa Anna-Stava.

– Men deras fart gör dem lätta! De hinner inte sjunka ska du få se!

Och han svävade ut i ett tal som om Anna-Stava varit en klunga kommunalgubbar

om dessa våra arvfiender, vintersnön som plågar häst och karl

och blötmyran som icke vill släppa det grepp hon en gång fått om nybyggarens fötter

samt om Befriaren Jernbanan, om det Löfte som vi slutligen hava avtvungit Konung och Riksdag

hurusom vi med vår glödande Förväntan hava Förtjänat hennes Ankomst

– Att den här socknen räknas för en av fosterlandets fattigaste. Jag kan icke tåla det!

– Om vi delade mer rättvist det som fanns...

– så skulle vi snart torka bort och dö! Du tror att det

bara är av högmod som jag vill att samfärdseln skall öka, att vi ska byta våra tallar mot Stockholms tidningar, kaffe, kunskaper – ja siden! Hjälp mig Catarina-mor mot din fromma dotterdotter – men jag sade *siden* och tar inte tillbaka! Antagligen är Kaxberget fullt av järn. Men hur ska vi få opp det? Aldrig! om socknens gubbar och pojkar sitta hemma och vänta på tiggare. Som dem kunna dela sitt tunnbröd med! tills dem kunna gå ut och tigga tillsammans! Jag nästan hatar barmhärtigheten – bara för att den räknar med fattigdomen. Likasom kelar med den. När den i stället borde *avskaffas*. Med alla medel *avskaffas*.

– Alla medel...

– Det förslår inte att folk fördärvar halskotor och hälsenor! Det finns hjälpmedel som man kan häva opp stenen med! Bara vi få jernbana komma vi att kunna glömma all skam som fattigdomen vållat denna socken.

Hon plockade myrpors; han tog också någon kvist men började retas med henne. Det var ju arbete för barn att skaffa årsbehovet av myrpors till skydd för husets kläder mot mott och mal som förstöra. Men Anna-Stava oroades att dem skulle möta folk som kunde undra i vad för ett ärende dem gingo, utan arbetsredskap? Didrik skulle inte tveka att säga som det var, att dem voro ute för att hälsa på vädret emedan det var detsamma som för tio år sedan, när han sett Anna-Stava och vetat att det var hon som! Det enda dygn på året när det var på en gång snöfritt och myggfritt och ljust.

– Och låter det som *spatsértur* i avisens värsta följetong, så att folk måste skratta när dem stöta på oss, så gör det ingenting! Det ska inte alltid vara så att bara galningar som Ludvig, eller drinkare som Strömmen, eller sockenhjon som Isänkan, hava rätt att gå ut och göra ingenting. Det skall inte alltid vara så att all skönhet i denna socken håller sig på himlen, oåtkomlig! Medan marken är – oframkomlig!

Anna-Stava kände också himlavalvets överdåd, men det retade henne inte. Alltid kunde David försträcka henne med en rad ur Psaltaren, om inte talesätt från närmare håll förslog.

Det går fårfeta på himlen
det blir grant väder!

Fårfeta, talg. Genom att likna en sorts moln vid något matnyttigt tog ordstävet skönheten i örat.

Och genom att inse hur slaktfårets våmm liknade himlafästet
som denna valkiga slöja av talg liknade strömoln
där den satt spänd kring den blåskimrande tarmväggen
blev bondens nedslående hunger upprättad.

Himlen var närvarande till och med i slaktfårets kropp
omspännande, uppehållande, förbindande
– och den tröstande förespeglingen *det blir grant väder!*
som om får och folk kunde glädja sig samtidigt

Hon hade också velat gå hit, på årets friarpromenad. Hit till kläppen vid Flarkmyran, även kallad Häst-ätarflarken.

För i år måste hon få det berättat för honom.

En dimpelare stod rakt upp ur det lömska stället; knipor och skrakar simmade på det grunda vattuflaket.

Nu säger jag det, tänkte Anna-Stava.

– Vet du om någon häst som gått ner sig här?

– Åh det händer väl en gång varannan sommar eller så. Och man måste tro att det är här det sker. Alla hästkarlar drömma någon gång att deras bästa kuse kämpar för livet här, i den här Flarken.

– Du också? sa Anna-Stava.

– Jo jag också. Och just som det såg som värst ut vaknade jag. Sånt glömmer man aldrig. Annars minns jag inte drömmar. Men den. Också för en annan saks skull. Det var samma morgon som jag läste i Strömmens avis att vi inte skulle få jernbana! S'att jag beslöt att det skulle vi!

– Såg du någon som försökte hjälpa upp hästen?
– Hur då hjälpa?
– Ur flarken här? Du sa att du såg i drömmen...
– Nej nån människa var inte med. Det var hemskt nog som det var. Ibland tror jag att till och med våra drömmar komma att bli bättre om vi få jernbana. Mer fosterländska så att säga! Mindre avsides! Hur ofta har inte konsul Lidstedt försäkrat mig att det är just Lillvattnets kommunalnämnd, ordet från dess Ol'förar, din herre och man, Anna-Stava, som varit den lyftkrok som länets jernbanekommitté kunnat hota med när herrarna i Stockholm varit som förgjorda! För att inte tala om kustborna. Dessa go'-tid-karlar och filistéer som hålla oss för ena lappkalvar och hundturkar som intet förtjäna jernbana.

Hans gossenacke, pannan, det sträva korta håret. Det utsatta adamsäpplet. Gängligheten. Denna kroppsliga omedvetenhet som ömsom förhöjde och ömsom förlät hans ord.

– Tänker du många saker som du aldrig berättar för mig, sa Anna-Stava.
– Jo. Men jag räknar med att du vet dem ändå.
– Ibland skulle jag önska att du också genomskådade mej, sa Anna-Stava.
– Men det är onödigt... sa han.
– Men jag har också saker som jag skulle vilja att du visste, sa hon.
– Bekymra dig inte om sånt du! Allt är så bra som det är.

Han hade en bild av henne som hon inte fick störa? Med risk för att han snart skulle avbryta henne med ett ”om du kunde höra så vacker röst du har!” måste hon nu fram med det svåraste.
– Kommer du ihåg Hård, tiggarn, började hon.
– Vem skulle kunna glömma honom! Häromdagen var

det en karl som berättade en historia om honom. Hårdingen och en annan tjuv hade tagit fast ett sommarfår ur nån byaflock och gick där på en väg och hade väl tänkt gå till någon ut-ängs-lada och slakta fåret och göra sig ett kalas. Men så hörde dem röster. Och Hårdingen skickade kumpanen in i skogen med fåret. Och själv satte han igång med att sjunga psalmer. Och han var ju berömd för sin väldiga stämma. Guds Rena Lamm Oskyldig, vrålade han där på vägen och avbröt sig inte för att hälsa. Och folket som han mötte hörde inget får bräka så som han hojtade.

– Hur kom det fram då? Att dem hade stulit ett får?

– Folk räkna väl ut det. Dem som saknade ett om hösten. Det påstods att Hård skulle vara far till Nabot. Men det vete fåglarna.

Tranan stod i luften med straka ben och utställda vingar bredvid dimpelaren ovanför kallkällan.

– Om du kunde se vad jag tänker, sa Anna-Stava och miste all färg.

Då såg han på henne ett genomborrande ögonblick och såg att hon var havande. Och han började viska och gala och lyfte upp henne och satte ned henne på en stubbe och tog av henne konten. Helt visst skulle det bli en son nu! Och hon var väl rädd om sig! Och hon skämde bort pigor och systrar och borde inte skynda till, så fort det var barnafödsel eller kalvning på gång i trakten, utan från och med nu tänka på sig själv allenast! och på Storsonen i vardande!

– Och kommer han i år då hinner han bli stor nog att förstå vad som händer när Jernbanan inviges! Han kommer att kunna bevittna det när vi skaka hand! vi som hava dragit hit såväl Jernbana som Majestät... men att jag inte sett det förut!

Och han var så bedövande behövande älsklig att hon förlorade beslutet.

Enkelbeckasinen, *himmelsgeten,* hov upp sitt bräkande skratt.

Det var som för tio år sen när hon insjuknat efter SYNEN, när familjen och doktorn och alla utgått ifrån att det var av olycklig kärlek som hon hade feber. Och när dem hade hämtat Didrik och hon ”lät det vara så då...”

Didrik sa:

– En av karlarna i Småträsk-drivningen. Han vaknade en natt av att det grät ett lillbarn utanför kojdörren. Ingen av de andra i laget hörde något. Men han förstod genast att tiden var inne att föda, för kärlingen hans, där hemma i Olsträsk. Så han opp och ut ur timmerkojan och iväg på skidorna och hem, och kom just lagom till födseln. Det lovar jag dig Flickan, att om jag så är vid världens ände! Att jag skall komma och taga emot när du föder Sonen! Att jag! Han är annars en helt vanlig människa den där Lundberg. Men sonen tänkte på honom så starkt att fadern hörde det – i förväg! En karl som annars inte har några övernaturliga gåvor! Tror du mig Anna-Stava? Tror du att Storsonen vår kommer att godkänna mig?

Om jag nu säger det: Böndagshelgen det året vi hade träffats en kort stund ensamma för första gången; jag gick hem på kvällen tillsammans med syskonen; och om natten såg jag det: den här flarken hemma i Basnäs, oppa bott'n

– Känner du dig frisk? Blir det i oktober då? Att jag ingenting har anat!

då kom din häst farande och hamnade här i flarkens djup och kämpade med gyttjan och skrek

– Men den minsta kan gå själv nu? Visst? Och Laurentia och Sofia är så bra med småen? Du blir inte för trött? Du föder ganska lätt! Du är så tapper mammaStava...

Häst'n hade drunknat om inte Hård hade räddat honom! Han kom med en björkstam; som inte höll.

Varför hade han underlåtit att köpa den där tapeten! Det första Storsonen borde se när han kunde se så långt bort som till väggen borde ändå vara annat än bilade stockar, nödtorftigt vitmenade.

Om hon sa det, skulle Didrik då säga?: Men att du inte skyndade hit! Med dina bröder och andra karlar från Basnäs?

Och just den tapeten som så vida överträffade tapeterna både hos prästen och länsman nea Plass'n!

Skulle Anna-Stava säga?: Allt hände så fort. Nedtrampandet tog inte mera tid än att hämta upp ett ämbare vatten ur brunnen. Det skulle ha tagit oss två timmar eller mer att komma fram från Basnäs och hit!

Om han skulle skriva och be Lidstedtara att hålla tapeten till första slädföret...

Skulle Didrik säga?: Så det är därför som ingen sett Hårdingen på så länge!?

Skulle Anna-Stava säga?: Kan det verkligen vara så att jag är den enda som sett det?

Skulle Didrik säga?: Har du sagt det till prästen?!

Skulle Anna-Stava säga?: Så han finge gå hit och läsa över honom, åtminstone... Nej det är just det! Jag har inte sagt det till någon!

– Kommer han på första snön – eller dessförinnan?

– Däromkring, sa Anna-Stava.

Hårdingen har inte fått någon begravning. Inte skymten av jordfästning. På dessa tio år.

Och om Didrik sa: Och vem kan bevisa att det hände som du såg?

Barnafadern Lundberg från Olsträsk, som högg timmer i Småträsk skulle tro mig!

Vem kan veta att du sett något sådant?

Jag själv.

Att Didrik hade denna svarta häst som sin avgud. Det skulle ha förmänskligat Häst'n. Berövat honom hans kreaturliga oskuld. Socknens nedersta offrar sitt liv för den där högmodiga hästkusen! Vad gör du av sånt? Hade Didrik bett om det? Icke! Men det skedde. Och Didrik hade stor nytta av den hästen! Då och alltsedan! Anna-Stava hade behandlat Hårds lidande och död för Häst'n som ett Omöjligt Obehag som det var Onödigt att Didrik visste! Eftersom det var Ohjälpligt? Eftersom det var Oförsvarligt?

Ju längre Hård var osynlig i socknen dess mer ökade hans liv i betydelse. Hans bravader som kvinnokarl, tjuv och trotsare av all Öfverhet. Ye sla som ar fittom (ni slår som ena fittor) som han sagt när han, som den siste i Häradet, undergick spöslitning.

Men ingen visste något om hans död utom Anna-Stava.

Bara ingen visste det var Häst'n fläckfri som förut, oskyldig.

Och när hon kom dit i sin rättegång lät hon ibland Didrik godkänna att hon tegat. Han älskade Häst'n. Och Månliden behövde honom. Både som skjutshäst och handelshäst. Dessutom var han ståtlig, det var något att komma med till kommunalstämman, till kyrkan, ja till kronofogden i Skjellet. Men om folk finge veta att tiggaren Hård hade räddat den hästen och som tack blivit nedtrampad av densamme

skulle Lillvattnets hårdhjärtade sockenbor hava tänkt med kristligt nit på stackars Hård, så snart de sett Olförar'n. Och dem skulle hava frågat vad *häst och karl* från Månliden inbillade sig vara för ena där dem kommo blåsande.

Mer sällan hörde hon Didrik säga: Om det är sant ska Häst'n dö.

En gång föreställde hon sig att han sa: Och det här har du tigit med år efter år! Ett sockenhjon är då icke en människa för dig?!

Hon visste ett svar på det: *en Människoson var Hård.*

Men hon tänkte att hon skulle dö om hon sa det.

Medan hon försatt ännu ett tillfälle, där på stubben, gick Didrik och plockade en handfull rosling, kom och täppte den i hennes blusficka; och himmelsgeten bräkte och Didrik sopade marken med sin hatt; och om han inte haft så mycket att fäkta med på senvintern med timmerdrivningen och nu på våren med bäckflottningen så skulle han naturligtvis ha upptäckt hemligheten för länge sedan: att en son var på väg! att Storsonen änteligen!

Han satte tätt med höga kvistar i hattbandet och såg till att kontarna var rågade med myrpors; han tog Anna-Stavas kont på ryggen och sin egen på bröstet. Den vita blommen skummade kring hans huvud och axlar.

De kunde ta en annan väg hem, göra en sväng förbi Tallheden

– och låt oss gå den! låt oss ge din moster, Milda Johanna, möjligheten att se hur jag är på tjocken; och Didrik slog sig på framkonten; jo Anna-Stava? jag behöver också få retas litet med nämndeman Lundmark! om Jernbanan som han intet fattar! jaså inte? rädd att kusin Ludvig ska visa sig? Den jubelidioten. Men hur galen han än är har jag en viss tacksamhet mot honom! Mycket mer än hustru min! för dels var han med den första gången jag såg dig. När jag hämtade upp vatten ur brunnen åt dig s'att Ludvig svimmade. Det dundrade i marken som när en spattig häst stupar! när detta åbäke låg där och gäspade. Han skulle ha haft ett ämbare kallvatten över sig. Om jag inte haft annat att tänka på.

– Du borde inte triumfera över stackars Ludvig.

– Stackars sa du! Tala om högmod men. En som knappt skulle få en backstuflicka – och en sån ska fria till Lillvattnets grannaste!

– Didrik! inte gå och göra skillnad på folk så där!

– Nänä. När allt kommer omkring hade madám kanske tagit Ludvig om han bara hunnit före olförarn! Gode gud om här funnits en koja på vägen! S'att vi kunnat gå dit! S'att olförarn kunnat straffa sin hustru. På lämpligt sätt! På ett bolster av finaste björnmossa! Tills hon känt skillnad på de karlarna! Du min salighets Concordia! Och långhalsade lilla Trana.

Han lyfte upp henne från marken och de såg varandra i ögonen, och längst in var han allvarlig.

Där vägen var alltför sank fanns spänger utlagda, som man balanserade på med utbredda armar. Kanske var hans triumfer något liknande – långsmala bedyrande fästen lagda över gungfly?

De skymtade Månlidens hus och han talade om rödfärgen. Hur den trotsade höstmörker! Hur viktig den var om vintern – genom att bryta snöns dödsvita välde med röda rop: här vankas det levande folk! Men bäst var rödfärgen nu i maj när luften var så ljus och korna så raggiga och torra och små att dem kunde förväxlas med hagelbyar!

då! en hop med röfärgade kåkar uppefter en lid! vilken borg mot sådant magert, skingrande ljus

och det var Didrik, Olförarn, Anna-Stavas herre och man, som hade lagat så att vanligt groft folk också rödfärgade – inte bara en domherre som länsman, Holmgren.

– Skulle du hellre ha varit gemål åt den herr'karln? Anna-Stava! Svara mig!

Det var barn och folk och hundskall och höns och Didrik gick och berömde allt medan de närmade sig Månliden och han fick visst ångra, sa han, att Tranan på Flarkmyran förlett honom att lägga Jernbanestationen där! Skulle dem ändå inte bli tvungna att dra den närmare? till själva slänten av Månliden? just nedanför boden,

D. MÅRTENSSONS HANDEL

eller möjligen mellan den och Boningshuset, som var Lillvattnets största kåk.

– Alltför stor egentligen...

– Kusin Ludvigs fel! återigen! Vi behövde bo en halv gång så långt och en halv gång så brett som Socknens största galning! Det hjälps inte! Hade du varit mindre grann kunde det ha räckt med hans mått! men

Bror Ansgar stod i liden och var från Basnäs, så det kändes.

Hon skyndade sig uppför backen och han kom henne inte till mötes. Han stod nästan som en ägare till ett större hus, vars stabilitet måste förstärkas genom husbondens orubblighet när löst folk rumla förbi, högljudda och ovetande om priset på en endaste timmerstock eller fönsterruta.

Han såg mer på Didrik än på Anna-Stava, och Didrik dröjde på stegen, tog in husens rödhet. Anna-Stava skulle fira hela Basnäs i sin broder, ödmjuka sig med systerliga frågor, och denne skulle straffa henne med butterhet för hennes ofattbara val att hellre låta sig förslösas än bliva en sparad faster i sin broders gård! Svågrarna utrustade varandra med försmädliga tankar, medan den ene darrade på stället, med torrt skum i mungipan; och den andre kom i glidflykt oberoende av markens lutning.

Och det vimlade av barn, systrar, syskonbarn och grannars barn omkring Didrik, och han kastade de små i luften och fäste kvistar av myrpors i de äldres flätor. Han var väderbiten och mager efter de senaste veckornas vandringar utefter bäckarna.

– Vem hade drömt om att man skulle kunna flotta timmer utefter så små vattendrag! Men vårfloden är en mäktig kraft *här uppe,* sa Didrik som om han vore född vid älvarna i Babel eller åtminstone vid Skjellet älv. (Herrkarlar på genomresa sa alltid *här uppe* på ett tröstande eller nedsättande vis.)

– Vi som vara barnfödda i Basnäs, i Mose fotspår, hava alltid vetat att vattnet är en mäktig kraft, sa Ansgar.

Och Didrik började skratta så att Anna-Stava rodnade.

– ... i Mose fotspår... det kom så lustigt: ett alldeles färdigt litet barn som hoppar upp ur myran, ur varje fotsteg som Moses tar där.

Didriks ordlek rymde ingen vanvördnad mot Moses, men den förminskade Ansgar: han kunde fortfarande rymmas i en vattenpöl som uppstått där Moses ställt ned sin väldiga fot?

Ansgar var knapphetens mästare. Och här spanade ingen efter vad han kunde tänkas försaka och försmå – alla bara gladdes åt Didriks bravur. Han härmade fåglar som de sett på Flarkmyran, och barnen i sin tur försökte härma hans himmelsget. Anna-Stava tyckte lite synd om Ansgar; men bara litet.

De gick in i vinterköket, som just hade städats upp för sommaren. Nystärkta gardiner i fönstren, muren kritad, enris i en kruka på härden. Den svarta ugnsluckan; denna märkliga bakugn som Hedqwist och Stenhuggarn fra Skjellet tillsammans hade murat – och som man kunde baka mjukt bröd i!

Flickorna kokade kaffe i det norra köket, som var snallarstuga om vintern men döptes om till sommarstugan när det var barmark.

Till slut sa Ansgar att han hade ett ärende, men att han helst skulle vilja säga det i enrum till *Svåger* och Didrik sa att skulle det vara nödvändigt. Säkert tålde hans hustru och husfolk att höra vad det vara månde. Då suckade Ansgar att om Anna-Stava kunde tänka sig att spela en ton på psalmodikon, så att han finge stilla sig, så skulle han kanske få mod.

Den smala lådan av tunna granbräder, struken med kimrök. En liten hjärtformad öppning.

Hon hade fått instrumentet av Ansgar, som bytt det till sig av morbror Moses. Men den knottriga strängen, en rensena, hade brodern tuggat och tvinnat själv. I faddergåva. Till Almas dop.

Hon försökte ta ut melodin till *Hela verlden fröjdens Herran* och det ungefärliga i tonträffningen förstärkte orden, som alla kunde inom sig.

... *till sitt folk och fosterfår...*

Hon spelade inte alls "bra" – men hur hon kunde få detta timmerhus att skälva, med ett finger utefter den enda strängen, och stråkens spända tagelstrån

... *kommer ifrån orter fjärran...*

Tonerna rymde just den otrygghet som Ansgar behövde; han var inte ensam om att känna sig tillfällig i detta hus?

Det hade kommit en karl till Ansgar i ett underligt ärende, sa han, för det hade inte varit till Ansgar han haft ärendet, utan till Ansgars svåger, D. Mårtensson. Karln hade kört till Månliden på senhösten för att proviantera, när ett lass med majs just hade kommit från stan. Och som såldes till ett pris av tretton kronor och femtio öre per säck. Och D. Mårtensson hade själv förklarat hur man kunde laga svingröt av det mjölet. Så karlen hade sagt sig vilja prova, och en handelsdräng hade fått order att bära ut säcken till hans skrinda. Och D. Mårtensson hade talat om annat och skrivit och lagt ihop. Men hade D. Mårtensson varit så underhållande att han av sig själv förletts att glömma bort majssäcken. Att skriva opp dess pris. Så att karlen betalade de andra varorna. Och gick så ut, och körde hem – eller bort... kanske rättare sagt.

– Men gudskelov! skrattade Didrik. Jag började tro att jag hade debiterat karlen två gånger för den arma säcken.

– Emellertid. Mannen vände inte om och sade icke till om felet. Han ville göra det. Men han gjorde det icke. Ansgar suckade och gjorde ett förtydligande: det goda som han ville det gjorde han icke.

– Men huvudsaken är väl att han inte känner sig skinnad och klädd! sa Didrik.

– Jag förstår icke hur Svåger nu tänker. Skulle det vara mindre farligt att bedraga någon än att bliva bedragen?

– Jag har faktiskt inte varit med om någondera. Men det var ju en så liten summa! Det där majsfodret var billigt! Någe rent otroligt!

Ansgar blev allt blekare, och en smula förnäm.

– För det första kan det icke vara avgörande om bedrägeriet gäller en liten sak eller en stor...

– Åjo, avbröt Didrik. Stort är större än smått. Men hejdade sig och slog ut med armarna: Fastän visst finns det smått som är mer gällande... mer betydande... jag ger mig!

Ansgar gjorde uppehåll för Didriks inpass men lyssnade inte.

– ... för det andra kan tretton kronor och femtio öre icke anses vara en obetydlig summa... *här uppe*...

Det sista kom så lågt att bara Anna-Stava uppfattade dess hån. Didrik var oåtkomlig i sin glädje.

– Allt beror på vad man jämför med!

– Just det, sa Ansgar. Om man jämför med priset på korn, som nu är tjugosju kronor för en säck om etthundratvå kilogram. Det anses att man kan baka fram ett tusentjugo tunnbröd ur en säck kornmjöl. Det där majspriset skulle hava räckt till en halv säck – som alltså skulle hava givit femhundratio tunnbröd. Detta kan icke kallas någon ringa sak...

– Nu är du så noga och sträng, Ansgar, att jag snart känner mig som en tjuv om natten! Eller åtminstone som en sämre karl än den där människan som glömde att betala majsen. Kan du inte tala om vem det är så jag får gå dit och piska opp den kanaljen!

Och han dängde luften med sin högerarm så att några sista blomblad svävade ut från hår och busaron som *fjuksnö,* de allra lättaste flingorna. Och väggens stockar skiftade i rosa. Ögonblicket tycktes upphäva den samlade kunskap som fanns om snö och timmer i denna stuga och socken.

– Jag skulle uppgiva hans namn om jag icke lovat honom att förtiga det, sa Ansgar. Och jag skulle icke hava lovat något sådant om karlen icke hade varit förtvivlad. Han hade varit sömnlös en längre tid. Därför bad han mig bära fram betalningen – som en sorts avbetalning. Men han sade att han så småningom skulle träda fram och bekänna, när han samlat krafter till det hela. Till skuldens andliga sida. Men att.

Ansgar reste sig och vecklade ut en blå näsduk och började sakta ta fram slantar ur den. Han höll upp varje mynt, granskade det på båda sidor, lade det mitt på bordet, dukade fram pengarna, omständligt sökande ett mönster, en rätt inbördes ordning som mynten skulle ha mellan sig; han såg ut som om han varje ögonblick kunde brista i gråt.

Didrik hov sig bakåt i stolen, vickade på dess två bakben och sa att det fanns något som hette *svinn* i affärslivet och att den där majsen varit på försök, och tydligen inte skulle upprepas, och att den här namnlösa karlen kanske hade känt på sig att det var svinn-foder och därför hade rört till det för sig.

Didrik skrattade mycket åt sin egen ordlek och Ansgar blev ännu blekare och Anna-Stava kände rymden som fostret välvde åt sig i hennes kropp tills hon själv blev oerhörd och maktlös som ett äggskal.

Hon tänkte på Storsvagårens gengångare, tiggaren som förband henne med broder Ansgar, för evigt och för alltid. Det var han som rörde sig i Ansgars fingrar och letade en ordning, ett mönster, medan han flyttade slantarna som strån, av hår eller halm.

Hon borde tillrättavisa Didrik nu, åtminstone med en blick, inte tillåta honom att vältra sig i detta bedrägliga ljus; inte spegla sig i denna systerliga beundran, inte låta Ansgar torka ihop till en snåljåp; den där lilla penninghögen stod för något annat än egennytta nu: han dukade fram sitt liv för Anna-Stava, ”sina gerningars nöd”, han väntade att hon skulle försvara honom, en enda gång *se* honom, allvaret under hans humorfria uppsyn; att hon skulle försvara honom som Storsvagårens tiggare mot en högmodig husbonde som icke var hennes bror.

Hon letade något att säga, en tillrättavisning som skulle vara fin och skarp nog att nå in till Didrik genom detta rosenskimmer. Men det blev med orden som med tonerna; de gled; ungefärliga: hennes tankar hade inte plats att vända sig, att lyfta, att fara ut med ett beslut från henne, ett val. Havandeskapets stilla obönhörliga framfart gjorde henne på en gång införstådd med allt och trögtänkt; ”efterbliven”.

Ansgar hade krånglat fram det sista öret och Didrik borde med en motsvarande aktsamhet ha räknat ihop pengarna, hållit dem i handen och sagt: jag skall genast gå upp till *kontoret,* låsa in dem i skrinet samt skriva upp detta på ett särskilt blad i bodkladden så att det på inventeringens dag icke *fallerar* eller *mankerar* något mellan siffror och befintligheter.

Men han sa inte det. Han fortsatte att vicka på stolen, han rörde inte pengarna, han såg på hopen av barn och systrar.

– Slantarna jenna komma ju så oväntat som nådegåvor! Som det välsignade mjölet i Elias' skäppa! Jag vet icke i vilken *kolumn* jag skulle kunna föra in dem. Men så duktiga som ni hava varit, mitt husfolk, tycker jag att ni delar detta här mellan er. Som en *gratifikation.* Han gjorde en svepande gest från slantarna till det beundrande ”husfolket”. Och medan de störtade fram och började riva åt sig pengarna under stoj och skratt

skakades Anna-Stava av ett illamående så häftigt att hon inte hann resa sig. En båge av galla sköt upp ur hennes mun, ut över golvet.

Per hade lärt honom att en lanthandel måste ha ett *bomärke* som högst tre personer fick känna till, ett bomärke av annan karaktär än det tecken som en gård ritade, där bonden inte var skrivkunnig.

Handlarns bomärke skulle bestå av ett ord på nio bokstäver varav ingen fick förekomma mer än en gång.

Efraim, Didrik och Per skulle kappas om att hitta ett lämpligt bomärke. Efraim kom med DOMARSÄTE, men det dög inte därför att bokstaven O var reserverad för noll. Per hade ÅNGERKÖPT som förslag, vilket lät bedrövligt för de äldre bröderna.

Didrik föreslog HÄSTMULEN och så blev den D. Mårtenssons bomärke.

H Ä S T M U L E N   O
1 2 3 4 5 6 7 8 9   0

Om inköpspriset var sjutton kronor och tjugofem öre märktes varan HLÄM – så att köparen inte kunde gissa om handlarn lade på tio, femton eller tjugo procent. Per blev mycket snabb i att översätta från siffror till bokstäver och omvänt.

Han hade fått gå i lära en vinter hos Lidstedts bokhållare nere i Skjellet; han hade lärt sig enkel bokföring, att föra bodkladd och att skriva brev.

Tala med bokhållarn, 'n Per, bror min! Det är han som är insatt i *detaljerna,* sa Didrik. Ordet klingade, som dyra kopparbaljor, som livsviktiga bataljer. Men efter en tid kom betydelsen *småheter* framkrypande ur detaljerna. "Det som D. Mårtensson inte har tid att befatta sig med, det kan Per knåpa med..."

– Du Per... du som har hand om förståndet här på Månliden, skriv och förklara för karlen varför det inte blir något över den första vintern. Han fick såg och yxa på kredit, och havre och amerikanskt fläsk och råg och bidrag till hästköpet. Men om ett par år, när hästkreaturet är färdigbetalat! Då kommer han att få kontanta medel över! När flottningen är över! Men skriv att han får kredit åt vintern också – om han åtager sig att fälla och forsla timmer åt D. Mårtensson!

Per hade hunsats av de äldre skrivarna hos Lidstedts; halva undervisningen hade gått ut på att undanhålla honom hemligheter. Och fastän han återgav för Didrik allt han lyckats lära sig, uppträdde Didrik ofta som om räkenskaper var något han kunnat och lagt bort; att räkenskaper var som hut och hyfs, bara för att hålla vanligt groft folk i schack. Den Rasande Storhopen, som Luther sa.

– Det gäller att se de stora linjerna. Att aldrig förlora dessa ur sikte! Du måste leva på två plan. Inför kunderna måste du vara noga! Inte låta dem taga sig friheter! Inte låta dem taga herraväldet! Men samtidigt ska du veta att det avgörande är de stora linjerna.

– Men vad vill det säga, frågade Per.

– Jernbana. Först och främst. I och med J.B. kommer allt det andra att tillfalla oss – hela socknen kommer att blomstra...

Han kunde inte sitta, han reste sig och höll tal till taklisten som om den varit himlaranden; och hwitbullar skulle burra upp sig i en midsommarrönn, lika jäsande blomfärdig och ätbar höst som vår, ja mitt i järnheta vintern.

Per fick känna sig som en bokstavsträl och gerningstroende inför Den Benådades Frihet.

Det kunde gå dagar att inte en enda människa kom för att köpa något. Då läste Per. Bibeln eller avisen eller något häfte som Ström kunde låna honom. Han städade. Höll efter mössen. Han vägde och mätte alla varor – han visste på alnen när hur mycket tyg det fanns i varje bunt. Han visste vad var och en var skyldig. Han kunde läsa skuldboken som den värsta följetong. Hur skulle människan någonsin hinna betala symaskinen? Inköpspris MUTO – kundens pris sjuttiosju kronor. Skulle dem komma med tjära? Nej. Gubben och äldsta sönerna höllo på med sparrhuggning, körde de stockarna ned till Skjellet och hade förstört pengarna innan dem var tillbaka i Lillvattnet och Månliden. En viss skämtsamhet hade börjat sprida sig, av annat slag än pappaMårtens. Per oroade sig. Amos var hans profet.

Den dag när Strömmen kom och doktorerade* var handelsboden full av folk. Dem sutto på silltunnor och fläsklådor; dem tummade på tyger som hette klot och domestik, muslin, Cattun och corderoj. Dem luktade på ingefärs-rot, peppar och nejlikspik s'att dem nöso. Och Didrik talade. Han smädade inte sig själv med varorna som Valberg nea Plassn: inte ett snuskorn på hans röda busaron; inte en droppe sirap eller tjära mellan hans fingrar; han trugade aldrig. Tvärtom, varorna voro en ringa förevändning för folk att få träffas och spekulera; och bliva botade från krämpor; varorna hade kommit som små hälsningar från en värld så långt borta att man måste skratta – särskilt när man hörde namnet Brazilia – det började som bracka av grövsta vadmalstyg för att övergå i silke och lilja.

Zansibar och Libanon.

Mackedonien och Spanien.

Ortsnamn som påminde om Pauli resor men utan de kreaturens suckar; och utan den där pålen som stod tjudrad inom läsaren vartän han seglade med Paulus.

De här okristliga namnen som stodo på kaffeburkar och dosor i D. Mårtenssons handel! dem hade sådana krumsprång i sig! Arabia Karibien Marocko Shanghai

Dem förstodo varför gubbarna nödvändigt ville se Susanna bada – och varför dem uppförde sig så knävligt* mot henne. Dessa namn tilläto gubbarna att skratta med, åt sig själva, såsom åt hennar – och inte bara bli utskämda!

och viktoriagarnet åt quinnorna! Och målarfärger vid namn guldockra, zinkwitt, kimrök och engelskt rött!

Och matkärl av glansigt porslin.

Falufärgen inte att förglömma för folk i alla åldrar! Som den började tränga ut i byarna och lysa sedan Månliden börjat stråla med den.

– En tunna räcker till en vanlig stuga! H H E M – du får den för tretton och femti!

Ska du hava oppa kredit? Aller värt att du frestar 'n Per. Han är hård som en Kajfas, han.

Men huru skall jag bära mig åt! Jag är tvungen hava symaskinen! om jag så sömmar natt och dag hinner jag intet hålla kläder på kroppen åt barna!

Lundbergs Amalia från Olsträsk i överläggning med Abdons Lina från Eckstäsk.

Då skall du höra på Olförarn! Få 'an att ritta dit Jernbanan som en stega oppi vädret. Och mens han håller till där oppe bland molnen, så säger du att "Kommer Kungen hit och Inviger då?" – Jomenvisst! He förstå du väl att han gör! säger Olförarn då. "Vilka ska hurra för Majestätet då?" säger du – "alla" svarar Olförarn. "Allt som kan krypa och gå! Fem tusen böra vi vara den dagen! Om vi fortsätta som hittills att föda levande ungar!" Eller nåt i den stilen, säger han. Då klämmer du i: "Skola barna mina skämma ut sockna jenna med att komma i slarvor?" säger du då. "Varför komma dem intet i anständiga kläder en sådan högtidsdag" säger Olförarn, D. Mårtensson då. "Därför att mora deres intet haver symaskin!" – "Men köp dig en! Queejn! med vev!" Och han lägger den i famn på dig som om han varit din från början, som när prästen återställer sistpajken åt dig sen han vattuöst 'an och kristnat 'an.

Och när det då kommer till frågan om betalning så skäms han mer än du, och säger åt Per, att det där, få ni göra opp sinsemellan. "Men Per är en sträng herre så gu'-nåde dig om du int levererar smör tills du betalat vad du är skyldig för denna maskin" säger Olförarn då! Försök bara! Prova ska du få se!

Och när det gick så. Och när också Per lyssnade på sin benådade broder, bedårad hur förbittrad han än var på honom, överraskad av någon vändning som gjorde en gammal historia ny

så stod kvinnan där och vevade på en symaskin, och Per skulle skriva upp den på hennes sida i skuldregistret "giv Amalia en sida för sig själv i boka, du Per"

och medan Didrik kastade blickar ut genom fönstret – hans panna måste ofta höjas, hälsa på himlakupans välvning,

kunde quejna, snett framåtlutad, räcka ut tungan åt Per "din armade snåljåp! tjänligt åt dig som int betrodde mig kredit! högfärdig över att vara bror åt Olförarn?! där fick du!"

En annan dag; boden full av folk – Amalias son kommer med en smörklump "saltad och hård som en kanonkula". Didrik granskar smöret flyktigt. Lidstedtara vilja ha smör,

Stockholmara hava inga kor, dem hava Jernbana så dem slippa mocka dynga, ha ha. Didrik behöver inte heller mocka, men finner smörhanteringen besvärlig nog: vad som är festmat åt getare och fähuspiga kan lätt ratas av personer som aldrig sett en ko. Han tar ett strå mellan pekfinger och tumnagel och säger:

– He var bönna så hårigt det här smöret var!

Amalias utsände son säger:

Men hur kan det komma sig? Mamma som ha noppat klimpen hela morron.

Och nästan alla i hela boden börjar skratta. Utom Per.

Så du slapp att bli luggad själv denna morgon, säger en gubbe.

För mamma din hade fullt schå med att lugga smöret som skulle skickas ut i världen? säger en annan.

Och ändå är smöret inte vältuktat nog när det kommer fram! Som synes, säger en tredje.

Hur såg det då ut innan 'a Amalia börja lugga och noppa smörklimpen jenna?

Var han alldeles lurvig då?

Varken Linas son eller Amalias pajk förstår att han sagt något roligt.

Den här klimpen rymmer bara försakelser så långt han minns. Sommargetningen, dess tärande tråkighet; mammas vakthållning kring mjölken; att han och syskonen aldrig fått sötmjölk utan bara blåmjölk; åsynen av grädden; den dagliga frestelsen att slicka sig ett pekfinger; syndafallet; syskon som skvallra; stryk av pappa eller lugg av mamma; nådens timma lördag förmiddag när den härliga sura grädden slås över i kärnan och kärnandet börjar med trätöreln som dumpas upp och ner i grädden. Det tjaskar och plumsar och dånar. Det sväller och kväller och dolsar. Vissa ljud får pappa att se på mamma s'att hon blir så blyg att hon blir arg. Och hon övertar dumpandet med töreln. Och sen stora syster. Och sen storebror. Det är en tung dunsande dans mellan kärna och människa. Det är fruktansvärt mitt i roligheten. Man skulle kunna tänka på myran när hon hotar med drunkning om man inte såge att torra golvet står stadigt under kärnan. Barnen har fått var sin skål med långfil och tunnbröd att bryta i och väntan på ögonblicket när gräddan bubblar strax före bristningen: då få dem komma fram i en lång rad, de minsta först, och dem få var sin klick grädda över filet. Det är som en skedfyll av tjocka paradiset.

Rör ut det i filbruttun*, säger pappa.

Dryga ut det barn, så varar det längre! säger mamma.

Men barnen lyssnar inte. En tar allt i en enda munfyll och nästan kvävs. En annan tar en liten pött mellan varje tugga av *filbruttun,* en tredje spar sin grädda tills alla ätit tomt – då tar han den på skeden och visar henne och slickar runt tills alla dreglar: han slickar sin sked från alla sidor. Han doppar nästippen i henne innan han gapar allsmäktigt och tar gräddan som om han ensam visste hur god hon är.

Detsamma gäller smöret. Om kvällen när det är färdigknådat – all kärnmjölk har tvättats ur det, det är ännu inte saltat – då får varje barn en smörklick. Det största barnet får en pött stor som ett hönsägg; det minsta en liten som ett sparvägg. Men för dem alla gäller att smörpötten skall räcka veckan ut. Återigen är det den ståndaktige som förvaltar sina uns som vore dem fem pund. De flesta göra slut på det första kvällen. Den behärskade får beröm av föräldrarna veckan lång, antagligen blir det den här pojken som skall få övertaga hemmanet *vet he vaal väl pajken jenna som ska hava hammane!*

Men till och med denne – så försvinnande litet smör han smakat i jämförelse med det som bäres till handlarn – eller med det han skulle vilja hava.

En sådan smörklimp bäres fram som ett offer, det allvarligaste pojken kan föreställa sig, oavsett om han tillhör de glupska eller de granntyckta i syskonskaran.

Till sist orkar Amalias son – eller Linas pajk – inte höra fler skämt i handelsboden. Gubbarnas förslag om kohår eller kvinnohår förlöjligar allting hemma hos honom: korna, myran, mamma, syskonen, hans egen matlust. Han blir fullständigt oberättigad. Bara en sån där snåltarm. Ingenting stämmer, han brister.

Då blir det tyst i handelsboden.

Och Didrik tar ned en klase bröstsocker och säger att pojken ska gå upp i storköket och säga åt pighopen där uppe att han skall hava något varmt i munnen ''för det har Olförarn sagt! säg det åt dem!'' Och se till att du får dig värmen innan du skidrar hem åter! Och Per skriver i boken hur mycket skulden på symaskinen minskat. Snart ska den vara gäldad, om smör levereras i den takten! Hälsa det åt mamma du!

– Snart! säger bror, sa Per när de blivit ensamma. Med fem pund i månaden – och Lidstedtara som betala sjuttio öre pundet! Två år minst! kommer det att ta för denna Amalia. Och lika länge för Lina.

– Det där smöret kunna vi inte leverera till Lidstedts. Det vore att skämma ut Socknen. Vi måste få qwinnorna att sila mjölken, säger Didrik.

Per fick beställa silutrustning.

Han demonstrerade och talade för varan. Folk blev arga. Silarna stod i travar och avvisades som *myggsilar* och Per fick känna sig som en kamel värd att sväljas. När silarna höll på att bli en smädevisa sa Didrik: vänta bara kärlingen kommer själv med en smörleverans ska vi sälja silförrådet.

När hon kom en dag; och det var tid för middagsmjölkningen; och Matilda var i fähuset; gick Didrik dit och slog lite agnar och boss i en hink och lät Matilda fylla den med spenvarm mjölk och gick ned med den till handeln. Per fick klippa en bit silduk och spänna den med järntråden i rännan som löpte runt silens nedre öppning. Didrik pratade medan Per förevisade.

– Söderut vara dem ju bra nog galna. Men vissa knep hava dem kommit på. Se nu hur järntråden håller tyget sträckt i en fullkomlig knipa. Låt oss nu se vad som händer om man slår mjölken genom det här – om tygbiten faller igenom eller vad som händer?

Och alla häpnade över allt det skräp som följde med alldeles vanlig komjölk och som nu silades ifrån. Var och en bjöds en mugg nysilad mjölk och något så olickligt! (ojämförligt)

– Men det sägs ju att ingen får dö förrän han ätit upp sju pund lort. Så man har väl tid på sig sa Lundbergs Amalia, en gång – och Abdons Lina en annan.

Då är det säkrast att du Amalia köper den första silen – och att du äter upp lorten från siltrasan kväll och morgon så du inte får evigt liv här i jämmerdalen! Och alla skrattade och drack den nysilade mjölken och kände "stor skillnad" och varenda sil med tillhörande knäppring blev såld. Och silduksväv mättes upp i fyrkanter, och skämt om brudslöjor böljade, och Lina blev mäkta firad, och Amalia icke mindre.

Per hade fått en lektion i folklighet.

– Men vad skall vi göra med det håriga smöret?

– Skicka klumpen till nån timmerkoja! Till drängstugan! Gör vad du vill med den! Men du skämmer inte ut Månliden med att skicka den till Lidstedtara, sa Didrik.

Naturligtvis måste Storsonen födas på en söndag.

Men Anna-Stava kunde inte säga precis vilken söndag det skulle bli. Och då lördagen den trettonde oktober bjöd på ett så oväntat fint slädföre

och då Anna-Stava inte var klenare än vanligt den morgonen

och då auktionen skulle hållas i Skjellet sockenstuga måndagen den femtonde

och visserligen hade Lidstedt lovat att bevaka Högklinta åt D. Mårtensson och inropa de skiftena åt honom

tre poster om sammanlagt elva tusen träd

och då det skulle bli outhärdligt att vänta på besked om utgången

men särskilt som konsul Lidstedt skulle vara i Skjellet dessa dagar så sällan som han numera uppehöll sig i staden!

och så andefattigt som det var att tala med hans ställföreträdande yngre broder, ''Lellstedt'', även kallad ''Lellsnown'', *den lille snöde*

och då han saknat slädföre i sex månader nu!

Jernbanan skulle ändra på detta. När Hon kommit skulle man kunna uppskatta sommaren efter förtjänst, se den som något annat än brist på slädföre

s'att han måste fira snön nu, som en lössläppt fånge

och innan någon annan hunnit fara till Skjellet och köpa de där tapeterna

och då han skulle behöva en större triumf i vardera han-

den att möta Storsonen med
och då han hade en lista av Strömmen på apoteksvaror
och då alla tecken tydde på att Anna-Stava inte skulle föda förrän nästa helg
for han till Skjellet lördag morgon.
Konrad och Emmanuel tiggde att få följa med och Konrad vann med sitt erbjudande *Jag kan vara Kus-mat!*
KUSEN
lever framför allt i brunnen. Han äter barn. Han hoppas att dem ska leka på brunns-veden, s'att brunns-luckan rubbas ur sitt läge, s'att barnet ska falla ned i brunnens djup
och innan det säger *dolsa* och *dumpa* och *tjask* i vattnet
så är Kusen där
med håriga händer och vassa tänder och ett skärande skratt
och så börjar Kusen äta småbarnet och slutar *aldrig!* s'att.
Och vissa hemska nätter går Kusen på torra land.
Han stryker runt husena, han vädrar och andas och luktar sig till om inte något barn ska komma som varit lättsinnigt med plikterna sina!
Han som inte burit in veden medan det var dag!
Hon som skjutit upp att hämta in tunnbröd eller kornmjöl från matboden!
Sådana lata barn äro som gjorda för Kusen!
Efter nie års ålder är Kusen egentligen inte längre så intresserad av barn. Men då kan Fruktan ha tagit Kusens plats s'att barnet inte vågar gå ensam i mörker ens på långt håll från varje brunn.
Då finns ett botemedel.
Att barnet är med vid en slakt – eller åtminstone vid styckningen. Att slaktarn då pekar ut en liten muskel, på insidan av bogen, nära ryggraden; en särskild liten muskel som rycker länge efter det att djuret blivit tappat och flått

och urtaget. Barnet ska krypa in i det rykande skrovet – och bita i den där muskeln och hålla i den med tänderna tills den slutar darra

då

efter den betan försvinner all tänkbar mörkrädsla

och barnet vågar allt, närsomhelst, och är moget att i sin tur skrämma mindre barn för Kusen.

Ett barn kan komma tassande om natten och be att få sova hos någon stor som då svarar?:

Ja då får du ligga närmast balken och vara *Kus-mat* – varmed menas att Kusen kan komma in genom skorsten, och, galen av hunger, smyga sig fram till första bästa säng. Då tager den stora människan den lilla och kastar henne i gapet på Kusen, s'att.

Oh hur lilla barnet klamrar sig fast vid en stor människa som förstår att salta sin snällhet med såna vidunder!

Samt kan Kusen tjänstgöra som yttersta smeknamn för Hästen. Den beundransvärde som med ett enda slag skulle kunna sparka ihjäl sin herre och kus-k, och som likväl icke

De hann installera sig på Kjörrans gästgiveri, hämta ''Strömmens gift'' på apoteket Mården, komma in på Lidstedts handel och upp i magasinet före stängningsdags.

Bodpigan Tekla mindes alltid Didrik, hans köpenskaper – från *karaffinen,* inhandlad som fästmansgåva, i kristall, till *imperialsängen* med madrass i tagel. Och mässingsknoppar. Tekla skulle bara veta vad *imperiålen* kommit att betyda med tiden så skulle hon inte nännas taga ordet i sin mun. Sannerligen.

Tapeterna var kvar. Jodå. Och det hade kommit andra, ville han inte se dem. Nej sa Didrik. Han ville inte ens se dem som han av misstag hade lämnat på sista föret. Första veckan i april. Han visste hur dem sågo ut, hur absolut han behövde dem, det skulle bara störa hans minnesbild att. Och hur mycket skulle han ha? Hur stora väggar gällde det. Det visste han inte. Han hade heller inte riktigt tänkt på om de skulle klä väggarna i *gästsalen* eller i *gemaket*. Jag tar vad som finns, sa han. Det vore ju också onödigt om någon annan vare sig här *nea landet,* eller *oppåt marka,* skulle komma över någon rulle av samma tapet.

Konsul Lidstedt var icke tillstädes.

Och som han skulle gå ned – med den ansats till besvikelse som ett nödvändigt men försenat inköp rymde – for en dörr igen så att huset riste och något klingade. Vad var det? En bjällerkrans som hängde på en spik uppe i magasinet. Och Tekla måste visa och Didrik hann inte ta i den förrän han visste att han måste ha den. Tekla lade den om hans nacke och visade hur den mittersta bjällran, stor som ett jungfrubröst, skulle sitta på manken. De andra tolv förminskades parvis till de minsta, små som två bröstvårtor. Mamma Mamma MammaStava. Om man skakade hela kransen lät det mindre högt än en vanlig tjuka* – men skillnaden var oerhörd; bjällrorna *spelade*; där en tjuka i allt sitt gälla slammer ändå snart föll in i en lunk, där tycktes bjällerkransen ha oändliga möjligheter till nya klanger.

Om det varit någon annan än Tekla skulle han ha sagt att han struntade i tapeten; men det hade varit oartigt mot henne som hållit den åt honom hela sommaren; och men utan att han vetat det var det naturligtvis för bjällerkransen som denna resa varit nödvändig. Ja egentligen borde denna musik vara det första som Sonen hörde i världen. Det var så med allt möjligt: små skäl lockade honom hela tiden till det stora skälet, det avgörande, oförutsedda.

Tapeterna och bjällerkransen kostade som varsin kornsäck, och men ty människan lever icke av tunnbröd allenast. Och Didrik var inte Ansgars broder på något sätt. S'att.

Didrik gick med köpesakerna och Konrad till Kjörran och sa till en av pigorna att sköt om lill-kusken jenna och giv 'an någe varmt. Jag har några angelägenheter att sköta i staden.

– Ska jag stilla Häst'n för natten, sa Konrad. Och Didrik sa att han gjorde det själv. Vakta bjäller-kragen åt oss du. Det räcker som uppdrag i kväll.

Konrad. "Könteln".

En vinter för några år sen, innan storhuset var byggt, när vägen kryllade av lösdrivare och såväl pappaMårten och mammaLena som broder Efraim med hustru Eva hade klagat över de många tiggarna och hållit fram Månlidens egen barnskara på ett gormande sätt. Hade Didrik blivit förnärmad över tonen, dess småaktighet, dess ovilja att taga språnget in i den nya tiden, Jernbanan till mötes; där i Månliden *bjöd* man så länge det fanns något och när det inte fanns längre klippte man av! Men smussla och gnaga och knussla det var för småfolk! Så för att straffa sitt eget husfolk – utom Anna-Stava som låg i kammarn och var litet frisk, sa Didrik det högt och blankt: vi hava inte råd utspisa fem tusen tiggare! Då blev det tyst vid bordet. Men från dörren kom det en tunn svingande jämmer, för mänsklig att vållas av gångjärnen, för gammal att komma från tiggarpojken. Och fastän den där olåten var för svag att kunna höras in i kammaren. Och fastän Anna-Stava hade svimmat två gånger denna förmiddag när hon försökt stå på benen kom hon nu, barfota, lyhörd, snabb och blek och hög i sjunde månaden, svepande genom köket ut i farstun, ut på bron, och in igen med den arma bortbytingen in i kammarn där dem började snyfta båda två som det helgon Anna-Stava var. Och syster Laurentia och svägerskan Eva kappades om att bära in var sin skål varm *monka** och tydligen var pojken så frusen att Anna-Stava gatt* mata honom.

Och som om Didrik hade utvalt Konrad till att leva ur en hop på fem tusen dödsdömda tiggare såg pojken på honom alltsedan.

Drängarna och Nicke-barnen kunde retas och fråga ”vad är det för en kont som har vuxit fast bakpå ryggen din!” Och Matilda kunde fråga hur länge *Könteln** skulle stanna. Och Anna-Stava hann inte försvara honom mycket mer än allt annat som hotade att förgås i jämmerdalen. Men bara Konrad kom åt att se på Didrik, hussbonn, fick han mod att hålla sig kvar månad efter månad. Han höll sig i stallarna, hjälpte pappaMårten att mocka efter snallarhästarna och gårdens hästar; han var en tjänstvillig smådräng som en dag fick smeknamnet *Stallmästarn*. Men Häst'n tålde honom inte. Pojken luktade fasa innan han gick upp i spiltan med ämbaret. Och Häst'n nöp honom och trängdes och blängde. Det kunde ha räckt med att han passade upp Leijla eller Esau som var vanliga hästar. Men som om han behövde denna känning med lifsfaran sedan han inte längre riskerade att frysa ihjäl? Eller som om han inte kunde mista stallmästar-titeln envisades pojken med försöken att bli godkänd av Häst'n.

Didrik gick genom stan ett par vändor, upprymd över bjällerkransen, handelsbutiker, hus, gatlyktor, röster. Packhusen vid älven. Där funnos *kolonialvarorna* och lådorna med amerikanskt fläsk. Balarna med kaffe och socker. På andra älvstranden skymtade Lidstedtarnas sågverk, Sävens. Det fanns andra sågverk längs älven ända ned till Björnviken vid Quarken. Timret flottades hela sommaren ända uppifrån Avaviken, skildes genom rännor, dammar och slussar så att varje sågverk fick sitt timmer. När det sågats till plankor och bräder fraktades det på segelfartyg till Tyskland, England, Frankrike, Holland; kanske Amerika. Skjelletälven tog också upp stockar från alla sina bifloder, sådana som Pjesaurbäcken och Grundmyrån. ”Dem som flotta i Lillvattnets bäcker och åar må ej nedlägga stockar på större längder än tjugosju fot”. Alltid måste Lillvattnet åthutas i Öfverhetens tilltal.

Han hade tagit reda på var Lidstedt bodde, Konsuln, tillika Patron och Kapten, den Verklige i raden av Lidstedt-bröder.

Han gick dit och såg huset upplyst. Där var kungliga gardiner för fönstren. Och en kunglig kristallkrona. I taket med tända ljus. Och familjen kring ett bord med höga stolar och fransar och allt var ombonat och *yppigt*; det var som Tysklands, Stockholms och Amerikas hemligheter, överlistade, erövrade och hitskaffade. Man sjöng och åt och spelade och rörde sig i en värld på stort avstånd från klavbundna kor, från gödsel och svett; på stort avstånd från slaktfåret, vars talg levde i kristallkronans ljus; på totalt avstånd från talesätt där himlen kunde jämföras med innanmätet på ett slaktat får.

Det går fårfeta på himlen... det blir grant väder

I Lillvattnet; när dem stöpte ljus av fårfetan lade man några tunnbröd under raden av ljus så att talgen som droppade under stöpningens gång föll ned på bröden. Där var då också rader av barn ”med tindrande ögon” som bevakade detta stöpande. Dem tycktes längta nästan lika mycket efter de talgstänkta bröden som efter de färdiga ljusens sken. De såg ut var sitt bröd, de räknade dropparna som föll, de jämförde med varandra, och om någon talgdroppe blev extra stor och rund när den stelnade kallades den *krona* och utgjorde en triumf som varade i timmar för det barn som vaktade det brödet.

Här, hos Lidstedts, hade man annat sovel. Och annat bröd. Och andra triumfer.

Ändå ville Didrik inte flytta hit, till Skjellet. Han ville draga denna *yppighet* till Lillvattnet! Upprätta detta avstånd till fähus och fårfeta *där,* få det att lysa och glittra *där,* mitt i vintern.

Oh att Skjelletälven hade legat nedom Månliden! I stället för den arma Grundmyrån!

Men ersättningen för denna älv skulle Jernbanan bli.

Utan förvarning kände han att han frös om fötterna. Han hade tagit herreskorna på sig och de medgav bara ett par ganska tunna strumpor, och inget skohö.

Konrad tog hand om hussbonn'skorna. Han stoppade sin halsduk i den ena och sina vantar i den andra och ställde dem på tork "s'att dem int törk ihop!"

Det fanns bara en säng i gästrummet; men den var rymlig; åtminstone bredare än den utdragssoffa som Didrik och Per sovit i ända tills han kom i äkta bädd med Anna-Stava.

Konrad hade inte lagt sig; han hade velat se till Häst'n en extra gång men där hade varit en karl i stallet, som stirrat så förfärligt på honom, att han måst avstå.

– Häst'n är van vid alla sorter. Oroa dig inte för honom du, sa Didrik en smula otåligt.

– Jag gick in i köket också för att höra om pigorna ville hava hjälp med något. Men dem också. Jag förstår inte. Hava dem inga krymplingar här i Skjellet? Så ovan' som dem verka. Konrad log med sitt stora omisstänksamma ansikte.

Det hade blivit försent att få någon kvällsmat i gästgiveriet. Men Didrik hade torrskaffning med sig i spannen*. Han skar upp torkat fårkött och halv-tjock-kaka och de åt medan Didrik satt och värmde fötterna mot kakelugnen. Han hde velat fråga pojken varifrån han kommit den där dagen när han nästan blivit utkastad av D. Mårtensson i Månliden och sedan fått det så himmelens bra hos denne tack vare hans unga maka. Men mitt i sin tacksamhet fanns det något ointagligt hos Konrad, något som vägrade skämmas. I och för sig kunde det ha varit roligt se hur han skulle klara en utfrågning. Men. Didrik hade ganska lätt för att skämmas. Så att. Han fick väl fortsätta att vara sin egen, Konrad. Eljest och annars och egen.

Men natten blev orolig. Didrik vaknade av att han höll pojken hårt i famn, och puckeln "hans hopfällda vingar" var Anna-Stavas mage, och han hade svåra drömmar. Pojken grät tyst.

– Hur är det, sa Didrik, har du ledsamt?

– Jag drömde om mamma.

De stöttes och stördes och väcktes av varandra. De puffades och trängdes som igelkottar i ett stenröse. Didrik drömde att han stod bredvid Häst'n och sa "från och med nu slutar du kalla henne mamma! Så länge vi inte hade någon son var det harmlöst! Som ett skämt! Att höra dig titulera henne mamma. Men från och med nu säger du *madám!* Förstått!" Han spratt upp och rös. Hur drömmen kan skämma ut en levande människa, avslöja hennes låg-sinne, det allra lägsta. Han raspade eld på en svavelsticka och tände ljuset. Pojken sov, dessbättre, och hade ingenting hört – om nu Didrik hade pratat i sömnen. Han steg upp och lättade sig i nattkärlet.

Konrad skar tänder och gnällde.

Didrik frös, tog på sig hundskinnspälsen, lade sig på golvet. Så snart han somnat hörde han pojken gnissla med tänderna. Han satte sig upp och sa "sluta gnissla så där!" Det blev tyst. Han somnade. Han drömde om pojken, vars ansikte förstorades, breddades, det svävade ovanför Didrik tunt stort outgrundligt; leendet blev alltmer innehållslöst

Denna skalle tunn och mäktig och oavvislig som något bibelord "...som han givit i min hand..."

Han vaknade och frös, pojken var också vaken och grät tyst. Han hade ont i magen.

Didrik kände en otålighet som närmade sig raseri. En kort slummer och han drömde att han sa: hur länge har du tänkt stanna i Månliden? Är det inte på tiden att du tar dig en drängplats? Vi ska ordna med fattigvård! Men det friska Lillvattnet är för fattigt ännu! Vi hava inte hunnit ordna för sådana som inte duga till att arbeta!

Aldrig var han som vaken beräknande i sin hårdhet!? Om sådana som Ansgar i Basnäs, Lundmark i Tallheden, Bergström i Eckträsk, för att inte tala om länsman, Holmgren, räknade ut hur man skulle slippa se de fattiga, slippa sitta till bords med dem... men Didrik kände inte igen sig. Alla skulle bli rika och kunna rödfärga sina hus i allt Lillvattnet! Och Konrad rymdes väl! Varför stred han med gossen i drömmen?

Somnade igen och höll på att kvävas. Han drömde om flottning. Han trängdes med stockarna, han låg med ansiktet nedåt, huvudet kändes lika brett som kroppen, han gungade fram, trängd mellan stockarna, vattnet dånade och han visste hur lätt han skulle komma fram om inte något halkigt strypande legat om hans hals. Röster och dån och karlarna såg inte att det var han, Olförarn, utan behandlade honom som en stock.

När han vaknade vågade han inte somna om. Han tände ljuset. Konrad var vaken.

– Vad det är svårt att bara vara karl, vissa gånger, sa pojken.

Det kom så träffande att Didrik inte kunde le; vad visste den där stackarn; vad hade han varit med om innan han kom till Månliden

innan han kommit till

och som han orkade minnas?

De sov inte mer; de samtalade inte heller; men Didrik kände något liknande tacksamhet över att pojken fanns där, i samma rum, denna ändlösa efternatt.

Men söndagen blev ännu trängre.

– Ska vi fara till Björnviken? Så du får se Quarken? Om vattnet har gått ännu.

Och när han sagt det hörde han att han menat sig säga: om isen har lagt ännu. Han föll i sömn, fem timmar djup, och när han vaknade hade det gått fem minuter och pojken satt och såg på honom med knäppta händer.

– Ska vi gå i kyrkan, pajk? Det gick att säga men inte tänka. Hela staden runt om denna trånga kammare kändes fientlig, och denna klockklang mot hans huvud, och ingen skulle veta att han var Olförarn nånstans, och skulle dem köra med bjällerkransen skulle någon kunna antyda att ser ut som kommen från marka* – men högfärdsbjällror måste dem hava! Han borde inte ha köpt den förrän Storsonen hade kommit; det var utmanande, olämpligt; som att en mamma aldrig någonsin förberedde barnets ankomst med lindetyg, det gjorde svägerskor, grannqwinnor, systrar – och även de i hemlighet! Varför hade han tänkt på Sonen när han köpte bjäfset – det var den samtidigheten som kunde tydas som en förhävelse.

– Tror du att du kan stilla Häst'n, sa han till Konrad, och somnade igen bottenlöst, och vaknade när pojken kom in igen; han såg honom i dörröppningen ett ögonblick som låste sig: pojkansiktet "för stort", blankt av svett och han avskydde honom för att han hela tiden såg ut som om han höll på att födas; uråldrig, blöt, beroende – och samtidigt utan vett om att skämmas; med den där påstridigheten som Anna-Stavas tre första hade haft; dem som bara kommit utan att Didrik haft något att säga till om.

Eller var det Nabot som stod där i dörröppningen hos Pappa Mårten och bjöd ut sig till uppfostringspojk som nio-tio-åring

när Didrik varit fyra eller fem.

Han måste bita ihop tänderna för att inte väsa otidigheter, sådana som "nog är du väl en usling som inte kan vattna en häst utan att pinka ner dig!"

Didrik hade ont i huvudet, han behövde komma ut, få luft; men han låg som klavad. Konrad drack vatten ur tillbringaren på lavoaren och kastade en blick mot spannen.

– Ta dig en bit om du är hungrig. Och pojken var så glupsk och tacksam att Didrik måste vända ansiktet mot väggen. Kunde det verkligen vara så att Anna-Stava födde denna söndag? Han sov anfallsvis; det dundrade i huvudet när han vaknade; pojken satt och åt

”så att mannen tog ett bälte samt i ett anfall av sinnesförvirring strypte den minderårige. Av domaren tillfrågad hur han kunnat begå en så ohemul handling mot en gosse som närapå varit att betrakta som ett värnlöst barn, svarade våldsverkaren det han icke tålt se gossen äta så länge. Rätten kunde emellertid konstatera det ätandet för gossens del endast hade pågått fem minuter innan den tilltalade tog till bältet”

Didrik hörde en gammal brottsbeskrivning tugga sig fram i Skjellet-avisen, där domarens – eller notis-skrivarens? – ord tävlade i vanvett med gerningsmannens handling.

Som om alla fem-minuters-sträckor vore jämnlånga! Det där ätandet var ju som en enda tidspillan, som att dika, som att nöja sig med livet på stället! *Onyttige rymder* som det hette i Öfverhetens språk.

Men måndagmorgon vaknade han utsövd och hungrig och lätt och frågade Konrad om dem skulle köra hem genast och taga emot storsonen.

– Jomenvisst! sa Konrad.

eller om det vore ett nog så bra sätt att taga emot storsonen med några tusen träd!

– Jomenvisst, sa Konrad.

Han lämnade häst och pojk på Kjörran och skrattade som han gick.

– O du Stallmästarn, att du är en djuping du!

– Jomenvisst.

Och det senaste dygnets instängdhet hade laddat upp en sällskapshunger som kom honom att stirra på människor och hästar och hus; allting var uppseendeväckande; och roligt i ett hus som fortsatte att kallas sockenstugan trots att Skjellet var en stad. Och det var roligt att träffa Löfmark från Lorsjö som också skulle känna sig för om en liten stämpling?

– Är det inte märkvärdigt att dem veta om det, herrkarlarn jenna? Att he finns skog inöver landet? Och att han är nånting värd? Och att dem behöva 'an – fast att dem bli som rasand över att he ska behövas folk till att taga ned timret åt dem, sa Didrik, glupsk och skärrad. Han jämförde sig med Nils Löfmark, karlens lugn var förargligt; det påminde om att Lorsjö hade nybyggarstadiet längre bakom sig

att dess befolkning inte hade dött ut under Karl den XII

att *folktäv* besegrat alla onyttige rymder där

att dem hade orgelbyggare där, en i varje by

s'att sonen åt Olförarn i Lorsjö kunde se ut som en go'tidkarl bland herrar

att Skjelletälven rann mitt genom Lorsjö.

Men Jernbanan skulle fara genom Lillvattnet, med ett mäktigare dån! Och bara snudda vid Lorsjö sockens sydspets! S'att.

De höll sig lite på sidan och såg inspektorer och patroner gå med straka ben, höga bukar, krusiga polisonger och belevade skratt. Om ett svar behövde förstärkas kunde *spekulanten* dra upp sitt guldur ur västfickan, knäppa upp boetten så att *konkurrenten* måste känna sig avstängd – om han inte hade en guldkedja att rassla med, nog så tjock.

Nils Löfmark såg inte hotad ut och gjorde små påpekanden.

... högsta gubbarna hava delat upp skogar och socknar mellan sig. Dem vara tvungna att samarbeta – på sätt och vis. Flottningen skulle ju aldrig gå om inte olika bolag hade vissa gemensamma regler. Och så hjälpas dem åt när det är fråga om att tukta Kronans tjänstemän. Jägmästarn och kronjägarn ska bara hålla efter småböndren! Och aldrig lägga sig i vad bolagen göra! Men annars... som dem bitas och djävlas med varandra. Nils Löfmark skrattade som om han bara såg byahästar göra upp mellan sig första dagen på skogsbete.

– Se på den där Nord till exempel. Han var skrivare åt Lidstedtara förut. Sen gifte han sig med en Gyllenmarks-doter och blev delägare i den firman. Vad tror du Lell-snown gillar det? Alla hemligheter som Nord kunde taga med sig till konkurrenten!

Didrik kände hur han torkade i munnen. Han försökte se vem av herrkarlarna som kunde vara Nord. Men han kunde inte känna igen honom. Om bara konsul Lidstedt hade kommit, så att De Stora Linjerna kunnat göra sig gällande. Men det var hans yngre broder allmänt kallad Lellstedt, eller *Lellsnown*, som kom fram och hälsade och det förvånade honom att se D. Mårtensson, sa han.

– Jag tyckte att jag skrev att ni inte skulle behöva komma då jag lovat bevaka Högklinta åt er.

Didrik sa att han fått brevet men att han gärna ville se hur en skogsauktion gick till.

– Och då jag liks hade ett annat ärende.

– Om ni inte misstycker sköter jag om inropningen åt er. Få konkurrenterna se ett nytt ansikte och en röst från *marka** kunna de narra er att betala överpris. Högklinta är indelat i tre block. Men ni överlåter det åt mig? Inte sant.

Auktionen började med några skiften inom Lorsjö. Kronofogden uppgav läge, antal träd, jägmästarns värde-ring, som svängde mellan en krona och åttio öre, och två och tjugofem per träd.

Kartor fladdrade och viskande rådslag. Skogens allmän-tillstånd vägdes mot avståndet till vattudrag, tjänligt som flottled. En bjöd ivrigare än de andra, alla såg ursinnigt på honom.

– Två kronor och trettiosju öre, sa den nye energiske. Bjudes för Gyllenmarks räkning!

De andra mullrade. Detta är emot alla överenskommelser! Detta är att fördärva allt för oss alla! Nästa gång kan jägmästarn fördubbla sina priser... och vem vinner på det? Varför bjuder Gyllenmark inte själv! Har han satt sig under förmyndare! För fin att använda sin egen röst!

Man hade tydligen ingenting emot att viskningarna kunde höras.

Löfmark bjöd ett par gånger men gav upp utan ilska. Didrik våndades när turen till Högklinta-blocken kom.

— Första posten tvåtusen träd som av jägmästaren värderats till en krona och femtio öre per träd. Hur mycket bjudes?

Så lågt hade inget skifte i Lorsjö värderats! Didrik skämdes, han hade velat ropa två kronor och femtio öre på en gång.

Lellstedt började med att bjuda en krona och femtio öre "för D. Mårtenssons räkning i Lillvattnet". Gyllenmarks man sade en krona och sextio öre, Lellstedt en krona och sjuttio öre, Gyllenmarks en krona och sjuttiofem öre. Kronofogden stadfäste med klubbslag.

Andra posten om åtta tusen träd.

— ... av jägmästaren värderas till en krona och sextio öre.

Och samma tävlan började där, tills Gyllenmark fick det för en krona och åttiofem öre per träd.

Didrik hostade förebrående i ryggen på Lellstedt, men hans nacke var orubblig.

Tredje posten om ett tusen träd. Jägmästarens pris likaledes en krona och sextio öre. Lellstedt bjöd en och sextio. Det var tyst från Gyllenmark, då sa hans budbärare halvhögt

Visst tar du en stackare till?!

Och Didrik kände igen orden.

Äntligen kände han igen Nord; han hade blivit fetare sen han var skrivare hos Lidstedts.

— Gyllenmarks bjuder en krona och sextiofem öre på

det tredje blocket i Högklinta.

Lellstedt sa ingenting. Då sa Didrik:

– En krona och sjuttio öre.

Nord vände sig om. Och de såg på varandra som om de inte hade träffats färdigt.

Men också Lellstedt gav honom en ogillande blick. Och klubban föll.

– I vems namn skedde det sista budet, sa kronofogden.

– I mitt eget, D. Mårtenssons från Månliden och Lillvattnet.

– Jaha ja, sa kronofogden och kände igen "unge Olförarn" från kronouppbörderna i Lillvattnets sockenstuga. Men en lätt frågande blick kom Lellstedt att förklara att han haft D. Mårtenssons fullmakt att bjuda på Högklintablocken, men att D. Mårtensson oförhappandes, av andra ärenden nödgad, hade uppehållit sig i staden och därför och så vidare även själv företrädde sig själv.

Auktionen var över och de inropade avverkningsrätterna betalades med skuldsedlar och borgensförbindelser.

– Att han då lät er få det, för en krona och sjuttio öre, sa Lellstedt.

– Han hade kanske släppt hela Högklinta till rimligt pris om jag bjudit själv från början, sa Didrik.

– Det är vansinne att bjuda så högt på kronans skog! Det är att skämma bort jägmästarn! Och bönderna! När dem få nys om en avverkning på kronoskog då flockas dem och kappas om att få hugga och köra. Och vägra sälja från hemskogen. Som dem hava fått gratis och för intet.

– Dem betala skatt för de arma skogsskiften dem hava fått av Kronan, sa Didrik. Genom avvittringen.* Och förövrigt behöva dem den skogen, till husvirke och allehanda.

– Nåja det baggas* rätt flitigt på kronparkerna runt om byarna. Till husbehov – efter vad det hörs!

– Även så kommer en och annan stock bolagena tillgodo – utan att växtplatsen närmare efterfrågas, sa Didrik.

– Dem hava inte så stora träd i Lillvattnet – men stora i truten äro dem! Värre än i Lorsjö! sa Lellstedt och sa att Löfmark och Mårtensson, de här unghästarna från inlandets stora vidder kunde få skjuts med honom till kontoret i och för skrivande av kontrakt om timmerleveranser!

– Och så är ju Konsuln hemma för en gångs skull!

De fick stanna i väntrummet en god stund och hörde Lellstedt ge en gormig rapport från auktionen där skällsord sådana som "de där halvlapparna" inte fattades. Lellstedt var torrare och glattare än länsman där hemma i Lillvattnet, men inställningen var densamma: inlandets byar voro föraktliga, som mark och folk och företeelse! Kanske att himlen varit som en frånvänd blecksked över Lillvattnet första gången han kom dit

så att han sen alltid tänkte på dess folk i det ljuset?

– Det borde vara lättare för de där halvyllebrackorna att klå oss! sa Nils från Lorsjö och Didrik avundades honom hans självkänsla. Samtidigt ogillade han att Nils med ordet *halvyllebrackorna* jämställde konsul Lidstedt med brodern, Lellsnown. Det var ju det som var skillnaden: att Konsuln såg Lillvattnet inte som en trakt att klå, utan som en trakt att... att... sätta vingar uppå!

Konsul Lidstedt började genast tala om Riksdagen, Konungen, Länets Jernbanekommitté samt Den Inre Linjen. Lillvattnet blev en riksangelägenhet! Ja dem tänkte knappt på annat där i Stockholm när konsul Lidstedt talade.

– Försvarsintressena tala för Den Inre Linjen. Överbefälhavaren menar ju att en jernbana närmare kusten skulle vara ett lätt byte för Ryssen. Han kunde då från krigsfartyg ute i Qwarken träffa Jernbanan med kanonkulor som hava upp till sex mils räckvidd. Det är tragikomiskt att tänka sig hur Ryssen för andra gången är med om att befolka det inre av Västerbotten. Första gången var 1809 när så många rymde ur krigstjänst vid kusten och togo upp nybyggen i skogs- och myrlandet.

Didrik rodnade. Det kändes illa att härstamma ur ett släkte av fanflyktingar.

– Men ett annat krig väntade som, rätt besett, krävde ännu mera mod av dessa våra förfäder. Inte sant! Att bygga och bo i ett land som Lillvattnet det fordrar ett sinnelag som endast hjältar! Och ni ska veta att edra brev, Didrik Mårtensson, betytt mycket när det gällt att elda och egga Jernbanekommittén i dess arbete. Först till att genomdriva beslutet om Banans byggande norrut alltifrån Gefle. Men också när det gällt beslutet om den inre linjen här i Västerbotten.

– Ni känner ju till språkbruket hos ”Den Yttre Linjens” företrädare, fortsatte den herrlige. Vissa träpatroner som vilja ha jernbanan utefter kusten. ”Folkrik bygd” heter det i deras språkbruk. En socken som Lillvattnet kalla de ”ödemarken”. Hör bara hur en riksdagsledamot smädade Den Inre Linjens sträckning: ”Dit inga vägar leda, där inga byar finnas, där ingen odling trifves, utan blott ett och annat nybygge gömmer sig i de ensliga skogarna”! Och en sådan skall kalla sig norrlänning!

– Är det Gyllenmarkara som föra ett sådant språk om oss i Lillvattnet?

Konsul Lidstedt log uppskattande men var samtidigt för fin att smäda en konkurrent med namns nämnande. Så han fortsatte att tala om ”vissa träpatroner”.

– Om de finge rita upp världen skulle den bestå av breda älvar kantade av skogklädda stränder! Trakter mellan älvarna, vars värden icke äro uppenbara, sådan mark avfärda de som *impediment, moras* och *Onyttige rymder* och jag vet inte allt hur de kunna få till det. I sin kortsynthet!

– Jag är onöjd över att dem skulle komma över de största blocken i Högklinta, sa Didrik.

– Visserligen ha vi, Bröderna Lidstedts, haft förmånen

att få räkna Lillvattnet som vår särskilda leverantör och jag tycker kanske att min bror kunde ha varit mera dristig i sina bud för er räkning. Men inte mycket. Och vår konkurrent har måhända velat spränga sig in, till varje pris! Men låt honom komma! Edra sockenbor ska snart märka skillnaden! Vad det ändå gäller är *de stora linjerna*. Inlandets framtid! Samarbetet med Fosterlandet i dess helhet!

Didrik kunde inte sitta kvar på stolen, han reste sig och fötterna kom av sig själva i givaktställning. *(Oh min Konung och min brud...)*

– Ni vet att Jernbanan nu snart är färdigbyggd mellan Ofoten och Luleå? Den går genom Malmfälten. Dessa berg av järn som komma att rycka upp hela vårt land till välstånd. Men böra vi frakta ut järnet obehandlat eller bygga masugnar och förädla naturens rika gåvor inom landet?

– Förädling måste väl vara lösenordet, sade Didrik och konsul Lidstedt gladdes över denna unga mans urskiljning, sade han, tilläggande:

– Och säkert anar ni redan att vad bergverk och masugnar behöva för järnförädlingens genomförande – det är kol, träkol! Och var finns det bästa ämnet till kol? Inte alls på stränderna till de stora älvarna! Utan tvärtom i en socken som Lillvattnet! Där finnas förvisso skogar lämpliga till sågtimmer! Låt inte Lorsjö-bor eller nybyggare från Avaviken inbilla er att Lillvattnets skogar inte skulle duga! Det vet ni lika bra som jag att de flesta av dem kunna komma till användning! Och att det största hindret hittills varit bristen på flottleder. Men att *dessutom* det finns massor av skog – på och omkring myrarna – som passa utmärkt till kolved. Kolningen är också en form av förädling.

– Smeden där hemma, 'n Ante, gör sig en mila om året för att få kol till sin ässja.

– Se där! Det är en konst lika stor som tjärbränningen!

Och lika inspirerande! Sanna mina ord – varje by i Lillvattnet kommer att framställa träkol till masugnarnas behov med samma fermitet som man idag bränner tjärdalar och täljer sparrar. Och hur ska kolen fraktas? I åarna eller på jernbanan!

Att skogen var mindre hög och grov i Lillvattnet. Att flottlederna voro så smala där! Och sumpmarkerna så många! Allt blev förtjänster i konsul Lidstedts mun, tillgångar som gjorde Lillvattnet förmer än Lorsjö, och Avaviken.

– Vi hava då icke järn själva, i Kaxberget, frågade Didrik; plötsligt storbehöven.

– Säkert. Men frågan är ju om det är brytvärt nu då Malmfältens tillgångar börja bli kända som en av jordens största. Men underskatta inte kolvedens betydelse! Det är Lillvattnets guldgruva – på sikt. Under förutsättning att Jernbanan får sin rätta sträckning.

Konsuln såg på Didrik, prövande: skulle unge Olförarn i denna viktiga inlandssocken kunna giva Jernbanan den rätta sträckningen! Han tog fram kartan där två linjer dragits genom Lillvattnet upp till Norrbotten.

Den ena gick strax öster om sjön, korsade Lillvattuån över en bro

som också var dansbana sommartid, erinrade sig Didrik som sällan dansat, och aldrig där – nej sannerligen aldrig där!

och fortsatte i en bukt öster om kyrkberget.

Den andra linjen gick sju kilometer väster om Lillvattnets kyrkby genom obefolkat myrland.

– Jag skulle ha velat ha den närmare, sa Didrik. Om ni ser hur Kaxberget ligger i förhållande till Månliden? Skulle det inte ha varit lämpligt med en station i Månliden. Och den nästa på Kaxbergets topp? Järn kunde då lastas i Kaxberget! Och träkol i Månliden!

Och konsul Lidstedt log och gladdes, sade han, över de

djärva idéer som ständigt.

– Men ni glömmer en sak! Topografin! Hur underbart loket än är – men det kan icke taga sig uppför sådana höjder. Kaxberget är för brant. Till och med Månliden är för nära molnen! En järnbana måste gå på så slät mark som möjligt. Och tre kilometer är inte långt. En fråga som kan vålla strid i er socken liksom den gjort det överallt där järnbanan dragits fram är frågan om järnvägsstationens placering. Det finns risk för att affärsmän, kyrka och gästgiveri och andra institutioner känna sig förbigångna om Jernbanestationen lägges långt ifrån den kommunens medelpunkt som redan är till finnandes?

– Saken är den att Månliden ligger mera i socknens mitt än vad Plass'n gör! Och sen vi började med handel där komma dem nog så gärna dit, sa Didrik och önskade att han varit någon annan som kunnat prisa D. Mårtensson mer ingående på Valbergs bekostnad.

– Sett från kustens horisont är vilken som helst av de här två linjerna att hänföra till *den inre linjen*. Sett från Lillvattnets kommuns sida måste den västliga linjen betecknas som *Den Inre Linjen,* och den som går intill Lillvattnets kyrkby blir *Den Yttre Linjen.*

Didrik hörde inom sig hur de fromma gubbarna i kommunalstämman av blotta uttrycket Den Inre Linjen skulle låta sig bevekas. Den Yttre Linjen – det lät som *ytligheter,* som den *utvärtes människan,* som *bort det!*

– Den inre linjen går genom oodlad mark, inte sant? Det innebär då *dels* att den marken med större lätthet kan uppoffras – de här flarkmyrarna äro ju varken värdefulla som åkerjord eller skogsmark...

– ... men kolved kunna vi hämta där, påminde Didrik.

Och konsuln höll med att den naturtillgången var så kännetecknande för hela Lillvattnet att.

... *dels* skulle dikningsarbeten i jernbanans tjänst förbättra omgivningen i dess helhet. Om Didrik Mårtensson hade ytterligare skäl, efter rådslag med sockenborna, för *den inre linjen...*

... så skriv för all del! Jag har den största nytta av dessa synpunkter! Där sitta de i Riksdagen, i Generalstaben, i Länets Jernbanekommitté – de rita sina kartor och beräkna kostnader, de begära anslag. Men människorna i de kommuner som beröras! Vad veta ämbetsmännen om deras liv och drömmar! Jag har ju redan förstått vilket symbolvärde Jernbanan har för Lillvattnets befolkning.

Och Didrik kunde bara bekräfta att så var det. Ja att han till och med kunde avstå från jernbanestation i backen hemma i Månliden bara för att han sett en *symbol* gå och peka ut vars stationen skulle ligga.

– Såå? sade konsul Lidstedt. En levande symbol?

– Jo. Det var en trana som gick där på Flarkmyran. Och likasom stakade ut en tomt för ett större stationsbygge där. Med näbb och fot så *eleganta* att!

Lidstedt skrattade. Se det var en symbol som hette duga!

– Concordia! sa han, konsuln, och var som en konung när han gick fram till tavlan av sitt mest älskade skepp. Han rättade till guldramen medan han sade till bilden:

– Du skulle bara veta hur du inspirerar människor långt oppåt marka! Din långhalsade lilla trana! sa'n.

Sålunda stärkt av Konsuln uppsköt han födseln till nästa söndag

så att istället för att ängslas över några vedermödor som Anna-Stava kunde ha i hans frånvaro

och istället för att behöva älta Nord och Lell-Snown, de små girigbukarna, hade han fått ämnen av Konsuln för tal som han skulle hålla i handelsboden och i sockenstämman om Den Inre Linjens Absoluta Nödvändighet.

Samt kunde han med Konsulns hjälp hålla ifrån sig de ofödingar till pojkar som trängt honom på Kjörran. Konrad förhöll sig omärklig i risslan i fem timmar och mil och allt var storstilat ända fram till Valbergs handelsgård på Plassn i Lillvattnet.

Men där var en bortbyting med stora ögon. Han sprang mellan risslor och snallar-lass och granskade hästarna med en kännarmin som svor mot hans litenhet.

– Vill du byta häst, pajk! Vad har du för en kuse att sätta emot? sa Didrik. Alla barn gillade som Olförarn skämtade med dem, men den här knatten var ute efter annat? Han ställde sig bredvid Häst'n så nära att dess andedräkt stod som en gloria kring hans huvud, och Didrik sa till Konrad att du ser: Häst'n är int farlig bara man int är rädd!

Han skulle ha gått upp till Valbergs men såg Lundmarks häst och rissla, och antagligen hade gubben Ludvig med sig och Didrik ville inte se det toket idag. Så han vattnade Häst'n och lämnade honom där med hö-bändet* framför hovarna och gick upp till Klockars för att hämta posten.

Fyra eller fem qwinnor i socknen ansågs berättigade till titeln *madam,* och klockarns hustru var en av dem, men alla tänkte på henne som Tystnaden. Hon hade en förhärskande min, en mungipa som gick från vänstra käkbenet, utmed näsan och snett upp mellan ögonen. Ansiktet i övrigt var slätt. Som om alla mindre bekymmer och rynkor avstod sig till denna enastående skåra.

Om klockarn hade ingen något gott att säga utom två gummor som en gång inför Didrik klagat över att Jonas från Pärlbäcken så ofta övertog spelningen om helgerna. Den unge behövde aldrig leta några toner. Dem flögo upp ur spelet utan minsta tvekan, övergivande, nästan skämtsamt. När Klockarn pinade sig genom psalmerna fingo gummorna tillfällen att i skydd av de söndriga melodierna gnälla och kvida ut sådana olämpliga sorger som inte rymdes i psalmerna själva. Så att man kände sig lättad, att man fått sjunga ut, hela veckans elände, när Klockarn spelade.

Hans hustru tog inte en ton mer.

Den som en gång fått smaka Viktorias tystnad, behöver inte längre frukta gravens tystnad, sa Klockarn.

Han skulle smaka mindre starkt – nog skull 'a Viktoria höras nån gång. På någe sätt. Sade andra gummor.

Utan ett ord lämnade hon fram några få aviser och brev till västsocknes, som med all sannolikhet skulle komma tidigare till Månliden än nea Plassn. Det var roligt och hedersamt och betydelseladdat att få överlämna postförsändelser åt folk. Som Didrik gillade det att få hylla en flicka med ett brev i luften ”det bränns människa! vilken kärlek flammar inte härinne! lilla queejn!”

tills flickan kände sig värd ett stormande frieri och lovade sig att svara ja

och höll det löftet

trots att brevet kanske visade sig innehålla några skrynkliga rader från äldsta syster som ville få henne till piga inför fjärde barnets födelse ”och vet nog kan du sova skavfötters med svärmor fast hon har ett surt ben, du som är så vida galant* och präktig"!

Ett brev var förmer än de andra: till Abdon Karlsson i Eckträsk och dess hustru Lina. Från Amerika. Francotecken och stämplar som sannerligen doftade fjärran. Didrik gillade tanken att namnet Lillvattnet färdats över land och hav i veckor. Å andra sidan sårade det honom att karlar från denna socken rest utrikes. Att dem därborta skämde ut Lillvattnet genom att kalla det *bakland, fattighål* med mera sådant. Spadar-Abdon sörjde över att hans två äldsta farit och hotade med biljetter som skulle skickas till de yngre bröderna när de blivit vuxna. Men dessa pojkar skulle D. Mårtensson rädda åt fader Abdon och Fosterlandet! Sannerligen! Dem skulle få arbete i jernbanebygget! Bara det komme igång skulle allt annat tillfalla hela socknen. Dessutom. Bara det inte bleve för sent!

– Kommer det ofta brev från Amerika, sa han fastän Tystnaden hade sitt, och om nu Klockarn varit här och lagom full skulle Didrik ha frågat rent ut *har det kommit något brev någonsin från Nabot i Amerika till någon människa i denna socken... som du vet var ju Nabot som en uppfostringspajk och senare dräng hos oss... av och till... och vi undra om han kom fram till Amerika nån gång... eller hur det blev...*

men även om klockarn

skulle det ju ha varit olämpligt att säga *uppfostringspajk* i Konrads närvaro och tillfället såg ut att aldrig komma när han skulle kunna fråga om Nabot.

Och ett skrattande bröt ut i kammarn bakom kontoret, som om de hållit sig för att lyssna efter vem som kommit för att hämta post. Länsman var på besök och skvallrade med klockarn om den tredje supbrodern, Valberg. "Bästpigan har slutat så jag har det som en slav..." härmade länsman och överdrev Valbergs småländska brytning. Och skåran i Tystnadens ansikte fördjupades. De bullrade och skrattade till ohägn för allt queejnfolk, och hade dem tråkigt en kväll så kunde klockarn låta länsman se vilka brev som helst? Det var absolut nödvändigt att draga Plassn bort från dessa fyllhundar som gjort Socknens medelpunkt till ett *näste!* och upp till Månliden! där man hade aktning för alla qwinnor.

Länsman kom ut och hade hört Olförarns röst, och hade det varit våldsamma priser på auktionen? och var storsonen född än? och Didrik hade väl farit till stan i förhoppning att queejnfolken skulle klara det där medan han var borta? Han gjorde sällskap bort till Valbergs, förtrolig och försmädlig.

– Otrevligt när en barnsängskvinna tjuter! Man känner sig ofin minst sagt, hur naturligt det än är! Så du kanske får ligga i bockkätten i natt, ha ha. Hur är det han säger den där lurifaxen från Månliden, Nicke... vad han heter "vi skull int ha giftat oss du och jag, du Nore! He vart ett sånt oväsen!" Jävligt träffande sammanfattning av äktenskapets sanna väsen och natur. Ett oväsen!

Didrik skulle ha erbjudit sig att skjutsa honom till länsmansbostället om han inte varit så plump. Men Holmgren tog ett snabbt adjö och gick upp till gästgiveriet – för att tillsammans med Valberg göra narr av klockarn? och olförarn?

För övrigt satt det redan en människa i risslan så djupt nedbäddad att hon inte syntes omedelbart bland alla stadssakerna. Didrik gillade det. Månliden var inte längre bara ett snallarställe och skjutshåll! Det var en gård där *resenärer* kunde taga in, utspisas, beredas nattlogi i säng, innan dem fortsatte färden till Lappträskvattnet eller Avaviken, oppåt marka eller ned till kusten, i riksviktiga angelägenheter. Alla kände ju igen Månlidhästen! Men denna resenär sa ingenting. Och Didrik frågade inte – för att inför Konrad och sig själv bekräfta det vanemässiga i förhållandet, att Månliden var så gott som ett gästgiveri.

Han hjälpte Konrad att få på sig den lurviga fårpälsen

som han själv haft som skjutspojke och stöttade honom upp på kuskbocken. Men Häst'n rörde på öronen och lydde inte

– Ge 'an ett rapp, sa Didrik. Du måste sätta dig i respekt.

När Konrad suttit där och fäktat med tömmarna och god-talat och smackat och befallt tills rösten var färdig för en annan bristning än målbrottets, gjorde Didrik ett litet läte – tungan mot framtänderna, ena mungipan dragen åt sidan – ett sparsmakat z-ljud som om en stenskvätta bara på skämt skulle ha gett ett varningsläte åt en unge – och Häst'n satte iväg så det glomrade* och Konrad föll baklänges. Han tjöt till, knölen på ryggen var ömtålig som ett ägg; "du var tänkt till att få änglavingar direkt, du Konrad, som är så tapper och duktig" tröstade Didrik och lyfte upp pojken bakifrån till kusksätet.

Men det fortsatte att gnälla nere i risslan bland byltena och när Didrik såg efter under fotsacken fick han se att den lille hästspekulanten från nyss var med. Munnen log mot Didrik som när en vuxen ler mot ett barn "för att det ska så vara" men blicken var obeveklig. Det fanns då varelser i denna socken som inte anade att Didrik Mårtensson var Olförarn! Han såg åt sidan, åt upphovet till denna okänslighet och där var det lika oberört. En neddragen vargmössa med öronlappar så breda att de räckte fram över munnen. Vadmalsrock. Sjalar. Bylten

En mil oppåt världen, utan en stuga, utan ett möte, utan sol eller måne, utan synlig väg.

Det enda som syns är översnöad gran och tall som kommer emot dig

evinnerliga

tills du grips av skräck och djupnande vördnad för Häst'n

som lyckas väja

så att du inte begravs under snö och barr
hur hästkreaturet finner vägen och håller den
det är ett under
och den obetydligaste medresenär blir värdefull
hans röst, hans andedräkt, hans rörelser
alla hans minnen som följa med honom
sammanträngda i en envis gestalt
som håller skillnaden mellan sig
och dessa enformiga allsmäktiga trädruskor

Didrik kände hart när tacksamhet mot Konrad; och hade ingenting emot att bli trängd i risslan av mera folk. Så detta kunde i sin tur kännas vid honom, frånsett att han är Olförarn! Men det är väl några stadsbor det här, bortskämda med mängder av personer att välja emellan för sitt umgänge, så Didrik ska inte vara påstridig! Han skulle kunna fördriva hela färdtiden med att längta efter Anna-Stava

eller tänka på talet till Konungen vid Invigandet av Jernbanan.

Inte fattas det honom möjligheter att stå emot snöns och trädens allmakt – och ändå är samtalet det mest lockande, att höra den egna rösten och en annan människas.

– Vars hava ni tänkt er då?

Svaret kom ur en djup hes röst som kunde vara man eller kvinna:

– Oppåt marka

Det hettade som tjäle under barndomens naglar när han tänkte på de avvisande orden *dit inga vägar leda, där inga byar finnas, där ingen odling trifves, utan blott ett och annat nybygge gömmer sig i de ensliga skogarne...*

Den högmodiga herrkarlen vid kusten borde ha fått på käften! För sitt lögnaktigt nedbrytande och stiliga sätt att säga som det var. Att stå där i Stockholm och blåsa ut *de ensliga skogarne* med en suck! Enslig kan du vara själv! Din hundturk! Din stockholmska filisté! Din papist!

Häst'n började tröttna just som Didrik fattade att hemkomsten brådskade så att han bytte plats med Konrad och lät Häst'n förstå vad saken gällde.

Denna nejd var som gjord för mirakel, små och stora under! Som när ett barn bliver fött och en son oss given! Det är en ros utsprungen, gode Gud låt det bli en son! låt honom födas så lätt som när en blomma slår ut! Hjälp Anna-Stava! Stå mig bi s'att jag kan låta bli henne åtminstone fyra veckor efter förlossningen. Men det är så svårt. Hon är så himmelens. Så obeskrivligt.

– Tänk att Spadar-Abdon fått brev från Amerika! I alla fall! sa Didrik halvvägs. Som för att hålla ihop världen?

Den tysta människan i risslan satte sig upp så att det kändes i hela skrovet och det gnällde där bak – var det Konrad, eller den där främmen-pojken-med-ögonen, som gnällde? Didrik vände sig om och såg henne stirra uppåt lyssnande. Det var en kvinna fullt vaken. Breda kindknotor. Blek. Hålögd. Ett ögonblick fick han för sig att det var Erik-Annersas hustru, hon som fått ett barnlik jordfäst strax före Didriks och Anna-Stavas brudvigsel. Den gången hade han inte ägnat det en tanke. Men just nu kändes det som ett dåligt tecken att bli påmind om den där människan. Det oväsen som hon fört med sitt barnlik.

– Ni frysa väl inte? sa Didrik för ro skull. Hon svarade inte.

Gode Gud låt det bli en son som är stor och frisk!

Han ödmjukade sig och medgav att han inte tagit emot de första barnen på ett rätt sätt. Att han alltid sett dem som hinder på sin väg till Anna-Stava som han ännu inte hunnit upp. Och bara flickor. Den ena före och den andra efter. Han visste inte alltid om det var svägerskan Eva eller Anna-Stava som var mor till vilket bylte. Men att som länsman tala om "otrevligt när en barnsängskvinna tjuter"! Han var rå, Holmgren. Bockkätten!

Om vanligt groft folk sa så, lät det mindre stötande,

eftersom husdjuren alltid hade namn, egenskaper och ett stort känsloliv i den minsta ladugård. I länsmans mun blev allt bara kött och horn och kön. Bara dem finge Jernbana i Lillvattnet då skulle dem förvisa honom! Det skulle han få för att han kallade sig förvisad nu! Ha ha. Ibland tänkte han att det värsta med hela Lillvattnet var dess länsman, Holmgren. ”Jag kallar dem Hagar, samt och synnerligen. Småhagar. Hagastören. Och så vidare. Till minne av den första, Den Verkliga”, som han brukade säga om pigorna.

Det enda som lyste var snön. Det skymde så att han inte omedelbart kunde se om Anna-Stava var i klungan av husfolk kringom farstubron.

– Hon har pojkat, sa pappaMårten.

Och broder Efraim sa:

– Jo han har kommit nu.

Men varför la han inte till "Storsonen din"?

Och mammaLena sa:

– Som du for i lördagsmorse satte värkarna igång. Och strax före tolvslaget natten mot måndagen.

S'att det hann bli ett söndagsbarn ändå!

Didrik ville in fortare än vanligt, fara in, blåsa uppför bron genom den långa farstun, sopa trappan med hundpälsen till övervåningen och in i *Gemaket*; fånga Anna-Stava. Än falla på knä för henne, än lyfta upp henne, än bära henne genast till sängen, *Imperialsängen,* och hylla henne i en ström av tiggande beröm som om han inte hade alla rättigheter. När han hämtade andan kunde han gripas av beundran för sin egen beundran, så stor var den. Men fastän han nu hade ännu mera bråttom blev han senfärdig, nästan stå, som när han uppskjutit och uppskjutit förlovning och bröllop.

Han ämnade till att ställa in hästen – för att bespara Konrad den prövningen? – Men Efraim erbjöd sig göra det; och inte ett ord om bjällerkransen... han heller!

Didrik sökte pappaMårtens blick, och mammaLenas, men de var inte dubbelt så glada, ja knappt glada som vanligt när han kom hem från sina resor. Ungar och syskon som brukade gräva bland lådor och köpesaker, pladdra, fråga, klänga uppefter honom och fira honom – de tycktes honom så... trösterika. Var gossebarnet harmynt? Hade det sex fingrar? Vad stod de här och dämpade? Han försenade sig med att säga något om jernbanan och att flickorna väl kunde bädda åt den här främmande modern, med barn, som han skjutsat, och som voro på väg oppåt marka.

Ansgar. Hade kommit med Kajsa Karin? Det hade då inte förslagit med Eva? som vanligt! Och ingen sa att födseln hade gått lätt. Laurentia stod på huk över härden och kokade kvällsgröten, och hennes rygg såg ut som om hon inte längtade efter att bli gift, ja som om hon inte ville munhuggas, ens med en broder.

Matilda kom in från fähuset med ett ämbare spenvarm mjölk och sin gälla röst "varen så goda Skjellet-fararn!" och en våg av munterhet lyfte Didrik, bara för att hon lät som vanligt. Han svepte pälsen om henne lyfte upp henne och svängde ned henne i en av utdragssofforna medan flickan skrattade och skrek.

– Oh du Matilda, hur skulle vi klara oss i detta dårhus utan dig som är den enda nyttiga och kloka! Och mitt i att han stöpte ner henne i hundskinn – och förevisade för Ärkesvågern hur man kunde försvara och muntra upp en stackars syster till och med om man inte var kär i henne – blev han törstig, lämnade Matilda mitt i ett sprattel, svängde runt och tog ned en mugg från murkransen. Han öste den full ur ämbaret och sa skål min vän! åt storhyllan i taket. Och han tömde muggen i ett enda girigt drag. Han blundade. Det var som en dröm. Som om denna oskyldiga mjölkklunk rymde den kraft han behövde för att orka "storma" uppför trappan till sin unga maka och dess nyfödde Son. Herre stärk mig, jag är ödmjukare i själ och knän än vad dem ana här i stugan!

När han tog muggen från munnen såg han främmenqueejna, hennes bredkotiga, bleka ansikte med ögon som inte såg något att skratta åt.

Och runt om var det husfolk och fränder och ett dämpat sorl av barn som gnydde och Didrik sa, med en stämma som skar sig av mjölk och tårar att Laurentia kokar väl en tillräckligt stor gryta så att alla kan äta sig mätta, dem som kommit från när och fjärran till detta kök denna stora kväll. Han trevade sig uppför trappan och mumlade osammanhängande böneord och praktiska äskanden. Gud trefaldig statt oss bi! måste skaffa en väggfast lampa uppe i kröken! Herren är min herde! mig skall intet! men hur många fotogenlampor han än skaffat upptäckte han ständigt oupplysta hörn i detta hus, tänk om Anna-Stava skulle snubbla med sina långa kjolar i denna mörka trappkrök och ingenting hade han köpt åt Anna-Stava! Men förresten låg det måhända en viss höghet i att komma tomhänt en kväll som denna! Utan förtjänst! I förlitan på nåd allena! Gode Gud jag vet inte om jag beder eller hädar.

Dörren till *Gemaket* öppnades och Kajsa-Karin stod där i överfarstun med ett ljus i handen och ängslan i ögonen: var det som ersättare för Strömmen hon kommit eller som — *anhörig*.

Vid bordet bredvid lampan satt Eva; foten på vaggmeden och sträng. Ingen sa något. Glöden lyste från kakelugnen.

Didrik gick fram på tå till den stora sängen och hon var oigenkännlig. Ansiktet var så magert och knotigt som... ja som den där Erik Annersa-kärlingen igen! Men det värsta med Anna-Stava var inte att hon åldrats så, utan detta drag av hånfull ondska, som ändå inte kom från "henne själv" utan från tänderna, skallen, kindbenen. Som om döden satt sig i hennes skelett och lyste genom huden med en oförsonlig skadeglädje.

Hur Didrik än byggt upp Anna-Stava när han längtade

efter henne brukade han bli förvånad vid återseendet. Alltid var hon ”ännu mer”, alltid förälskade han sig i henne av någon oförutsedd anledning. Det hade funnits ögonblick när han varit trött på sin kättja. Att han skulle vilja se henne med nyktra ögon. Och han kunde säga *var ful nån gång s'att jag hinner opp dig!* eller *jag skulle vilja att du vore grå som en palt... s'att ingen skulle fatta varför jag valt dig... tänk jag vet inte hur du skulle kunna se ut för att jag inte skulle bli tokig i dig!*

Då förebrådde hon honom det hedniska i att tala om den förgängliga kroppen på detta sätt. Att de måste *fara efter det som ofvan efter är* och inte förfalla till avguderi. O älsklighets råge när hon så varnat och förmanat!

Och nu – hon var ohygglig. Och han erfor detta Flickan-inskriven-i-honom-bortom-allt-vett-och-all-kärleksslammer. Att han älskade henne också i kallt blod.

Han la sig bredvid henne, smekte detta förgrymmade ansikte, han andades på henne och bad, han lovade att om hon endast kom tillbaka skulle han ändra sig, ja avstå från Jernbanan om så krävdes. Och han påminde Den Högste om när Jakob hade brottats med ängeln på den där stegen. Och kunde du låta den fähunden Jakob vinna så måste du låta mig! Jakob med sin lånade ludenhet och sina strimmiga käppar – så fula saker har jag aldrig gjort och skulle aldrig kunna! Och du får inte taga Anna-Stava från mig! för då dör jag!

Skelettglansen över tänderna var det värsta.

– Anna-Stava kom tillbaka hör du. Anna-Stava du måste komma dig! Hör du.

Medan hon sjönk såg hon sig utifrån; hur kroppen förminskades medan den for, ned och ned, i en trattliknande virvel, gjord av en blålila skimrande hinna som luktade slakt. Hon sträckte upp armarna och försökte få ett grepp men ingenting gav fäste; hon sögs nedåt och runt och nedåt och farten var som aldrig i livet, och fastän hon skrek hördes inte ett ljud och fastän hon var instängd och mer ensam än som var möjligt kände hon en morrande närvaro av andra sjunkningar och hon kunde urskilja några gamla följeslagare

där såg hon tiggaren som stal brödet hemma i Bagarstugan det där Storsvagåret och kände lukten av vidbränt mjöl och halm

och tillsammans med henne for också Hårdingen, som trampades ned i Hästätarflarken med dess ruttna gyttja

och Dolsedumpan var omkring henne och nedom henne. De slogs om varandra och luktade kvalm i sina försök att ta sig upp med hjälp av henne, hon hörde hur de skällde inbördes, och hon försökte sparka sig fri, och färden nedåt fortsatte i en fart som förlöjligade varje motstånd. Tvånget att klamra sig fast vid något

och insikten att sjunkandet hade all makt

och illamåendet bortom allt vett

snart skulle hon vara osynlig för sig själv

hon vände upp ansiktet mot trattens vidd och såg himlen som över en brunn, högt uppe

och Didriks ansikte lutade sig fram över brunns-veden utan att öppningen förmörkades av hans överkropp,

hon såg att han ropade på henne, men inte ett ljud nådde fram, och hon sa utan röst: varför kom du för sent? Och han svarade likaledes utan röst: du är tvungen komma tillbaka!

Det blev ingen färd uppför, men oförmedlat låg hon uppe, på sängen – som om sjunkandet varit en dröm – och Didrik såg på henne. De såg på varandra.

– Jag hade ju dött om du inte kommit åter, sa Didrik.

– Inte då, sa Eva borta vid bordet. Jämt ska du vara värst! Om hustrun din svävar mellan liv och död i tre dygn så är det ingenting förrän Olförar'n fått ängslas i tre minuter! Då är det fara å färde ska vi tro!

– Bra dig, Kajsa-Karin, hämta opp nånting att äta och dricka åt mammaStava, hon är ju utsvulten, sa Didrik.

Kajsa-Karin gick ned och Didrik samlade mod för att gå fram till vaggan. Han gillade att Eva grälade på honom. Det kunde inte ha varit så farligt som hon sa, eftersom hon sa det!

– Han var navelbunden. Två varv runt halsen, du! Hade Kajsa inte kunnat linda bort navelsträngen, så hade han blivit strypt, du! Så hade moder och barn fått förgås!

Lutade sig över vaggan med en hand på vardera sidobalken och han blev havande upp genom armarna. Han kände barnet genom lindor, bädd och trä så att han gungade. Allt blev vagga. Hela hans kropp. Golv. Väggar. Hela huset. Månliden. Lillvattnet. Vägen till Skjellet. Vägen oppåt marka. Allt genombävades av detta barn. Allt väntade på denna varelse. Allt ville den väl.

Men ännu var barnet oklart, som i en dimma. Didrik såg på det av alla krafter

och sakta kom det fram ur dunklet, det urskilde sig helt och hållet. Det besvarade faderns blick. Med en yttersta ansträngning tycktes barnets ögon bestämma sig för faderns ansikte.

Vilket godkännande!

Vilken hemlighet – att sonen med all sannolikhet hade försvunnit i vadsomhelst

om Didrik inte hade kommit och *sett ut honom*

Han skulle kunna stå så hur länge som helst i panisk andakt; ingenting hetsade; allt var fullkomligt.

Jernbanan, Talet till Konungen, allt var för Sonens skull.

I ett tidigare liv, för en timma eller ett kvarter sedan, hade han avsvurit sig Jernbanan om endast Anna-Stava ville leva. Nu återtog han löftet, såsom varande givet i hastigt mod, av oförstånd. Det var ju för Sonens skull som Jernbanan måste byggas. Ja, och för Anna-Stavas, fastän hon aldrig skulle förstå det! Men det var ju Sonen som i det fördolda, åratal före sin födelse hade legat där och drivit på om Jernbanan. Det var Sonen som krävde att socknens alla föräldrar och barn skulle hava liv och övernog!

Det var sonen som fordrade att Lillvattnet rödfärgade sina hus och kom i blomstring. "Nog måste det vara roligt att få vara rik! Att kunna giva barna äta så mycket dem vilja! Och aldrig behöva snålas!" Som Gretasson sa, när han svalt ihjäl. Och just som Didrik mätte ut välfärd åt alla, alla, blundade sonen och gjorde några sugrörelser; väntade ett ögonblick

och fastän hela världen var till för hans skull – räckte den honom inte sin bröstvårta.

Denna orätt var i sanning himmelsskriande. Didrik kände sig rämna. Hur svagt gossens liv än var

och Anna-Stava som kunde rusa upp ur en sjuksäng för att en obekant tiggare ylade vid dörren *hon hörde inte att hennes enfödde son törstade!* Didrik såg på Eva, hon som alltid kunnat skarva i när Anna-Stava haft för litet bröstmjölk. Men Eva hade inte fött något på länge nu. ”Han har givit mig ett gall-år,* karln” som hon kunde säga i Efraims närvaro, bittert berömmande.

Didrik frågade viskande hur det var med bröstmjölken, hade Anna-Stava. Eva skakade på huvudet.

Men finns det ingen annan? Huberts Lisa? ’a Smeds-Klara? Något av stöffsen hos Nickes, ”dem som int göra annat än oäktingar”.

– De fattiga hava ett dygdeår häromkring, det är tydligt, sa Eva.

– Men vad hava ni då givit honom, sonen? Hur tänka ni?

– Vi blanda sötmjölk och kokt vatten. Men han gillar det inte.

Kajsa-Karin du som följer Strömmen överallt! Du vet väl vars det finns någon som fött nyligen? Ni måste skaffa hit henne! Gode Gud tänka ye låta barnet svälta ihäl? Bed Anna-Stava, bed!

– Ja nog behöver du en bedjerska till husbehov, som du far fram utefter världen, sa Eva.

Ack denna moral som socknen saknade enligt svåger Ansgar där nere i köket och enligt svägerskan Eva här uppe – en brist som Didrik gjordes ansvarig för!

en småaktig moral utan sinne för tillvarons under! Måtte majs regna som manna från himlen s’att hedningarna flögo upp i lovsånger och de fromma gubbarna började spotta snus och häda: Det ska fan arbeta när allt är gratis! och varför i helvete har man krystat tarmarna ur kroppen i ärligt knog när latoxarna få lika mycket grisfoder som vi! Låt oss dansa och dricka oss fulla! Och om Lillvattnet har en hora per stuga, låt gå! Bara hon har mjölk åt Sonen den stund han är hungrig! Den ende! Det enda! Att dem inte fatta vem som är född! Att dem tro detta är ett vanligt barsel’elände. Gudskelov att dem inte fatta! Gudskelov att dem äro gnagare som hålla fast stugan vid marken med sina långa snåla tänder!

Didrik tänkte på den goda mjölken som Matilda burit in, han skulle vilja hålla Sonen naken i det ämbaret s'att mjölken skulle nära honom genom huden överallt.

Herre – Din mjölk och honung omsluta mig på alla sidor!

Bibelverser sprang ut och lånade av varandra för att få ihop liv och övernog åt Sonen. Och om den nu inte längre var spenvarm, skulle han förmå Matilda att gå till fähuset, köra upp korna och mjölka dem en gång till – det hade gått så pass lång stund att mera mjölk hunnit rinna till?!

Eller hade Ansgars hustru, Elisabet, möjligen bröstmjölk? Didrik hade hittills aldrig följt med så noga vem som födde och när; det var ett enda avnavlande och avvänjande och smörjande av barnstussar i qwinnornas värld; hur kunde det då tillåtas att fulla tissar inte skulle finnas den enda gång när dem verkligen behövdes! En häst-tjuka skulle drypa mjölk ur kläppen, ur järnet om den bara kunde känna Didriks havandeskap.

Kunde man där i Basnäs, på en mils håll? Kunde man fara dit den milen med Häst'n – som redan sprungit sex mil denna dag? Häst'n med sina arton år? Åjo. Eller man kunde taga Leijla! Eller Esau! Köra upp Elisabet med tillhörande spädbarn – om hon hade ett – och alla sina bröst – om nu vintervägen dit var körbar? Varför hade Kajsa själv inte mjölkstinna bröst! Hade aldrig fött något. Strömmen berusade sig med annat än barnalstring?

Där stod Matilda mitt på golvet omsluten av den rödfodrade pälsen i ett försök att hålla kvar en lekfull stund. Hon sysslade med ett barn som skrek. Didrik tålde dåligt dessa klutar fyllda med smörja som sattes till munnar överallt. Matilda hade ingenting vuxit på längden sedan sitt sextonde år; hennes rygg var krum och syskon måste jämt säga åt henne att inte lufsa när hon gick.

– Tusse lulla fasters barn, trösta Siri-Datt'n, nynnade Matilda, och barnet grät en seg snörvlande gråt och båda två var där mitt på golvet likgiltiga och tidlösa utan tanke på den verkliga fara som rasade oppa Bott'n! Didrik fick lust att slita ungen från Matilda, taga av henne pälsen och hänga upp den vid dörren efter en hård skakning, men han hann bara tänka det innan främmenquejna stod där. Hon hade tagit av sig ytterplaggen utom vargmössan. Hon knäppte upp för barmen och en mjölkbåge sprutade genom luften. Hon tog barnet och sa till luften:

– Giv mig en klut för det andra! Jag svämmar.

Så ammade hon detta ovärdiga barn och Didrik skulle ha fallit på knä – om inte Ansgar suttit där; vid bordet framför huspostillan och ett tänt ljus. Didrik ville rycka undan den där avvanda "datt'n", taga kvinnan vid armen och draga henne med sig uppför trappan, men han måste vänta tills han förfogade över sin röst.

Hennes pälsmössa gled bakåt, föll ned på golvet, pojken som stod till hälften gömd i hennes kjolar böjde sig ned, tog upp mössan och satte den på sitt eget huvud. Av längden att döma var han sex år. Av ansiktsuttrycket var han nio och uråldrig.

– Nu måste hon vara bra och följa med opp! Vi hava en nyfödd som är i större behov än *hedenna,* sa Didrik, tog barnet från kvinnans arm och återställde det till Matilda. Och fastän han nu var hård trängde en aning genom hans händer – att även detta småbarn var underbart och skulle kunna vara betvingande för den som gav efter det minsta. Och kunde det vara så att vilket barn som helst kunde göra världen till sin vagga? hade möjligheten att förljuva sin fader om endast han höll sig inom räckhåll?

Alla dessa smeknamn som hördes i alla vrår i alla stugor, Snockan, Pronken, Datt'n, Känglan, Pulkan, Gullsnodd'n, Pöreln...

Han tog ljuset från bordet utan att ursäkta sig för Ansgar och såg på pojken som ämnade följa med och mumlade något om att det vore bäst han stannade nere ''för det är sjukt där uppe''. Men kvinnan sa: ''Åh han är van vid alla sorter''

Didrik gick före och lyste dem i trappan. Minnet av mjölkbågen vid elden följde med som en psalmvers *strålen av ett himmelskt hopp.*

Om någonsin hon skulle behöva hjälp av något slag...

Didrik visste inte vad han skulle föreslå av tänkbara trångmål som han vore beredd att hjälpa henne ur. Och hon fyllde heller inte i med något. Hennes kjolar sopade trappan. Pojken tjasade kring henne med snuvig andhämtning.

Didrik skulle fråga vad hon hette eller vars hon var barnfödd – men upptäckte att han inte ville veta det; så han sa ingenting.

Sonen gjorde honom nästan allsmäktig.

Han flyttade över en del av makten till amman. *Främmenquejna* var hushållsnamnet; ibland sa man också Hondenna men inte mer än en gång så att Didrik hörde det. *Hondenna* rymde ett avståndstagande som hotade Storsonen till livet

s'att dem gjorde klokast i att passa sina tillmälen, systrar, pigor, bröder, drängar, och övernattande snallare.

Didrik sa sig att det ankom på hustru Anna-Stava, att vid hälsans återfående införskaffa kännedom om främmenquejnas namn och levnad, så att alla fula misstankar kunde utplånas. Och det brådskade inte. Tills vidare var hon himlasänd. Otadlig. Hon mjölkade så att inte bara Storsonen fick allt han behövde även Siri fick smaka bröstet. Och Sofia och Laurentia tasslade om att de till och med misstänkte henne för att "... giva pajken sin tiss'n..."

PappaMårten, som annars i kraft av mammaLena, hyste aktning för allt kvinnokön kallade henne Wargmössa. Och fastän det var långt ifrån höviskt kunde Didrik inte tillrättavisa sin far; i en skrattlysten avkrok av sitt väsen tänkte han ibland "Wargmössa – som gubben säger".

Didrik påbjöd lydnad för henne. Vad hon behövde i mat och uppassning he ska hon hava! Han hade börjat med att själv fråga henne om det var något särskilt hon önskade, att hon bara skulle säga till. Och hon hade sagt:

– En hake på insidan till det rum där pojken och jag ska sova i fortsättningen!

Amman hade då inte gillat att dela rum med Laurentia

och Sofia? Än mindre skulle hon trivas i extrasoffan? i köket där annars Matilda sov, och barnen, och Konrad, och någon lillpiga från Nickes. Hon siktade på övervåningen, på den del av huset som väntade Öfverhetens ankomst. Hon måste få ett av gästrummen, och hon valde det norra, *nöhl-kammarn,* och Per fick uppdraget att ordna med hake på dörrarnas insida.

– Per hämta ved! Per skaffa hit en större vattenhink! Per vi behöva en pinnhylla! Per, en matta! Per det måste finnas en större kista för våra saker!

Hennes bylten tycktes växa allteftersom hon packade upp dem och inredde rummet. Den första tiden höll hon sig mest där uppe med pojken.

När Sofia eller Laurentia kom och bådade henne att middagsmålet var redo eller kvällsvarden kokad, svarade hon:

– Vi vara int hungrig!

Någon gång mellan måltiderna gick hon ned och befallde fram vad hon ville ha – torkat fårkött, ägg, lingon, mjöl till gröten som hon kokade själv; hon dukade en bricka och gick upp med den tillsammans med sonen.

På bestämda tider gick hon in till *gemaket,* tog upp barnet ur vaggan, bytte på det, ammade. Hon vek ihop de använda lindorna till ett knyte och skickade ned Otto med det.

– Bondpigorna tvätta, sa pojken och kastade ned byltet vid härden och försvann igen.

– Bondpigorna! Det är vi det! sa Sofia.

– Det är nog skamligare än man vetat att tjäna hemma på liden!

– Fastän man har en bror som är Olförar.

– Vad hon ska hava för titel själv. Hon'denna!

Hon lade ned barnet i vaggan igen och gick ned i köket. Det blev tyst när hon kom in! Utom den minsta som hälsade henne med ett glädjetjut. Vävstolen i kammarn höll upp med sitt dunkande. Spinnrocken stod stilla. Den som rengjorde grötgrytan höll upp med skrapandet. Matilda med sin gälla röst tystnade. Allt undrade vad den där Främmenqueejna var för något.

Hon måste vara ogudaktig!

Kommer aldrig till kvällsbönen!

Men nog är det välsignat så mycket mjölk hon har!

Men så blir hon då tackad som ingen!

Skulle hon dö om hon själv sade tack nån gång?

Vars var hon på väg egenteligen den där kvällen...

Systrarna vågade inte fråga Didrik vars han hittat människan.

Eva kom varje dag för att se till Anna-Stava; hon var inte överväldigad av Didriks lovprisningar.

Gårdsnatan. Ett urtypiskt sätt för en gård; ett röstläge; ett uttal; en vanföreställning; ett talesätt; en gångart; den särskilda doften; det omisskännliga särdraget för en familj – *gårdsnatan*

– Gårdsnatan här i Månliden är denna hustrudyrkan som Mårtenskarlarna väsnas med.

– Bra dig Eva, stötta upp Anna-Stava. Hon är ändå så svag. Du som kommer från Basnäs. Du som är en Mosedoter! Du som också hade 'a Catarina-mor till mormor, 'a Catarina-mor som var stark som sju. Du måste hjälpa mig att ställa Anna-Stava på fötter! Få henne att äta mer! Kan det ändå vara bra att hon sover så mycket!

– Hon kanske har bra nog med sömn att fordra!

– Jag har alltid tänkt att Anna-Stava skulle förskonas från de tyngsta lassen.

– Vad veta ni karlar om förskoning, om vad som är tyngst för queijna?

– Om hon hade gift sig med en karl som varit mindre tokig i henne hade hon förstås haft det bättre, 'a Anna-Stava!

– Säkert, sa Eva.

– Hon hade ju en friare från Tallheden! Men hon ville hava 'n Didrik – fast du int tro det, du Eva.

Det brukade inte behövas mycket förrän quinnor gav sig och skrattade om Didrik. Men Eva var motståndskraftig; hennes röst var entonig. Som nykomling till Månliden hade det låtit som om den där ilskan varit av idel blyghet för att dölja en orimlig glädje; och Efraims triumfer när det där skalet brast! Men med tiden ville det sällan brista.

Hon kunde säga om en snallare "rödögd som en hustruplågare eller kvinnoälskare – som det också heter." Och Efraim eller Didrik kunde fråga:

– Ska det vara samma sort det?

– Så stor är skillnaden inte. Som han tror. En sån där balloxe.

Anna-Stava låg i halvdvala, Eva tog barnet och gick till *gemakets* bortre ända. Didrik följde efter.

– Den här amman, vad är det för slag?

– Och det frågar du med sonen min i famnen! Hur tänker du, queejn?

– Det undras.

– Jag vet inte vad hon heter. Jag vet inte vars hon tappat sitt eget. Jag vet inte vars hon är på väg. Det enda jag vet är att Den Högste måste ha sänt henne för att Storsonen skulle få leva. Jag vill att du låter gårdens folk och världen i övrigt förstå att det inte undras om denna Queejn! Det hummas inte! Det tummas inte!

– Hon ska behandlas som en kunglig amma?

Hennes veckade trötta ögonlock; och han mindes Mose' sänkta blick när han avsagt sig omval till ordförandeposten i kommunalnämnden och när Lundmark pustat fram sitt övertalningsförsök att visst måste Moses stanna! och när ingen annan stämde in – hur tvärgammal Moses hade blivit. Didrik hade sett det och glömt det och utgått ifrån att hela Månliden – liksom allt Lillvattnet – jublade över den nye Olförarn; och här stod hans svägerska och var dotter till den avsatte och vägde honom, Didrik, på en våg.

Detta Basnäs med alla sina förtjänster och sin fruktan för glam och prål! Hade inte 'a Catarina-mor, den obarmhärtiga kärlingen, funnits där med sin skoningslösa längtan skulle väl en sådan by hava dött av fromhet! Och dock: Moses hade gjort några underverk i det jordiska, i det gamla förbundet, som var mer köttigt än pietisternas vingar. Han hade ju den konsten, Moses, att få vattnen att dansa efter sig som en nosringad tjur. Och förre konungens namnteckning, Carl, hade han i sitt hus, ett bifall som Majestätet givit till sänkandet av en sockensjö, i och för erhållande av mera gräs, bättre kofoder, och fetare mjölk.

Som om hon varit borta en omätlig tid, Anna-Stava.

Som om de matat henne i sömnen, lyft upp henne på kärlet, tvättat henne utan att hon varit med

vaknade hon och kände sig underbart lätt.

Hon mindes varken synder eller sorger, varken försummelser eller uppdrag. Snart snart skulle slitningarna börja. Men hon njöt av okroppsligheten, friheten från mättnad och hunger. En stilla stund med Jesus och allt förklarar sig.

Hon log mot den kritade väggen och mindes *Gud ska slå dig du vitmenade vägg* hur sprött det låtit när mormors älskade predikant hade försökt dundra med Pauli ord.

Hon såg ut genom fönstret och mindes inte riktigt om det var tidig vinter eller vår, men dimman var vit som Lammets ull – där ute! inte i hennes huvud, det var det underbara.

Hon undvek att se sig omkring, undvek att gissa om det var Eva som rustade där borta vid vaggan eller någon av Didriks systrar som voro henne själv så kära som de egna systrarna, och särskilt då Matilda som var smått egen och annars, och som behövde Anna-Stavas försvar vissa dagar

– eller Konrad, som var halverst en ängel med rätt att gå i ett sjukrum såsom en ungmö; den käre Konrad för vilken hon brukade läsa om Mästaren som var full av Krankhet och en Smärtornas man

där han bar ved och vatten och var så förekommande som om han alltid haft den största skulden att avbetala,

men just nu var ingen tävlan, inte i arbetsförmåga, inte i ödmjukhet. Allt var signat, väl. Hon skämdes inte ens över herrskapssängen, med tagelmadrass, inköpt i Skjellet näst Lidstedtara. Imperialsängen som Didrik kallade den. Imperial kommer av kejsare så det passade precis åt Olförarn och hans unga maka! Därmed intet ont sagt om träsofforna fyllda med halm som vanligt groft folk sovo uti, eftersom dem intet visste vad *imperial* betydde! Didriks förhållande till främmande ord och köpesaker som så ofta ängslade henne – deras werldslighet – framstod nu som idel harmlösa muntrationer.

Och stunden var inte lång och inte kort, den var oförglömlig

därför att dess övergång i sin motsats kom så stupande tvärt

kom från vaggan och ställde sig vid fotändan och såg ned på Anna-Stava, och hon trodde inte att det var möjligt:

denna människa var inte nöjd, inte förtvivlad. Hon var av ett helt... annat slag...

Mindre än Anna-Stava, kraftigare, rund. Ett öppet ansikte, gyllene hy, gyllene ögon.

Men munnen; den brant nedåtkrökta bågen i vardera mungipan; ett liksidigt stående hån.

En gång förr i livet hade Anna-Stava känt avsky. Det var när kusin Ludvig friat. Och hur hon skämts över sin avsky. Och hur oförarglig och naturlig den känslan framstod nu! Denna kvinna ingav henne en fruktan sådan hon aldrig känt för någon annan människa – och då hade Anna-

Stava levat sina första tjugo år i samma stuga som 'a Catarina-mor, som hållits för ett lejon.

Vad den andra tänkte kunde inte tydas. Att hon var *amman* som räddat sonen till livet med sin mjölk kände Anna-Stava som om hon ändå uppfattat händelserna i huset under sin dvala. *Denna* hade inga skyldigheter. Om *denna* inte önskade Anna-Stava något särskilt gott vore det naturligt, inte bara för att hon saknade man och hem men därför att det inte handlade om gott och ont för henne? Hon var oskyldig som ett kreatur? Hondenna! Men för Anna-Stava vars hela värld svängde mellan gott och ont: och så inte tåla en medmänniska! inte vilja se henne!

Hon fick en skallrande frossbrytning.

Den andra log, inte särskilt hånfullt. Men mindre hånfullt än så kunde hon överhuvudtaget inte le.

Om värkarna hade torkat ihop och flyttat upp i själen, och satt sig i andningen, som inkrökta stönanden.

Hennes funderingar som brukat vara förberedelser för bönestunderna. Människors rynkor, hållning, gångart – hon räknade ut deras sorger och nöd innan de själva klagade för henne – vilket de ofta gjorde; hon ansågs *klok* trots sin fromhet. Och medan hon bad fick hon veta ännu mer än när hon funderade och när de klagade. Medan hon bad fick hon veta om grymhet och ondska som låg sida om sida med sorg och nöd – och eftersom bedjandet förstärkte hennes djärvhet och omsorg orkade hon inse ohyggligheter utan att förstummas. Kanske var hon den enda i socknen som bad för en karl i Blankvattnet, som varje morgon gick till stallet och piskade hästen innan han utfodrade den. I timmar kunde hon be för den karlen som hon aldrig sett.

Grannar berättade om hans hemskhet och betygade sin avsky (utan att dock ingripa!). Nordanstorm av den kallaste sorten, den is-heta, hade på något sätt, som en orm om natten, listat sig in i karlen, klamrade sig om hans hjärta och lurade honom att tro att han skulle andas lättare om han piskade sig fri?

Att han haft en sjö att dika ut, något träsk med mindre skadligt namn än Blankvattnet! och så med hacka, korp och spade kunnat gjuta sitt raseri över hala rötter och tung morän! Eller att han haft en jämnstark hustru riden av samma onda! Ack att han varje morgon kunnat taga en batalj med henne, utan att någon av dem komme till skada!

Och varje gång hon hörde att den besatte fortsatte med morgonriten i stallet kände hon sig skyldig. Hennes böner hade varit för svaga! Och en dag skulle hon fara till Blankvattnet och bedja för Morgonplågan i hans närvaro och tala om för honom vad hans ondska berodde på! Och lära honom att en stund på knä, i kammarn, i stallporten inför Den Högstes Ansikte varje morgon var vad som verkeligen fattades honom!

Sällan kände hon sig främmande för någon. Hon hade varit rädd för länsman. Rädd för att hans underdånighet mot Didrik dolde en farlighet – ända tills hon insett att ''alla människor'' faktiskt såg något stort i honom, Den gossekarlen D. Mårtensson. Och även för henne var det ju så att Didrik behövde minst förböner, att alla hans krumsprång kom även Den Högste att le.

Och så se en människa som hon inte förstod! En främmenquejn vars hela uppsyn betackade sig för Anna-Stavas förståelse!

Och ingenting fanns att ta på, aldrig en öppen oförskämdhet. När hon frågade efter namnet fick hon svaret ''Hagar. Och pojken heter Isak men kallas Otto.''

Och hon tilltalade Anna-Stava *Madám* med ett enkelt tonfall, inte på skämt som Didrik, inte försmädligt som någon skulle kunnat göra som varit i tjänst hos en verklig överhetsperson utan bara som om Anna-Stava självklart måste inringas och avskärmas med en sådan titel.

Innan Hagar kom hade Didrik och Anna-Stava haft friheten att kunna göra avsteg från bondeårets fasta ordning. För alla andra hade varje vecka sina givna sysslor och böneämnen.

Vid tiden för påskalammets tillredelse i Jerusalem snöptes bagglammen i Lillvattnet

och när Mästaren gick genom lyckta dörrar klipptes fåren för andra gången på vintern.

I veckan mellan den gode herden och Christi gång till Fadren släpptes fåren till skogs på sommarbete. I de gårdar där fodret varit så knappt att fåren gingo på knä kunde händiga kvinnor sätta näverrullar runt knäna och så stötta upp de svagbenta och hålla dem på gärdan några dagar tills benen stramade upp sig. Sådant förstod sig Anna-Stava på. Men då pappaMårten hade en foderberäkning så sträng att kreaturen kunde stå på egna ben året om kunde Anna-Stavas omtänksamma näver användas till annat: korgmakeri; spolpennor; skrivpapper för ABC-barn.

Efter den söndag när texten prisade den Helige Andes ämbeten brukade pappaMårten sprida ut gödseln på åker och potatisland från de högar som körts dit på sista snön. Det skedde under ett så högtidligt berömmande av skitens egenskaper att barnbarnen trodde att den lätta ångan som stod upp från åkern var *andakt* i ordets egentliga mening.

PappaMårten kunde fördöma *Werlden* i den mån den var slöseri, brännvin och utländska kryddor, men aldrig *jorden* – den var hans käraste motståndare och vän

därför godkände han inte Luthers jämställande jord-och-värld; världen var lag-lös så vitt Mårten förstod – det var det hemska med den.

Didrik gillade världen, den skulle han besegra. Men han fruktade jorden, dess tyngd. Och han avskydde lukten av dynga. Samt sten.

Anna-Stava fruktade Werlden. Där härjade Lucifer med allsköns förförelse – och den som inte hade kunskap att sätta emot måste fly den. Och jorden fordrade krafter, muskelstyrka, arghet. Anna-Stava orkade inte mycket mer än att så kornet. Men det gjorde hon i tre långa dagsverken utan att tröttna, även om hon var havande. Hon hade lärt sig konsten att så den försommar när hon träffat Didrik och hon sjönk in i en likartad dröm när hon varje år därefter gick med såningsskäppan på magen och armar som famnade, slog ifrån sig, hänvisade, och famnade igen; men i höbärgningen orkade hon mindre.

– Det där kan pigorna göra, sa Didrik, tog ifrån henne räfsan och ledde in sin klena hustru till en vilostund mer ansträngande än så många famnar hö.

När Jesus utspisade fyratusen män och varnade för Herodes och fariséernas surdeg var det lämpligt att skära kornet om det endast var fullmatat. Annars fick man vara beredd att gå med rep över åkern natten mot den tjugofemte augusti när "Lovisa" lägger sig över åkern så brännande söt och knäpper till s'att kornet förfryser om hon får hållas.

– Det där får drängarna göra, sa Didrik och beställde säckar av rågsikt och hwitmjöl att hämtas från Skjellet till Månliden på första snön.

När det predikats om den döve och dumbe som Jesus botade var det dags att taga hem fåren från skogen. De hade förvildats under sommarmånaderna så att de fruktade folk mer än den annalkande vintern. Så att det tog snabbfotade pojkar och drängar minst en dag att driva ihop dem. Ett knep var att med oväsen hålla dem springande så att de inte fick en pisspaus på hela dagen. Ett annat var att driva dem mot en flark så att ullen förtyngdes av vatten och gyttja. Då kunde de upphinnas och infångas.

Veckan mellan två herrars tjänande och Änkans son i

Nain var ofta lämpligt kall för höstslakten. Då brukade Didrik fara och mala – som om hemkornet ändå var något värt – och gärna blev han borta de två dagar som slakten varade i Månliden

då Erika var svärdotter hos mjölnarn i Qwarnträsk och då han alltid hade så mycket att tala om med denna syster.

Anna-Stava däremot var med om slakten. Hon bad för djuren. Och för karlarna som måste klubba och sticka och flå. Och för allt som måste äta medan det levde. Hon vispade blodet, och var med om styckningen. Det hela var till åminnelse av Snova, Storsvagårens heliga ko i Basnäs; urkreaturet; tillvarons suckan.

Texten om bröllopskläderna var oavvislig: då måste halvylleväven vara färdig så att vitväven kunde revas.

Och innan Jairi dotter uppväcktes måste qwinnorna baka i tre dygn nästan utan sömn: minst tusen tunnbröd behövdes över vintern till vårbaket.

Och så vidare.

På samma sätt hade dygnet sina timmar intecknade. Uppgörandet av elden i gryningen. Kaffe till husfolket och vatten till kreaturen. Tarv och mockande. Morgonvarden i köket och höet till korna.

Och sedan resten av dagen vid skrubbsäte, spinnrock, vävstol, sticksöm och syende. Och för männen körslor på dagen och skötsel av seltyg och såg, yxa och andra verktyg om kvällen.

Måltider. Böner. Den tysta skymningsstunden när alla skickade sig lågmält därför att det var vittrans timme, den enda stund hon hade rätt att nosa på luften i en nejd som för övrigt befolkats. Åh den lilla hänsynen var man skyldig vittran efter allt man tagit ifrån hennes stam och rot! Så man höll sig inne och kurade skymning – om endast möjligt.

Barnen skulle knoga efter förmåga. Ibland kunde de göra en lek av arbetet: det tillhörde deras uppdrag att trampa gården, att trå ihop snön, så att hela liden innanför alla husen skulle vara hård och jämnhög och bevara slädföret i det längsta ut på vårvintern.

De vuxna lekte också en timme i veckan, om söndagsaftonen, just den stund som till vardags var i vittrans våld: då lekte dem med varandra och med barnen, och grannar hälsade på. Hos Smeds-Antes lekte de vildare än hos pappaMårtens. Hos Huberts lärde de sig dansa. Kimme spelade munspel och Lisa med näver på kam.

Dessa regler och rytmer som delade upp året, månaden, veckan, dygnet, timman, kunde någon gång kännas instängande.

Men för det mesta upplevdes vanorna lika nödvändiga som revbenen i bröstkorgen, varförutan hjärtat skulle kunna rusa ut och slå ihjäl sig mot tomma intet!

Att Nickes, som levde bortom all lag och synlig ordning, överhuvudtaget kunde leva var beundransvärt på gränsen till det skräckinjagande. Dem hade inte så pass som en almanacka i det rucklet, ja inte ens en solsticka* i fönstret!

Att Didrik och Anna-Stava från början av sitt äktenskap och alltsedan svävade bredvid Månlidens fasta ordning förledde ingen annan till uppror och kom ingen att tala om *Nicke-fasoner* och *Noras lathet.* Ack nej, Didrik och Anna-Stava hade hemliga rättigheter som man anade att herrskap hade! Anna-Stava var så klen att hon inte kunde stiga upp lika tidigt som de andra! Hon hade så ofta ont i magen att hon ibland inte kunde äta samtidigt som gårdsfolket. Hon fick arbetsil om kvällarna och började sy efter kvällsbönen när alla andra lade sig. Och Didrik var ute och for. Än var han i timmerskogen med kronjägare och tummare*. Än var han ute i byarna och tingade hästar och kuskar och huggare för en timmerdrivning. Än var han nea Plass'n och ordnade; lämnade in en efterlysning hos prästen om något borttappat som en sockenbo ville hava uppläst i kyrkan; och en utlysning om sammanträde med kommunalnämnden eller Stämman. Eller han ordnade för Socknens fattiga. Eller deltog i kronouppbörden tillsammans med Kronofogde och Länsman.

Didrik hade så mycket att bestyra med Socknens Affärer och Månlidens Affärer; ibland tänkte han på hela Lillvattnet som sitt Egandes Hemman

och alla hans förrättningar krävde frihet från sådana små och stora plikter som hålla ihop ett hemman. Den husbondehand som måste ligga tung och fast på bordet, även i ett hus som Didriks, lades dit än av pappaMårten, än av broder Efraim. Om Anna-Stava låg alltför länge i barnsäng kommo Efraim och Eva med sin barnskara och maten lagades gemensamt i det stora köket. Om Didrik var borta alltför länge i Skjellet, nea Plass'n, eller i timmerskogen kom pappaMårten och mammaLena från sin förgångsstuga och höll uppe måltidernas helgd. För att drängar och husbondesystrar och småbarn inte skulle förledas till slåtterfasoner vid vinterbordet.

Nu tog sig Hagar för att göra herrskapsregler av dessa Anna-Stavas och Didriks undantag.

Hon tog upp en bricka med sjuklingskost åt Anna-Stava – dukade på bordet i *Gemaket,* lade fram schal och sockar och försvann lika tyst som hon kommit. Vad en Madám än gör måste hon göra det i avskildhet? till skillnad från vanligt groft folk som äta, insjukna, tillfriskna, arbeta, uträtta sina behov, sova, bola och bedja på bestämda tider – men huller om buller med varandra. Och fastän Anna-Stava skämdes över den utskiljande uppassningen stod sådana godbitar på bordet att hennes matlust vaknade av dem. Vad var det för främmande smak som gjorde den enkla vällingen så läcker? Vad var det i äggröran? I brödet?

Eller när Didrik kom stormande bortur skogen, nerifrån handeln, utifrån socknen mittemellan två måltider – och stod med sonen innanför pälsen; han hyllade barnet och Anna-Stava och var samtidigt så hungrig som den värsta Simson

och medan Anna-Stava sa att jag måste komma på fötter och få fatt i hushållstömmarna snart och tala ve 'a Laurentia eller 'a Sofia att dem leta fram och koka opp en palt – så knackade det på dörren – som hos herrskap! – och där stod Hagar med en bricka som skulle varit värdig en resande storkarl från Skjellet. Porslinstallrikar, knappt använda, och te-kärl från skänken i ''gästgivarsalen'' – hon hade då tagit reda på Didriks värsta hemligheter! Hon trodde sig då hava i uppdrag att vakta fram fullständiga överhetsfasoner ur Olförar'n och dess Unga Maka!

Didrik skrattade och härmade konsul Lidstedt i Skjellet:

– Var vänlig placera karotten där! Det var bra! Vi behöva ej mera!

Anna-Stava våndades

Didrik kallade sig själv Olförar'n som om han gjorde narr av någon underdånighet. Men han tog fasta på det avstånd som Hagar hade i sin uppassning, och gillade att inte skymten av retsamt systerskap kikade fram ur hennes ögonvrår.

Spadar-Abdon ville nästan inte ta emot brevet från Amerika, där han satt uppe i *kontoret* näst D. Mårtensson.

– Vad ska man hava söner till om dem int vilja arbeta! Om dem int vilja försvara jordbiten som man ha spadat opp!

Men eftersom det var sen höst, och eftersom Didrik i varje årstid hörde till livets goda, var Abdon ändå munter. Och Didrik sa att pojkarna i denna socken gatt arbeta för hårt, för tidigt. Att många var som knotiga gubbar vid tjugo. Att glöden inte förslog framöver om all arbetslust skulle ledas ut i kamp med ris och rot.

– En son är ju inte bara... en arbetskraft... och Didrik log och bleknade. Vore vi det minsta släkt skulle jag tala med dig att stå fadder åt pojken, åt storson' som ha komme här.

– Hade jag bara en häst s'att jag kunde komma till kyrkan på hedersamt vis – skulle jag ha bjudit ut mig som fadder. Lite katt-släkt* på Mattes-sidan vara vi alltid?

Och han skämtade vidare om att Didriks son skulle behöva komma till Eckstäsk och lära sig dika om han inte skulle bli absolut bortskämd.

Abdon hade kommit med ett lass bilade sparrar. Och så pass stiliga voro de stockarna att han gärna kört dem ända åt Skjellet, men den som kör med lånad häst kan int vara hev* över något annat. S'att han lämnade sparrarna här. Näst D. Mårtensson. I avräkning.

Folk som gått i skola i städer tror att *bila* är en yxa, tjänlig endast för halshuggning. Men i skogstrakter betyder *bila* främst den täljyxa varmed en stock befrias från ytveden så att den blir fyrkantig, en *sparre*. Dessa bilade sparrar användes vid hus- och skeppsbyggen. Trävaruhandlarna välkomnade dem – utom när de befarade att skogsbonden med sparrhuggningen klöste åt sig lite kontanter så pass att han kunde vägra sälja sin hemskog till större avverkningar; då klagade de och lät som om de tog emot sparrarna bara av barmhärtighet.

Bönderna hade många skäl för att gilla sparrhanteringen. Man kunde gå och se ut träden själv, i samråd med hackspetten, och slippa jägmästare, kronjägare och tummare.* Att bila sparrar var också en konst. Att fara med ett lass på tio stockar och få det granskat och synat av grannar och till sist av uppköparen; det var ju något att fara med. Dem som hade särskilt långa och grova sparrar körde dem helst ända till Skjellet för att få bravera desto längre. Då stod karlen på lasset och putsade till dem i det sista och pratade med dem som om en sparre skulle läsa för prästen och den andra skickas till mönstring; och tog emot beröm från andra vägfarande med mindre högfärdigt gods.

– Nog skull sparrarn denna duga åt fähuset därhemma. Som jag måste stötta opp innan det rasar! hälsade en, och fick svaret:

– He skull du gärna få – om int kungen hadd beställt pinnarna jenna uti en slottsvägg som ha fått röta* för 'an.

Eftersom inga myndigheter var inblandade utan sparrhuggningen var en fråga mellan skog och karl – hade han också möjlighet att taga en och annan stock från kronoskogen. Att *bagga*.

– Och det ska Kronan vara tacksam för: att vanligt groft folk hava så pass hov (det är vett) att dem gallra i Kronans skog. S'att han int ruttnar bort.

– Men du som har en stor hemskog, sa Didrik. Ska du int sälja en avverkningsrätt åt Lidstedtara? Då får du storkovan och kan köpa dig en ny häst!

– Nä tack. Baltzar och Kal-Agust hava sålt på det viset. Och det ser ut som om 30-åriga kriget hade rasat fram över deras skiften när Bolaget hade varit där ett par vintrar. S'att hemskogen den offrar man icket. Däremot om du har nån timmerdrivning på lut i nån kron-trakt. Längre bort från byn? Som jag kunde få åtaga mig? Och så ordnar du med kredit åt mig på ett hästköp? Visst? hardu? För he förstå du väl att en karl utan häst he jer som en queejn utan tööpp!* S'att.

Det fanns något förbund mellan Abdon och Didrik hur olika de än var. En ömsesidig tilltro som om de godkände varandra i likt och olikt.

Att Abdon gått till Stockholm och kanske varit insvept i ett damm-moln som rörts upp av konungens vagn... utan att veta om det... Abdons tvenne vandringar till Stockholm när han satsat värdet av ett hemman – för att få rättelse i en fråga som gällde ett par tunnland

Abdons förhållande till lag och rätt var inte som Ansgars: jämn tukt och ängslan. Abdon drabbades av blixten om han förorättades. Och hans försök att bota katastrofen var lika nödvändiga som katastrofala.

– Vet nog baggar du dig lika många stockar som vilken karl som helst från Kronans skog, retades Didrik.

– Förbudet mot att bagga är bara ett skämt. Ett utanverk. Men att flytta en rågångspåle eller mörda hästen för en karl – det är brott som till och med en hedning skulle förstå är brott. Det måste rättas till. Annars går det inte att leva. Fast ibland verkar det som om man själv skulle vara tvungen bryta mot lagen för att man ska få tag i Rättvisans minsta morrhår.

– Men Abdon då! Spadar-Abdon! Abdon Karlsson från Ecksträsk och Lillvattnet. Tänk ändå på att du talar med olförarn – som är skyldig försvara lag och rätt!

– Just det! Och ändå har du inte skaffat mig namnet på skrivarn näst Lidstedtara! Han som drap'a Stina för mig med den där blywittsäcken.

– Hon var väl inte världens sista häst? ändå! Hade du inte en ettåring efter 'a Stina?

Men Didrik kände sig dum, som om han sagt "... pojkar finns det väl hur många som helst..."

– Visst hade jag det. Men fölet bråddes på fadern. He var int så mycket inuti den hingsten som utanpå! Han välvde med ögonen och höll huvudet i vädret som en stjärnkikare. Men ingen uthållig gångfot. Så den där unghästen vart ju aldrig som 'a Stina. Jag stilla 'an med korn, när mamma inte såg det. Men det hjälpte inte. Han var som om han int skull ha velat arbeta. Strömmen han bara gormar att vi hava det så snuskigt i stall och fähus. Men du skulle se näst 'n Abdon! hur skinande vitt hans stall är! från taket till krubban. Eller var då, åtminstone. Stunten han *åt* renlighet kan man säga.

Och Abdon tog tillfället att tala om hästens tunga som ett under av lenhet och fint skick. Att kons tunga var sträv i jämförelse. Att kons sätt att beta också var fult i jämförelse.

– Om sig och kring sig! som aldrig en häst!

Didrik hade helst inte velat fråga vidare. Men.

– Vad vitmenade du stallet med, karl.

– Hwitmjöl förstås! Det hörs ju på namnet hur hwitt det måste bli av ett sådant mjöl!

Abdon sjöd av skratt. Han blinkade. Didrik måste väl fatta att det var *blyvitt!* måste väl beundra Abdons förslagenhet att behålla den där säcken! *den där stackarn!*

– Jag hade tänkt behålla hela lasset. Det hade varit ett billigt pris för 'a Stina, marra. Men då 'a Lina, kärlinga min. Hon vart ju rasande och låna en häst och tog en pajk med sig och körde opp till Avaviken på sista föret. Utom en säck – den där *stackarn* du vet. Och medan dem var borta strök jag stallet så vitt att det nästan sjådde i blått, smått hjärtsjukt att se på, för en svagling.

Och Abdon dansade upp och härmade mammaLina, kärlinga, hur hon hade råmat när hon kom hem och fick se hur han hade vitmenat stallet med ”mjöl” ur en säck som han behållit från snallarlasset. Hon skulle ha farit en gång till åt Avaviken med säcken – om inte snöföret varit slut då. Och hon väntade natt och dag att Öfverheten skulle komma och släpa mig till tinget.

– Mamma kunde inte sova av fruktan. Och karln hennes kunde inte sova av hopp och väntan. Det var det enda jag såg fram emot: att dem skulle stämma mig för stöld. S'att jag skulle få se den där Lidstedt'skrivarn. En gång till. S'att vi skulle få göra upp.

Men från april till oktober låg Ecksträsk där, oåtkomligt för världen, en ås omgiven av myrar, kärr och moras, som endast ecksträskare själva kunde taga sig över. Bara dem visste var spänger och kavelbroar låg utlagda; vars någerst en strimma fast land, en *kläpp,* höll att gå på; och efter ett halvår har ett större handelshus glömt en blyvittsäck fastän en sådan är tre gånger så tung som en säck vete, *hwitmjöl.*

– S'att dem kom aldrig, småtasker'n denna.

– Och du var lika angelägen som 'n Nicke du – att bliva dragen inför rätta, sa Didrik.

Abdon borde ha blivit sårad över jämförelsen då han i grunden var bonde och hade lämnat jägarstadiet som ett pojkstreck. Men eftersom det nu var sen höst tålde han nästan vilka retsamheter som helst, till och med Nicke, den Ljekatten.

– 'a Stina hade varit värd det. En stor rättegång. Hela världen borde ha fått veta hur hon dog. Hur hon offrade sig där på landsvägen.

Och fastän Didrik tyckte att Abdon hade rätt svarade han ändå att kreaturens liv var ett enda dagligt offrande, att orättvisor och lidanden stod för ens ögon vart man än såg; om man såg efter: att Stina ju ändå skulle ha varit död vid det här laget; att skrivarn säkert bara tänkt säcken som ett skämt; att han inte anade att snöföret skulle ta slut

– Men det går inte att leva om allt ska hållas för ett och samma, avbröt Abdon. Men eftersom dem int bry sig om det där agnet, det där vita betet som jag lagt ut. Eftersom åren gå utan att dem komma till min stallport. Så har jag skrivit till Konungen. Som en sista utväg.

Och han drog fram ett gråludet papper som ännu behöll sockertoppens form i sin sneda lutning.

– Läs för mig du. Med rösten din...

Att den här kammarn kallades *kontor,* att Didrik hade några böcker, att hela huset var så stort – det tog Abdon kallt, det gjorde ingenting. Men Didriks röst, den var sådan att Abdon nästan tilltrodde honom övernaturliga krafter.

Vördade Konung!

I måsten dock veta vad en Häst är för något. De karlar I haven satt till Öfverhet åt oss i Skjellet Härad dem vara ett likgiltigt släkte. Dem lefva i den jupaste fåvitskhet. Dem kunna ej skilja en säck hwitmjöl från en dito blyvitt. För att få en säck blyvitt fraktad gratis från Skjellet, en stad nära Quarken, och opp till Avaviken som ligger för tu och sju oppåt marka akta dem icke för rof att dräpa en lefvande häst för hans enda karl. En sådan öfverhet skämmer ut Konung och Krona. I ären sannolikt värd bättre karlar till att försvara Rättvisa och Sanning. Risken är den att, med en sådan Öfverhet, vanligt groft folk blir elakt och tjufaktigt och slött. Somliga förlora kärleken till fosterjorden och fara till Amerika för att leva tjockt där, hoppas dem. Åter andra kunna dåligt sova när snösmältningen är inne. Till åminnelse. Dem tänka då endast på den hästmarr som Öfverheten vill dräpa för karlen. Dem gripas av sorg och ursinne s'att dem armest härda ut att leva. Marra min hette Stina. Hon stod fastän hon dog. Så trofast var hon. Skrifvet till Eder kännedom och för att rättelse må erhollas.

Didrik skulle inte ha kunnat hejda skrattet om inte Sonen hade funnits och hållit honom i sitt allvar.

Men ett sånt här brev kunde man ändå inte skicka till Majestätet. Så han började prata, fort och ordnande för att Abdon inte skulle be honom överföra anilinskriften till bläck på vitt papper och avsända det. Att nu måste Abdon taga betsel och tömmar och sätta dem på en ny marr och komma ihåg att jord och värld måste genomfaras medan man levde. Och att Abdon skulle få kredit till ett nytt hästkreatur och få åtaga sig nedforslingen av ettusen träd i Högklinta. Det var ju ingen stor drivning, men lagom för en mindre karlahop. Kanske Nikanor och Josef där i Eckssträsk vore villiga gå med i laget? Med några pojkar? Och en tunna havre per häst? Och en låda amerikanskt fläsk om femhundra pund över vintern?

Och Abdon lät sig nöja och prisade ”Olförarn som ve nu hava”. Och han öppnade brevet från Amerika och bad Didrik läsa det också.

Sönerna hade flyttat och arbetade nu i ett sågverk som var ännu bättre än det förra.

– Konstigt, sa Abdon. Med varje brev vara dem på ett nytt ställe! Bätter och bätter! Om dem fortsätta efter det här viset vara dem oppi himmeln innan dem giva sig.

”Här vara idel nordbor så att språket vollar intet hinder. Vi hava träffat såväl pitebor som burträskare. Samt en karl från vår egen socken som dock är ganska tystlåten. Samt komma vi säkerligen att kunna skicka biljetter åt brödren, åt halvkönlingarna, när dem hava åldern inne...”

– Tänk dig att föda opp söner – bara för att se dem fara till främmande land! de satans latoxarna!

– Att dem int skrev vem den där tystlåtna karlen från Lillvattnet var, sa Didrik.

NABOT VARS ÄR DU? LEV! HÖRDU!

– Det är så där med folk när dem int kunna skilja på två sorter! När dem bli likgiltig'. Förvara det här brevet åt mig du. S'att pajka hammerve* int få tag i giftet...

Men när de överenskommit om allt – från hästköp till byggande av koja och stall vid Högklinta, något som borde ske före nyår, medan avverkningen skulle börja först efter trettondan

och när Abdon redan satt sig på framstöttingen för att köra hem med sin lånade häst

sa Didrik:

– Men ett ska du göra karl, innan du leder in en ny häst i stallet ditt

– Nå?

– Att du skaffar bort det som är kvar av blyvittsäcken. Till nåt björnide bortom Vitterberget där ingen människa kan komma åt det. Samt att du snickar en ny krubba. Och nytt bås av rent trä.

– Och vad ska det tjäna till?

– Blyvitt är giftigt. Enligt Strömmen.

Abdon for iväg s'att snön rök och Didrik gömde ansiktet i händerna ett ögonblick

och de skulle behöva dagar och vintermörker som täckelse över denna skam.

Gode Gud gör så att världen hinner bli giftfri innan Sonen börjar sträcka ut sin tunga

Sonens namn hade bestämts av pappaMårten för åratal sedan – av tacksamhet mot den förste nybyggaren på Månliden – men det uttalades inte. Någon rest av de gamlas skräck för "det som far i luften" avhöll dem från att uppge namnet innan gossen skulle vara vattu-öst.

För Anna-Stavas del fanns ännu en oro, med tanke på ammans namn.

Att Hagar kommit som utkliven ur första Mose-bok tjuförsta kapitlet med dess "drif ut tjenstequinnan och hennes son!"

Och om åtminstone detta skri fått stanna i Gamla Testamentet tillsammans med vissa andra råheter som dem hade för sig där.

Men texten om Hagar och hennes son blev ännu värre som Paulus for fram med dem i Galaterbrevet i Nya Testamentet

för att sedan i Luthers Kommentar till Detta Samma Brev förgrymmas ytterligare s'att den frommaste kunde vackla i tron.

Hagar föder genom lagen trälar! som det hette.

Naturligtvis menades inte bokstavligt den Hagar som kommit till Månliden. Men hur skulle hon kunna godta att hennes namn bara var "en sinnebild för fåfäng möda".

Skriften var till den grad orättvis mot Hagar ELLER HENNES NAMNLÖSA SYSTRAR VARSOMHELST I VÄRLDEN! att.

Anna-Stava försvarade Hagar med glödande huvud och halvkallt hjärta.

Gossen åt och sov och var så lifskraftig att det inte brådskade med dopet.

Men vintern skulle ändå förstärkas och förhärdas snabbare än barnet?

– Och han ska inte nöd-döpas, Storsonen, så mycket är då säkert.

Men kanske var kyrkotagningen ändå det mest brådskande.

Anna-Stava var i nöd från den stund hon sett Hagar, en nöd som förvärrats när hon en gång bevittnade och sedan bara tänkte på amningen.

Amsorlet:

utifrån kroppens mest avlägsna utkanter drages mjölken genom de tunnaste kärl och samlas till brösten och hela kroppen ler i de nya oanade tillhåll för glädje som mjölken spårar upp.

Och nu kände Anna-Stava en finförgrenad torka draga sig nedifrån tårna upp genom hela kroppen och ut genom håret som styvnade. Överläppen klistrade vid tandköttet. Hon skakade av torka och sveda. Dessutom råkade hon se gossen Otto i skuggan; han såg ut som hon kände sig: vriden, rasande, utskämd. Han såg på Anna-Stava – de var båda överraskade, ömsesidigt avslöjade, utestängda.

Innan Hagar kom:

detta hade varit en av sorgerna med Didrik: han hade inte tålt åsynen av amningen. Ingen av dem hade förstått varför han skallrade med tänderna och trådde omkring, förnärmad och förolämpad. Hur länge ska ni hålla på så där? Måste ungen smacka så där? Det låter ju äckligt! Duger inte vanlig komjölk! Du blir ju så trött... En gång hade han slitit ifrån henne dibarnet och slängt det i vaggan och burit Anna-Stava till sängen i och för äktenskapliga plikters skötande. Han hade gråtit av ånger sen – eller för att han inte fattade vad som utmanade honom till döds i amningen. Anna-Stava försökte sen skona honom från åsynen samtidigt som hon känt skam å hans vägnar, en skam som inte varit långt ifrån förakt. Om treåringen gnällde när den nyfödda diade – det var lovligt och naturligt. Men en vuxen människa? Om Didrik inte haft ett sådant gossehuvud, inte varit så i grunden oskyldig skulle hon inte kunnat förlåta honom. Nu förstod Anna-Stava i sin egen kropp hur han känt det; men fortfarande var det oåtkomligt för vettet, det var bara en av de fulaste, mest kränkande förnimmelser hon haft; hur kunde det vara möjligt att känna svartsjuka mot sitt eget barn! Och samtidigt var det något annat, en kamp utan ansikte.

När hon återsåg Otto bakom Hagar tyckte hon att han hånade henne med ena ögat och dibarnet med det andra att han var "en liten Djefvul".

Det var nu detta andra öga som avgjorde det: den nyfödde måste döpas snarligen.

Nej Anna-Stavas torka var det ondaste. Kanske kyrkotagningen* skulle hjälpa.

... *när du henne skapat hade, att hon skulle växa till och föröka sig; du som ock efter samma välsignelse hafver gjort denna din tjenarinna fruktsam, värdigas nu se mildeliga till henne... att hon må alltid växa till i din kunskap...*

Men frågan hur barnet skulle försörjas under dopresan

Taga vi *henne* med då komma folk ändå att fråga: vars har hon sitt eget?

Men vars *haver* hon det?

Jag trodde att du visste det!

Hon var ju på väg oppåt marka. Vad har man rätt att fråga *resenärer?*

Nu kan hon väl inte kallas resenär längre!

Men hon kom ju som en Herrans ängel för att rädda Vår Son! Kan man fråga en sådan vars och vadan, när och huru?

Inte vi, nej. Men faddrarna kunna!

Behöver hon följa med då?

Vanlig komjölk duger ej! Anna-Stava flämtade och famlade efter en rättelse utan att veta vilket fel ordvändningen rymde.

Jag menar lillbarnet klarar sig ej så många timmar utan något i munnen.

Och innan de skulle taga upp ämnet igen mellan sig, med eller utan ord, sa Hagar: Jag ämnar inte följa med till någon döpelse. Men jag kan mjölka och slå i en butelj om Madám gillar att taga med sig åt 'et.

Hur hon tänkte på allt och fattade beslut i det fördolda. Hon kunde föreslå vad som helst som skulle vara lämpligt för dem – medan de inte tordes fråga henne om något!

Lyckan att få fara nea Plass'n, gå i kyrkan och höra efterlysningen av nån tjuv från Halland eller Mora på flykt undan lagens arm i allt Schwärje! Med alla de överdådiga kännetecken i kropp, stöldgods och uppsyn som allmänheten fick att bita i med sin tanke. De unga männen fick näring för sitt raseri: om dem så skulle överraska den förrymde i en utängslada, tio mil från närmsta Häkte, att dem skulle gripa honom! i hans svartkrulliga hår! samt draga honom de hundra kilometrarna i sagda kalufs såsom ett mårdskinn, samt, stödjande sig på skidstaven, slänga fram honom inför Åklagare, Domare och Överstepräst eller Vem Som nu gitte mottaga denna flåbuse från Knivsta, med sitt ärr över venstra ögonbrynet eller Närke, i och för rannsaknings undergående;

medan flickorna längtade efter att få höra om samma rymling för att få lite kött på drömmens ben när dem letade honom klockan sex morgon som afton i ladans hö. Hur gamla föräldrar och husbönder dock kunna tro att det räcker för dotern, som tillika är piga, att bara finna kreatursfoder i höet morgon som afton vintern lång! Hur dem dock kunna tro att dem som funnit varandra i halmen och förlorat varandra i elva bittra barnsängar hava besvikelse som förslår också åt henne som aldrig funnit annat än kreatursfoder i halm och hö – om inte ett råttbo!

– Om du bara visste, blickar modern, tillika matmodern, hur bittert finnandet är!

– Om ye bara visste hur min längtan är! Hur helt annorlunda än yeres!

Oförglömlig var den där som rymt med sin matmoders sidenschal med sneda rosor i bården samt något torkad stearin i fransarne! Och det från Halland!

Och prinsessfödseln! där på Stockholms slott.

Man kunde aldrig höra om den utan att se Faraos doter Miriam gå ned till Nilen som var bredare än Grundträskån, Pjesaur, Vällingbäcken, Missneån, Klintbäcken och alla andra små vattudrag som strömmade samman i det arma Lillvattnet, bredare och ändå förvillande lika

där hon gick in i vassen med sin stora mage som var idel klädningsveck

och en hop av tunnaste linnesjok

som hon vikit samman

och lagt under kjortellinningen

och som också hölls kvar där

som en hög julbulla

av ett bälte, med tillhörande slidkniv,

hårt åtdraget under linnehögen;

av renaste förtänksamhet om utifall hon skulle vada

rätt på ett lillbarn

utsatt i en ost-korg eller kyrk-ask

ett lillbarn vars navelsträng med himlen själv knappt hunnit avklippas

hemma i byn där de innerligaste önskemålen avslogos innan dem hunnit uttalas eller ens tänkas

i kyrkan hettades dem upp, med skamlöst allvar, och de odygdigaste förberedelser för de sötaste olyckstillbud.

Prästens slammer var härligt som dundret i kvarnen;

runt om stod folktäven, drömmen om kvällsdansen, hembyn så underbart upphöjd och innefattad.

I veckor före varje storhelg grälade giftasvuxna syskon om vilka som stodo i tur att få fara och vilka som måste stanna hemma och sköta småen och kräka* och förgångsfolket*.

Domsöndagen var ju inte märkvärdig som Böndagshelgen eller Mikaeli – ändå kände sig Didriks hemmavarande systrar utestängda från ett nöje, när dem rustade iväg dopfolket.

Hagar smög åt *madám* en ullstrumpa, innehållande en butelj modersmjölk. Och pappaMårten smög åt Didrik maken till ullstrumpa och butelj, innehållande en mer genomskinlig saft – vatten från gårdens brunn. Och förmaningar att prästfrun inte fick blanda bort vattnet, om hon skulle pjoska och värma som hon brukade; för dels ville pappaMårten likasom hedra " 'n Isak som grov det här brunnet åt oss" och dels skulle barnet för alltid bliva fäst vid Månliden om han döptes i dess vatten... s'att.

Anna-Stava frös fastän hon var påbyltad i mormors utanpåkappa. Hon stod på knä vid altaret och ingenting lyfte. Den kärlek som fanns inuti *kyrkotagningen* visade sig inte. Ibland, ofta, upplevde hon hur ritualens ord kunde skjuta upp till träd, med blad och fåglar och varma vindar – för att åter krypa samman till små tecken och lägga sig som hårdskaliga frön i andaktsboken, samtidigt i förvar och bevarande – och idag var de som döda, som om prästen hade hällt ut en dosa knappar över henne. Och när han tog henne i handen för att resa upp henne såg hon att han hade snus under naglarna

och kylan i kyrkan var utan friskhet, den var tjock och rå och trängdes för att återtaga varje plats som människan tillfälligt höll. Och Ottos hån följde henne snett bakifrån, fastän han själv inte var med.

Hon orkade inte stå under dopakten utan satte sig i bänken. Didrik höll barnet, faddrarna stod i ring, prästfrun snyftade; hon hade värmt dopskålen och vattnet så att en liten stod av ånga utmärkte stället

som kallkällan i Flarkmyran tänkte Anna-Stava.

Vad han dock var aningslös, Didrik! Fyra barnsängar hade hon genomlevat, varav den senaste varit som en gästning i dödsriket. Och Didrik stod där med sin barnsliga nacke, och pannan utan en rynka

och han strålade som om han ensam visste barnets pris, som om han dansat genom dödsriket och slitit barnet ur ett lejons gap med ena handen och med den andra hållit ifrån lejonets tänder så att inte en rispa på barnets hud

varefter lejonet ruskat på sig i en blandning av snopenhet och beundran och sedan gått före fader och son med svansen piskande åt sidan åt andra hungerkäftar och dessemellan sopat vägen med sin svanstofs för Didrik och hans Ende Son

så road och segerrik och återbördad stod Didrik där. Han höll upp barnet så att församling och kyrkorum skulle se bättre. Hur denna uppräckning utmanade väggar, sockenbor, klockare och präst till en högre förvåning inför Honom Som Växten Gifver. Och Anna-Stava såg hans händer och darrade i sitt innersta. Till vardags skämde det honom litet när han bedårades av sin egen härlighet; nu inför Sonens dop förbjöd honom högtiden att frossa i sig själv. Anna-Stava glömde också sig själv, glömde såren; och Hagar;

hon lät sig förvånas över gossekarlen och hans bedrift. Barnet skrattade under vattuösningen så att åhörarna snyftade

och döper dig Isak Mårten

En gammal man Ture, som fått -Tussen lagd till sitt namn, satt och beskrev händelsen ljudligt:

precis som farn sin! Första barnet som vart kristnat i

denna kyrka. He var 'n Didrik. Olförarn som vi nu hava. Han skratta också som om han absolut ville leva när han vart vattuöst! Nog är det märkvärdigt att dem töras! Småen denna.

Men en kyrkotagning till skulle äga rum före predikan. Och hon som nu skulle renas från barnsängens besmittelse hackade tänder ännu värre än Anna-Stava och hade ingen barnafader att se upp till.

Hon hade ingenting utom sitt liv. Ett sockenbarn som fått bli småpiga hos någon som nätt och jämnt överlevde på en backe med potatis och korn och några utängar?

En flicka som legat med grannens sockenbarn?

Med en eller alla sönerna i uppfostringshemmet?

Med nybyggarn själv som en kväll skulle fira att han fått fasta* på nybruket, och nu var en skattebonde som skulle kallas *hemmansägare* och *bonde* i Öfverhetens alla papper? Att han bestått de skattefria prövoåren till den grad att han var uppe i Luthers totala frihet: synda tappert!?

Hon hade varit lockad in i Valbergs skrubb med en klase bröstsocker?

På alla vägar, i alla lador, under alla träd, hade ofödda barn lurat på henne med sina jämrande hiksnande skratt: låt mig bli till! Föd mig! Jag måste! Bara mig!

Och nu hette det inte att dessa gossekarlar och pockande ofödingar hade *försett sig* hos henne. Det hette att *hon* hade försett sig med lönskeläger och hor. Och detta var skammens kärna: hon hade själv velat!

"Fromme christne! eder är veterligt att denna person haver genom djäfvulens tillskyndan och eggelse, och sin onda fördärvade naturs vana... fallit uti boleri och okyskhet, och genom olovlig beblandelse avlat och fött barn, och således förtörnat Gud och förargat hans heliga församling, och vore hon fördenskull värd utav Gud och hans församling förskjutas och förkastas...

... men om hon härefter vill bättra sitt leverne...

... men om hon åter med sådan synd sig besmittar, nödgas man med tiden emot henne bruka den makt som... Mattheus arton...

Rätt åt henne om födseln varit svår! Rätt åt henne, den satans töppan!

Hon skakade. Prästens slammer hade en aning intresse i sig, som om han tummat på en välrökt skinka i tionde medan han läste.

De få karlarna hängde vid henne med tunga mular och ögonlock: vars skulle dem kunna träffa henne i hemlighet och trösta henne *för att* och *eftersom* hon nu var allmän.

Dopbarnet Isak Mårten började skrika.

Utlegade hustrur som voro på väg att godkänna sitt öde i halmen inför åsynen av det öde som väntat dem utan äktenskap

de stördes i sin förkrosselse av barnets hjärtskärande gråt. Den gjorde dem upproriska. Aldrig att en man ställdes ut på golvet om han lägrade hustrun samma kväll som hon hade förlossats. Jesu jupa såren dina!

Han mindes det aldrig "jag var ju full!" och i en ton som om hustrun hade tvingat i honom brännvinet.

Så där ställde kyrkan upp en om året för att skrämma alla flickor för den vilda älskogen

för att tvinga de unga männen till bosättning och frieri.

Elvira Hedman snyftade. Och Anna-Stava. All världens Hagar stod där mitt på golvet. "Drif ut tjenstequeijna! Ut i öknens brännande drivor sedan du haft henne färdigt! Kalla henne allt ont du kan tänka ut! Och gå sen hem och njut av Storsonen din, 'n Isak! Och vet att Herren finner behag i dig när du så gör!"

Anna-Stava grät tyst och sonen grät högt, han grät som om hans amma blev utskämd där på kyrkgolvet, han vrålade som om hela den lilla genomfrusna församlingen blev utskämd; som om han hade i uppdrag att överrösta prästen.

... henne till åminnelse, varnagel och förmaning, tager man eder allesammans till vittnes...

Till slut förde sonen ett sådant oväsen att Anna-Stava reste sig och gick ut med honom. Erika och Eva följde henne, med fällen som de suttit på. De gick till kyrkstukammarn och hjälpte Anna-Stava i säng.

Eva och Erika rustade kring eldstaden; Anna-Stava hörde små sjok av halvhöga förtroenden om främmenquejnas mjalk... Hondenna... väl i sig hé! en värre regent! Skull behöva sig en omgång på kyrkgången... haver hon sitt eget?! nie år! och mjölkar än?

... om den där som gömde fostret i en avis och la det under en gran? Och efter en vecka hitta mormodern eländet

för att he kaure (gnydde)!

vart en tilltagsen och frisk männisch bortur hé

dem som hava givit sig den på att leva – dem leva! Dem bara bullra fram utefter världen, dem! Om man kokar dem i smör eller saltar ned dem i snön – dem leva!

Men mora hans, hon dog, hon.

På fästning.

Hon tålde int att pojken klara sig, lär hon ha sagt.

Att lägga ut 'an – det tålde hon! Men att han tålde det – det, nej det!

He finns alla sorter.

Anna-Stava hörde hur de värmde mjölken och så småningom kunde mata gossen

Men jer'e klanke gräddn (är det rena rama grädden) dem hava med sig? sa Erika. Eva viskade något till svar.

Men jag har väl aldrig...

Sen fortsatte Erika att berätta om andra barnafödslar som skett i lönn

och hon la benen sina i kors och knep åt s'att he kwamna

he kwamna strax efter att he hadd komme ut

om det kämpade för luft s'att det spratt till där under låren hennes... hur det skulle kännas!

Dolsedumpan lär ha stoppat in ett barnlik i ett mjölkskåp som dem hade i en fähusport. Hon hade tjuvsovit över i fähus-ladan på natten.

Konstigt med såna där. Allting är ju förbjudet för dem! Allt. Allt. Att dem överhuvudtaget komma åt att bli med barn?

Ibland undrar man ju om det går till i ordning.

Gammalt trodde dem ju att det var nåt häxeri med i spelet.

'n Luther trodde branog på häxor och troll med mera sådant.

men en sak är konstig: he jer som om sockna skull behöva de där odjuren!

Socknen! Men tvärtom det är ju ett lidande för oss alla! Dåliga exempel för döttrarna! Fattighjälp och kostnader och förargelse!

Men så snart en dör så kommer det fram en ny efter samma mönster! I och med Dolsedumpans död börja Isänkan härja

det namnet har jag aldrig hört.

Hon hör mer till östsidan av socknen. Hon lär vara hemsk. Hon lär ha varit här på Plass'n också vissa helger. Runt kyrkstallarna.

Att he finns qweijnen som vilja när dem bliva gammal?

Någen ha hört sägas att he finns dem som vilja då, som först!

När dem hava förlorat sina saker och allt hopp då bliva dem som galn'

Så där höll de på, hennes kära svägerskor, medan de matade barnet, och bytte torrt på det. De förgyllde sig, eller tröstade sig, med änkor och faderlösa. Låtom oss tacka oss och lova att vi icke äro så änkeliga som dem som hava förlorat allt.

Men bara hon då inte biter sig fast där i Månliden! Det får du hålla ett öga på, sa Erika.

Karlarna kom och Didrik och Erika började retas. Anna-Stava låg på sängen och iakttog dem.

– He spörs* att ni hava en amma åt kronprinsen, sa Erika.

– Att du har upptäckt vilken högättad varelse som gjort sitt intåg i världen! sa Didrik.

– Åh du Didrik du är en sån galning att du inte kommer att få frid förrän du står inför De Förenade Konungarikenas Öfverhuvud...

Eva inföll med mindre beundran:

– Är det inte tvärtom, Majestätet! som har det oroligt innan han fått träffa Lillvattnets Öfverhuvud!

Efraim såg förmildrande på sin hustru.

Men Erika och Didrik stod vid fönstret med röda kinder och uppvaktade varandra och pladdrade i händerna på varandra. Ingen försmädlighet i världen kunde nå dem. Erika skulle vända näsan snett uppöver och förlänga midjan med en djup andhämtning, samtidigt som hon skulle nita fast det där misshaget vid golvet med en enda blick – i ty fall

medan Didrik överhuvudtaget inte kunde uppfatta om en quejn ogillade honom. Sånt fanns inte.

Anna-Stava såg en fölaktig glädje mellan syskonen, den skrattlust som hon upplevt med Didrik strax före vigseln – och sällan därefter. Och hon kände skymten av avund mot Erika. Inte svartsjuka, men avund. Att få älska Didrik så – utan äktenskapliga plikter. Att våga hålla händerna runt hans nacke; utan att järnfilspån myllrar inuti fingertopparna nästa morgon.

Faddrarna kom med sina matskrin. Man dukade upp och bjöd varandra. Lillgamla barn satt med och var frommare än sina föräldrar. Anna-Stava låg på sängen och frös och ville inte äta. Hon tänkte på flickan i kyrkgången. Kyrkstugornas antal växte i denna socken, snart skulle det finnas en för varje by med en kammare för varje familj. Eldstäder och sovplatser. Fällar och kyrkkläder. De stod tomma den mesta av all tid. Och gud nåde den tiggare som bröt sig in i en kyrkstuga om en oxvecka i stället för att lägga sig till vila i det bolster av snö som han ärligen förtjänat.

Eva hackade en lök och kokade upp den i mjölk och bar fram till Anna-Stava.

– Du måste få dig värmen! Det finns som en eftervärme i löken som gör mjölken mera verksam. Drick.

Men i samma ögonblick som hon tog mjölken i munnen tänkte hon på Hagar.

Hon kunde inte dricka mjölken och inte säga: hur kunna vi sitta här i värmen och fira storsonens dop samtidigt som en kvinna är i färd med att frysa ihjäl? Någon av oss måste städsla henne.

För som hon skulle säga det hindrades hon av en beräkning så snabb, snett efter, att den nästan blev jämsides:

Den skulle vara ödmjuk! Och *den* skulle kanske visa sig lika mjölkstinn! *Den* skulle skicka sig tacksamt och inte hava någon högfärdsdjefvul varken i den egna blicken eller kikande fram ur kjolvecken! *Den* skulle hava en förkrossad ande som Anna-Stava kunde limma ihop med tröst och nåd tills dem skulle vara såsom tvenne systrar i andens rike: den äkta hustrun och hon som fått röna barmhärtighet!

Och Någon Annan behövande bondhustru med tjockare skinn på näsan och i munnen skulle taga emot främmen-qweijna, Wargmössa, *Hondenna* som är som Rebeckas sonhustru. Samt hennes avkomma. Jag fryser av olust att komma hem. ”Jag är led vid livet för deras skull!” Som Rebecka i första Mosebok brukade säga.

Så snart de hade farit för att döpa, kokade Hagar en tunn hwitmjölsgröt, palt-grytan full.

Den var uppenbarligen tänkt åt många fler än henne själv och pojken. Laurentia sa:

– Vi koka aldrig gröt till morgonvard.

– Ja gröt är detsamma som aftonvard i den här socknen, fyllde Sofia i och systrarna bytte en blick mellan sig: månntro *Hondenna* uppfattade piken: kännedom om socknar av de mest skilda slag som hon månde hava! Och Lillvattnet ansågs ju inte vara någon särskilt rik socken, men så pass som något enda kännetecken värt respekt innehades dock: gröt var kvällsmat! Icke lämplig till morgonvard – utom en enda morgon på hela året: juldagen! för att fira Människosonen född på Stallets Strå! Då åt man hwitmjölsgröt, saltad med smör.

Men Hagar sa att vi få väl se och kokade färdigt.

Sen flyttade hon grytan åt sidan; skar ett par skivor syltfläsk, lade på tunnbröd, tog en tillbringare, gick ut i farstun, sa åt pojken att hålla upp dörren, öppnade kantoret tog ett tråg och hällde mjölk i tillbringaren *utan att hålla för grädden.*

– Låt grytan stå och kallna, sa hon och försvann uppför trappan med skaffningen; pojken fick bära mjölken.

Hon talade med lägre röst än de flesta men hennes tal var tätt och tveklöst. Ingenting dröjde av undran eller inväntade medhåll; hennes svar höll ifrån en värld som ville åt henne.

– Det skulle vara någon av husfolket som skulle fara

fram som Hondenna!

– Dricka sötmjölk! Som till kvällsgröt! Om morgonen!

– Vars skulle folk få smör ifrån om dem inte rände ifrån blåmjölken och spara gräddan...

Söndagsbönen hade ursprungligen firats hos pappaMårten och mammaLena. Sen de *satt ifrån sig* och blivit förgångsfolk hade Didrik och Efraim turats om att hålla husrum för söndagsbönen. Men eftersom det blev mera folk runt Månliden och sedan Didriks stora hus tillkommit samlades man oftast där, i vinterköket.

Ante, med hustrun, 'a smeds'Klara, samt diverse barn. Smeden hade stora muntascher och händer. Och hemligheter; från härdningspulvret (med vilket han kunde giva yxan den mest förtärande egg) till kännedom om hästfoten innanför hovens borg. Den så kallade quecken. Bara *ett* annat i världen kunde mäta sig med quecken i ömtålighet, enligt Ante. Alla pojkar beundrade honom. Han fördelade små uppdrag åt dem. Du Kimme som haver det skarpaste färgsinnet här runt Månliden – kom och koxa åt mig, åt måndagen du, när jag skall smida korpar! Du som kan skilja rött från vitglödgat. Och du Gideon som har den jämnaste bälgen, kommer du och drar väderpusten åt mig åt tisdan? när jag skall göra plogbillen åt pappa din?

Där kom Hubert och Lisa med sina barn samt drömmen om Amerika som en extra barnhop de måste huta åt eller ömma för, osynlig som den var.

He jer för sent nu! Men hadd int 'a Lisa vöre på tjocken nu åter – att man skull ha före! (Om inte Lisa hade väntat barn nu igen skulle man ha farit!)

Där kom Nicke och Nora, Huberts föräldrar, och sa att man kan väl krypa av var som helst om det bara är det man vill.

– Där ryktas det att Nabot, äldstpojken vår, for åt Amerika han. Men han kan ju lika gärna vara död! Så tyst som han är, sa Nicke.

– Var torpare du Hubert! Och för oväsen du! så pass att det märks att du finns!

Efraim och Eva hade två barn med sig till kyrkan, de fyra hemmavarande kom till bön; samt Maximiliana, en Nicke-doter som var piga hos Efraims.

Vanliga söndagar kom det två eller tre från Nickes, tre eller fyra från Smeds-Antes, en eller två från Huberts. Och Didriks drängar försenade sig gärna i skogen eller med snallarlassen s'att dem bleve för trötta att komma på böna. Men denna söndag kommo dem mangrant. Till och med råkade ett par unga män från Digervattnet komma skidrande och överraskas av gudstjänsttiden, sa dem, och fingo dem stanna och få sig ett gudsord?

Laurentia och Sofia flyttade köksbordet närmare ett av österfönstren och bredde en vit duk över och ställde fram två ljus.

Man skulle nästan kunna tro att en väckelse skakat fram allt detta manskap ur halmen!

Nån andlig nöd är det nog inte som står på!

Tag in en bänk till. Från snallarstugan. S'att folk får sitta.

Det ropade från övervåningen:

– Per kom upp med grytan!

– Men vad riktigt ska hon hava hennar till?

Per såg sig om.

– 'n Didrik sa ju att he hon vill hava, he ska hon hava!

– Men vad skull han ha sagt om han hadd vöre haam (om han hade varit hemma)

Per gick upp med grytan. Han hade bara kommit ned och inte hunnit besvara systrarnas frågor så kom ett nytt rop där uppifrån

– Per kom upp med en kniv!

– Per en sax! – Inte ullsaxen din tokskalle! En

skräddarsax!

– Per, en harfot! Per, ett fat kallvatten!

Nere i köket trådde ett osynligt hingstföl utefter karlbänken, lystrade med sträckt hals och utvikt överläpp, som om blotta rösten däruppifrån doftade märrpiss.

– Säg åt henne att böna börjar klockan elva.

– Det får du säga själv!

Matilda satt och såg oförblommerat på karlarna från Digervattnet. Laurentia och Sofia uppfann sysslor åt henne. Skickade henne att hämta in en korg ved. Sopa av bron! Byt förkläde! Glo inte så där! Dem kunna ju tro att du vill dem något!

Innan förgångsfolket kommit småpratade grannarna; små undringar om Olförarns, om Anna-Stava nu hade fått stiga upp ur barnsängen. Om Efraims Eva också följde med till dopet? Om dem körde med två hästar denna helg? Om bjällerkransen – vilken skillnad! Men varje fråga tycktes vara i stället för en annan, som skickades genom ögonbrynen och vidare upp genom taket till *Hondenna* som tydligen var oppa bott'n. Främmenquejna. Wargmössa! Hondenna! Tills Klara sa:

– Huruledes går det med lillen? Är han duktig till att äta?

Alla såg på Smeds'Klara och rodnade: att hon tordes gå så nära frågan om modersmjölken! Sofia såg på Laurentia som satte igång takgungan så häftigt att lilla Siri började skrika och gjorde det nödvändigt med en trösteramsa på melodin *tusse lulla mammas barn.*

Tusse lulla fasters barn
nu så ska du tiga
snart så kommer farfar din
snart så läser farmor din
'n Luther jämmerlíga
då skall barna sitta still

med en sudd i truten
ingen hund får skälla opp
ej ens morra i sin kropp
allt skall vara gudeligt
när farmor läser Luther
s'att farfar han far hutter*
Tusse lulla mammas barn
kära Siri-Datt'n...

Sofia fyllde i med en strof för Hanna:

Tusse lulla fasters barn
kärasté guds'nåden
torka dina tårar små
vintern kan väl synas grå
men Hanna är gullsnodden

När Siri fortfor att gråta lyfte Laurentia barnet ur gungan och gick med det oppa bott'n

då var det alltså sant! Amman gav bröstet också åt näst minsta barnet!

När Östenssons kom in tänkte männen på hur mycket han, Mårten, hade spadat i sina dar och kvinnorna tänkte att hon, mammaLena, som var lite lapp, ändå var from som den värsta bondkärling.

Laurentia kom ned och såg mammaLenas tysta fråga och bönfolkets väntan på en förklaring, och gissningarna vad hon kunde ha sagt, *Hondenna,* när en gårdens dotter i all kristlighet bjöd henne, vägfarerskan, komma ned och få sig en god betraktelse. Oh ändå om man bara fått se henne, aldrig så lite, hennes fräckhet eller förkrosselse eller ögon, tänder, axlar, mage, tår eller hår; kanske hon är sådan som inte går i hilka utan är barhuvad! och hennes händer, insidan av handleden, just före handflatan, glimten av något, en doftslinga att draga in och låta slå ut i blom i karlastallet, om natten, mot måndagen.

I detta kök fanns nu knappt någon som inte tänkte mer på Synderskan Oppa Bott'n än på Luthers utläggning av evangeliet enligt Matteus tjufemte kapitlet verserna trettiett till fyrtisex.

MammaLenas syn hade försämrats och novemberdagern var grå som ett skrubbsäte, och Sofia gatt sitta bredvid sin mor och viska till henne ord som hon inte såg i talgskenet. Ibland när genomstavandet av en mening hade tagit så lång tid att innebörden omkom, reste sig mamma-Lena och gjorde en liten sammanfattning. Då vaknade alla. Annars dåsade de och tänkte på Hondenna, Amman, Wargmössa, och kanske var det Klöskattan hos Valbergs? Ack den som finge komma så nära att man kunde få bliva riven av henne.

''Ty då skall han, såsom han sjelf här säger, skilja fåren ifrån getterna. Att det då uppenbart varda för alla änglar, människor och kreatur hwilka som varit hans rätte och fromme christne, och hwilka som varit skrymtare och tillhört den gudlösa werldens hop. Denna avsöndring kan icke ske här i werlden — icke ens inom den hopen, där Christi kyrka är — utan här måste onda och goda wara tillsammans, såsom det ock säges i liknelsen om bröllopsgästerna i Matteus tjutwå och tie. Så måste ock Christus sjelf tåla en Judas bland sina apostlar. Detta kostar nu på för de Christne, att dem nödgas vara midt ibland det wanartiga och wrånga släktet enligt Phil två och femton. Men de hafva här såsom i allt sitt lidande på jorden den tröstén, att domedagen en gång skall komma, då Christus skall göra en sådan skillnad mellan dem och de andre att inga falska och onda människor nej warken djefwul eller död, skola i ewighet kunna komma wid dem eller anfäkta dem.''

Ack men ibland kostar det på det wrånga och wanartiga släktet också att nödgas vara mitt ibland de kristna! Att se huru dem hava alla rättigheter — först här nere och sedan där uppe! Som nu detta väldiga hus! Hur många år skulle det inte hava tagit att leta opp och köra fram och hugga all den sten som fordrades till husgrund

att fälla ut träden och barka dem och forsla dem från Basnäs, Anna-Stavas hemberg, och hit. *Basans ekar,* som broor'n hennes kallade dem, jämmerligen! Läs profeten Sakarja, elfte kapitlet!

och bila stockarna och timra opp det hela, varv för varv och hinna göra det på *en* sommar! Det hade Månlidkarlarna själva aldrig hunnit – om dem så låtit bli att plöja och skörda det året. Sannerligen, nog vill det till att det finns vrånga släkten, lurviga uppfostringspojkar, som äro villiga att uppskjuta sitt döende för en grynvälling.

Detta dagliga uppskjutande gör vissa hus väldigt höga.

Det hördes ett hasande och små dunsar oppifrån bott'n. Åhörarna höll huvudena på sned eller framåtlutade, och alla blundade så att ingen skulle kunna avgöra om man tog sig en *dol** eller uteständge werldsliga tankar med ögonlocken

men varje gång det frasade eller klirrade eller knäppte eller skvatt där uppe såg man upp: drängarna med ett leende, de fromma kvinnorna med rynkad panna, flickorna med rodnad.

Vad gjorde människan?

Det knakade mjukt som när någon stiger till häst.

Tänk att få hålla fram en stadig hand som hon kan använda som stigbygel för den ena foten medan hon svänger sig upp och bresar över hästens rygg.

En tunnsulad kängsko, utan hö i, s'att man känner hennes fot i handen. Med den andra handen skjuter man på runt om hennes midja, och där nedanför, och hjälper till att sätta henne till rätta ganska långt fram, nästan ända mot manken på hästen

och du milde tid hur många kjolar kan hon hava?

och hur äro hennes byxor skräddade? vara dem helt öppna i grenen som man sett på vissa klädstreck? Eller vara dem hopsydda? och dock med så vida ben att en hand skulle rymmas om han skulle fara helt försiktigt där uppefter bara för att känna om människan sitter bra på Pålle som frustar och gnäggar.

Äro hästhåren vassa mot hennes lena hud?

strumpor har hon inga ovanom knäet och faktiskt inte nedanför heller

herre milde när man känner efter har hon varken strumpa eller sko! Hon har stigit med nakna foten i karlens hand och han kramar den tills den står på

spritt språngande hård
som om hennes fot vore han
och hans omslutande hand hon.
Allt är upp och ned där mot hästens hjärta.
Hon håller sig fast i manen
medan hon rider bort på stället
som är häst och karl i ett
medan mammaLena är i färd med några hedningar och turkar.

''*Ty bland dem anser hwar och en den andre för en broder och hjelper honom med hwad han har, samt räknar det för den största synd och skändlighet att icke meddela av sitt bröd åt den hungrande*''

Äntligen ett gott ord om turkar och hedningar! Dessa som annars hudflängas i katekes och avis och talesätt tills en egendomslös Lillvattensbo i hemlighet försvarar dem. Rätt som det är vore turkar och hedningar nog så bra grannar som bröder och hemmansägare i Christo!

''*Hwarför berömmer då Christus just dessa gerningar, hwilka dock äfven turkar och hedningar öfwa? Icke kan det vara hans mening, att de okristne med sådana gerningar kunna förtjäna det efwiga lifvet.*''

Där hör du Klöskatta oppa Bott'n! Där rittar du fram tiss'n åt Olförarns barn när Madám är torr som muren! Barmhärtig barm kan det tyckas! En hedning eller turkinna skulle dock göra detsamma! Och på domens dag är det annat som räknas! – Rätt tro! Kunna katekesen! Hata påven och hans anhang! som man aldrig sett! Oh du din armade slängbracka som rider bort från mig på första bästa häst! Var det en burträskar som gjorde dig på tjocken första gången? Och den andra! En papist? En länsman? En filisté? Svara! Eller jag klämmer åt om foten s'att han går ur led! S'att du faller av hästen! Ned i kråkriset! Där rider du så lagom.

"Det lider intet tvivel att den som skall kunna utöva sådana barmhärtighetswerk emot de Christne, måste sjelf vara en Christtrogen, hwaremot den som icke tror på Christus, icke kan wara de Christne eller ännu mindre Christus sjelf så bevågen att han för hans skull will bevisa de nödställde barmhärtighet."

Hur han krånglar till det Luther!

En som Nicke! När han satt i fängsel. För den där älgen. Då gingo andra medellösa karlar till honom med någon sovelbit. Och till Nora gingo quinnor med bröd. Ingen gjorde det av barmhärtighet utan av gemenaste fröjd! Det var dock det roligaste som hänt i socknen på två år: hur Nicke fick Rättvisans Tjenare att framstå som Publikaner och Fariséer. Hade han icke gråtit i häktet av oro för Nora, att hon skulle vara otrogen, skulle Nicke hava varit en fullkomlig hjelte. De där tårarna hörde till en annan följetong, likasom. Och man grälade på honom att han skämde triumfen med dessa tårar:"S'att fångvaktarn kan tro att du ångrar saken, själva älgen! Han kan ju skvallra inför domare och nämndemän s'att dem få tro sig hava knäckt dig!" Man for dit med sovel och man grälade på Nicke och man fick honom att skratta innan man gick. Inte gjorde man anspråk på att det skulle kallas tröst och barmhärtighet. Men var det därför helt värdelöst?

"Därför böra wi noga märka och besinna, hwilken stor och förträfflig gerning det är att bewisa en christen godt, äfvensom tvärtom hwilken skada det medför att göra en christen skada och förtret."

Törst, hunger, kronojägarns och länsmannens förföljelse det vore ingenting i jämförelse? det enda som räknades som plågor var "törst nakenhet hunger och förföljelse *för Ordets skull!*"

Ja om kristna förfölja hedningar, turkar och torpare då skola dessa förstå att dem endast lida vad deras gerningar äro värda?

"*För öfrigt är wärlden full av onyttige, oredlige arbetare, late hantverkare, tjenare och tjenarinnor, samt lättjefulle tiggare, hwilka med allt sitt arga sjelfswåld och öfverdåd undgå straffet och sålunda förtära brödet för andra, som äro werkligen fattige, ja ljuga bedraga röfva och stjäla ifrån dem deras svett och blod.*"

Werldens arga hop var oppa bott'n och hade man bara kunnat räkna ut vad hasandet och frasandet handlade om. Denna undran gjorde dock postillan mindre lång. Man hade nästan inte märkt var Djefwulen slog till.

Östenssonfolket, både mammaLena och pappaMårten, såg inte styrkta ut av läsningen. Hur mycket Luther än försvarade det här stora huset så trodde Mårten inte riktigt på det. Didrik hade inte dikat nog för att bo så här stort. Det var obegripligt som *nådens rike,* detta *gratis* som mammaLena försökt undervisa honom om, förr i världen.

Tacker och lofver Honom som växten gifver, där var Mårtens hela tro. Av synder visste han bara en, värd att riktigt förfölja: lathet. Att inte sköta jorden. Att inte taga reda på dyngan. Att inte hålla ved, fulla vedhuset. Att inte med arbete vörda Honom som Växten giver. Jo en synd till fanns: att supa! Hans söner söpo inte. Men något annat oåtkomligt rusade Storsonen, 'n Didrik, som kom pappaMårten att arbeta hårdare än vad åldern nu riktigt tillät; av fruktan för en fattigdom, mer hotfull ju avlägsnare den kunde tyckas.

Det där som lät som en hästrumpa viskande med taglet mot balken. Det där som klirrade som betsel

när man stryker av rimfrosten med läderhandsken

när man därefter värmer betslet i handen så att hästen inte ska bli skinnflådd av den isande hettan

det där som sopade och hasade kunde mycket väl vara raka motsatsen till stall, kreatur och seltyg – det kunde vara snön som driver runt huslösa intet. En vinterdag när Han som Växten Gifver vill sätta betslet i karlens mun, utan att värma det, handlöst så att säga.

PappaMårten hade aldrig gått oppa bott'n hos Didrik. "Vi kunna bedja för övervåninga yeres" hade mamma-Lena sagt. Och nu: det kunde mycket väl vara så att Wargmössan låg och latades medan Fattigdomen (Det Stora Vilddjuret) strök sig oppefter väggarna, slickade och smuttade på dem.

Laurentia kokade kaffe efter syndabekännelsen, och Matilda började hacka till gottbitar i sockerskrinet, redan innan slutpsalmen var färdigsjungen.

Det torra hatet mot Luther mjuknade som skorpan man fick att doppa i kaffet; och allt lika gick det med ilskan mot Främmenquejna oppa bott'n

hur länge man än försökte hålla gottbiten hård på tungan, så smalt den, med eller utan kaffe.

Sofia tog ned Anna-Stavas psalmodikon och barnen samlades omkring henne. De små fick hålla ned strängen mot träet var de ville och häpna över hur tonerna förändrades, medan Sofia förde stråken över den tvinnade rensenan

och hela sommaren som låg hoptryckt i den där långsmala lådan började mumla och brumma i sömnen. Längst ned var det humlor som raglande lyfte ur stormhattar som de stått på huvud i.

Där frasade och schasade orrar mot varandra i kråkriset.

Pojkarna hoppade mellan stockarna i Grundmyrån söder om Månliden

och flickorna hjälpte mamma skölja kläder i Pjesaur

norr om Månliden.

Men märkligast var det med insekterna. Getingar. Bromsar. Flugor. Den högtidliga myggjämmern.

Ate, insekterna, det som plågade människor och djur sommarn lång
och så få höra dem så här, mitt i den mörka november
utan klåda, bara som musik!

Det var att komma ihåg hur hästen borrade in sitt ansikte i marrans långa tagelsvans och hur hon viftade honom kring mule och ögon så att han befriades från broms och knott som sutto där och sögo på den tunna huden runt ögonen och utefter näsbenet.

Hur hästarna hjälpte varandra!

Att få se dagsländan dirra över utängarna
utan att själv bli gyttjig till knäna!

Högre upp på strängen tog sig en svala alla friheter för att närmast hjärtat ge slutdrillen i barnramsan: är-det-sant-att-jag-fått-silverhätta-av Guuud...

knappt att en svala var så himmelens dråplig i verkligheten
som när hon spelade from i vintersömnen
i Anna-Stavas psalmodikon

– Ska hon vara bra och sätta liv i Storsonen! Han har haft det ansträngande som synes!

Hon stod vid härden bredvid den stora grytan som varit full av hwitmjölsgröt. Nu var den länsad. Men inte tömd av en vördsam husmor som tar nätt från kanterna, även om hon öser med storsleven, och så att inte den minsta pött kommer på utsidan, som är sotig. Grytan var tömd som av en gris, som av *Storan* man släppt ut ur kätten för att slakta. Då lockar du henne med en skopa mjölk, du går baklänges och lockar och hon följer godtroget och villigt ända till fähusporten där svingrytan står och svalkas med tanke på lillgrisen, han som ska få leva ända till senvintern

vem skulle kunna hindra den livdömda då att vika av från sin väg till slaktbänken? och hungrig som hon är av att inte hava fått fast föda sedan gårdagen!

Den här paltgrytan såg ut att hava härjats av ett sådant kreatur.

Också hennes extraförkläde som hon tog av sig inför husbonden bar spår av dödlig brådska. Vad hade hon gjort med gröten?

– Mest troligt är väl att hon utfodrat fanen med densamma! hade Matilda sagt.

Med tiden hade Matilda fått det uppdraget att uttala elakheter eller självironier som vem som helst kunde tänka, men inte säga. Björntilda.

Den nydöpte grät. Vad heter han? Vad gav ni 'an för namn i kristningen?

Hagar tog emot barnet ur pälsens djup. Hon lindade

upp det utan att sätta sig, hon skalade honom i luften som ett kålhuvud och lät lindorna falla på golvet eller i den vanärade grytan, det gick så snabbt och säkert som om hon haft fyra händer; och till sist tog hon en flik ur någon ytterlinda doppade den i varmvattengrytan på härden, svängde den i luften till svalka och torkade barnstussen ren; sen satte hon sig på amstolen* med det nakna barnets huvud mot sina knän och dess fötter mot sitt liv och hon höll barnets händer och de log emot varandra som om de gjorde narr av dagens ceremoni och gick in i en annan ritual: hon slickade hans hälar runt om och stoppade hans tår i sin mun. Oh vilken strålande fräckhet! Laurentia, Sofia och Matilda, som skulle plocka upp lindorna och skilja dopdräkten från den innersta ockergula slarvan; de blev stående i förundran

till slut när amma och barn hade firat nakenheten – och utan hänsyn till hennes eget barn som stod och tryckte bakom hennes armbåge och trampade sig på sina tår – tog hon upp ytterflikarna av storförklädet och lindade det löst kring barnet, knäppte upp blusen och började amma.

En väldig samfälld suck hävde sig genom köket.

Alma som ställt sig nere vid extrasoffan bredvid mammaStava, som såg så lite frisk ut, nu åter, till och med Alma måste förundra sig över Främmenqweijna; hennes makt och härlighet.

Didrik hade gått ut och ingen hade märkt det, så fullkomligt efterlängtad tedde sig Hagar

Didrik och Efraim stod skrivna för jorden i Månliden men ingen av dem var angelägen om att draga gränser mot den andre. Stället födde nu tio kor, tre hästar, tjugo får, ett par grisar och smådjur.

PappaMårten talade ständigt om hur viktigt det var att erövra föda, kläder, hus och vedbrand ur den jordbit man fått; att den inte skulle vara större än att familjen – och något tillfälligt uppfostringsbarn! – tillsammans kunde sköta det hela.

Men allt hade blivit så stort. Sönerna sysslade med skogen och handeln och socknen och tog knappt ett spadtag längre. Han hade varit barnens föredöme i rasande arbetsamhet – och som vuxna ville dem inte arbeta som han! ”Det kan drängarna göra...” hette det.

– Men dräng och piga – det kan man vara några år i ungdomen. Sen ska man sätta fötterna under eget bord. Som du och jag, du Lene!

Han försökte ta upp frågan med sönerna, att drängarna måste få egen jord utsynad åt sig ur Kronans mark, egna utängar och möjligheter till eget hushåll.

Mårten såg det så att sönerna inrättade sig som ”husbönder nea landet” med drängar som något självklart, städse, för allan tid – att de därmed iklädde sig ett ansvar utan att beräkna dess kommande tyngd; och likaså att drängarna inrättade sig som tjänstefolk beredda att lunka fram, utan anspråk. Med tiden skulle en farlig skillnad uppstå. Sönerna skulle bli högfärdiga och drängarna lömska.

Och det var från Luther som förförelsen kom, hade han börjat ana. Han förtalar gerningarna! Luther förstår int att Han som Växten gifver behöver karlens gerningar med jordyxan; samt gödning.

– Han blandar ihop *trons rike* med *jord och värld,* gubben jenna, s'att jag vet mig snart ingen råd, sa mammaLena.

Men ibland skyllde pappaMårten på Didriks äktenskap. Man ska int gifta sig så rikt att man tro sig int behöva arbeta!

Tretti fönster! Är det likt något!

Och Anna-Stava var inte arg* nog att stå för ett så stort hushåll!

Hon hade förtjänster: sin goda hand med allt förlossningsarbete i kättar och bås; hennes händighet i fårklippningen; att hon förebyggde krämpor hos folk och djur.

Men hennes underdånighet mot alla, som fullgjorde de dagliga tunga sysslor hon inte själv orkade med, var frånstötande för pappaMårten. Hans jämlikhet förutsatte jämlika krafter?

Utan att kunna samtala om det hade Anna-Stava en misstänksamhet mot Luther som liknade pappaMårtens. Luthers uppdelning av mänskligheten i *öfverheten* och *storhopen*. Hur *nåden allena* till sist var för de rika medan *lag och straff* blev de fattigas arvedel.

Luther hade ett dubbelt budskap. I Stora Kommentaren till Galaterbrevet var Luthers förtrogne en storkarl med hustru, tjenstefolk och alla rättigheter. Den boken låg uppe i *Kontoret* näst olförarn. "en bjällerkrans för själen..."

Huspostillan däremot var för köket och drängstugan. Den skällde skräck och lydnad. En entonig gäll tjuka.

Innan Hagar kom rörde sig Anna-Stava i huset som i en skog som aldrig är riktigt lika dag från dag. Där träffade hon esomoftast andra vilsna; då satte hon sig på närmsta stubbe till stol eller soffkant och undrade hur "det kunde vara tänkt." Och dem bläddrade i Skriften och i Arndt och funno stundom *ledning* och stundom *tröst.*

Fläkten av hemlöshet omkring Anna-Stava.

Visst få vi väva gardiner, sa Laurentia.

Jomenvisst, sa Anna-Stava.

Men det brådskade sen inte att sätta upp dem.

Hedqwist hade tillverkat soffor bord skåp stolar skänkar – och allt efter riktiga mått hämtade nedifrån kusten. I köket var de målade i ljusockra. I övervåningen var ockran rostad till brunt; ådringen därtill kom möblerna att se herrskapsaktiga ut. Men de stod där som undanställda.

Anna-Stava gick inte och granskade något rum från olika hörn, flyttade inte en stol eller en kista så att möblerna kom i något samspel med varandra. Hon saknade

”den fasta husmorshand som skapar trevnad.” Och det blev varken som i vanliga bondhem där varje föremål rymde en arbetsberättelse, eller som i prästgården där all inredning tycktes ägnad att dölja spåren av varje nödvändighet. Som det stativ av järntråd som Elvira Hedman lindade till brudkrona om och om igen. Alltid var det någon slinga som vissnat och måste bytas ut. En stolkarm som måste buntas om. Gardiner som måste stärkas. Piedestaler. Fotografiramar. Bonader. Prydnadskuddar. Skrivbordsmatta. Överkast. Paradhanddukar. Sidostycken. Mellanlägg.

Idel ting utan annan uppgift än att härbärgera mållösa utrop.

Det blivande gästgiveriet som hon kunnat räkna till Didriks självironiska sätt att leka storkarl. Någon gång hade hon sett de porslinskärl som han ställt in där i skänken, utan att visa henne. Vilka frestelser han alltid var utsatt för, hennes älskade Didrik. Verldens överflöd där nere i Skjellet hade övermannat honom! Han hade inte kunnat motstå! Efter någon tid hade han sett sig mätt på soppskålen eller tekannan. Då tog han ned pjäserna till handelsboden. Och hon visste om det och bad att Mästaren skulle giva honom kraft att motstå detta farande med köpesaker eftersom dem varken behövdes i Månliden eller i byarna däromkring.

Däremot begärde hon inte att han skulle visa henne dessa ting. Han gjorde det väl när han kunde, om han kunde...

På gränsen till oärligt det är vad det är, sa Efraims Evas blick.

– Allt är ju ändå uppenbart... sa Anna-Stava.

Jag kallar det lögnaktigt att smussla så där! tycktes Eva tänka.

– Var och en är väl så sannfärdig han kan? Han kanske

inte vet själv varför han måste köpa de där pjäserna...

– I vissa familjer är det så att dem skämma bort en, någe så olickligt. Alla hjälpas åt med bortskämmandet! Och dem veta int om 'et. Sa Eva.

Men efter dopet kände Anna-Stava att det var dags hon ginge in på gästgivarsidan. Hur hon än fått evighetssaken på sin lott måste hon ändå sköta sin beskärda del av jord och värld?

Hon öppnade dörren till *gästsalen* och raglade bort till en stol. Didrik kom rusande från *kontoret*

– Hur är det mammaStava, du svimmar väl inte!

Sen blev han också förvånad. Och tyst. Tre väggar var tapetserade. Den fjärde, västerväggen, var vit som förut. Vitmenade väggar var redan ett tecken på välstånd och eller nya tider. Efraims hade kritat, men inte pappaMårtens, inte Huberts eller Smedens, och naturligtvis inte Nickes.

– Här i socknen tro vi ju att bara präst och länsman vara berättigade till tapeter. Men nea landet är det ofta förekommande också hos vanligt groft folk... så det ska du inte...

Didrik stod och pustade. I april när han sett denna tapet hade den varit mer glittrande. Anna-Stava satt och pustade. Väggarna susade violett. Pelare skymtade kring vilka gröna slingor av rosetter satt ordnade; och blad klippta från träd mer främmande än Basans ekar. Nardus? Myrram? Aloe? Vad kunde de tänkas heta de fjärran växter som givit ett sådant bladverk?

– Du var ju så sjuk när jag kom hem från stan.

Det var en mörk tapet. Stänk av guld som glimtade på snedden. Där inget ljus låg på var allt en sovande dov prakt. Som kung Salomos ålderdom.

– Jag ställde in lådan med tapeterna här. Men när du var så svag. Och oron så stark. För både dig och gossen, Storsonen. S'att jag måste säga jag glömde faktiskt bort det här... i alla dessa veckor. Jag hade tänkt överraska dig med grannlåten som tack för... som tack för... Och han tystnade eftersom hon skulle kunna förebrå honom med hänvisning till Vem Allena Som Hövdes tack och lov. Och han talade igen eftersom hon skulle kunna fråga hur tapeterna kommit opp över väggarna:

– Men vad riktigt flög i systrarna som på eget bevåg, sa han. Och söndag var det ju igår! Och hade någon gjort det i lördags så hade vi ju sett det?

Hon var tyst så länge och så blek att han önskade hon skulle säga något strängt, ja elakt, bara hon hade mål i mun. Till sist sa hon:

– Undra på att tapeten vart uppsatt på sabbaten. Mönstret inbjuder till det.

– Men hurså?

– Och färgen. Det är som om ett gift trängdes i den.

– Men ljung har ju den där färgen. Och gran kan väl vara grön så där när han blommar...

– Aldrig! Såna där färger finnas icke! Dem vara som... sedda inifrån en warg.

Hade Anna-Stava sett Hagars wargmössa? Hade hon hört pappaMårtens öknamn på amman? Gjorde hon en medveten anspelning? Frånsett det opersonliga hån hon haft i benstommen när hon nästan dog var detta första gången Didrik såg Anna-Stava visa avsky. Och det kittlade honom oväntat. Han måste behärska sig för att inte le.

Dörren mellan *gästsalen* och nöhl-kammarn öppnades och Hagar stod där.

Anna-Stava var till vardags den som talade och tjänade för varje litet yttrande från Hagar. Nu var hon tyst. Didrik var också tyst men såg vänligt på Hagar

– Det räckte bara till tre, sa hon. Och efter en paus sa hon:

– Jag tog för givet att dem skulle opp och ut här – eftersom lådan stod här.

– Och eftersom jag lärt mig tapetsera.

Lika förvånande som Anna-Stavas kyla tedde sig Hagars ursäkter, den ena efter den andra; hennes pauser som rymde väntan på något godkännande. Didrik fick allt svårare att hålla sig för skratt.

– Jag visste inte hur jag skulle få dagen att gå medan lillbarnet var borta.

Och Anna-Stava sa inte: skulle det ha skadat att höra postillan läsas!

– Det spränger när man inte blir mjölkad på de vanliga tiderna. Så jag försökte arbeta bort en del av överskottet.

Och Anna-Stava invände inte: Siri kunde inte ha hjälpt? Eller hennes egen pojk? I värsta fall.

– Det kanske var obetänksamt av mig att fäkta med tapeterna på söndagen...

Anna-Stava skämdes ursinnigt. När Strömmen tog emot sjuka en dag i månaden höll han till i sör-kammarn. De som kom för att *söka** satt nere i köket, men de måste ofta nog vänta en stund uppe också, innan de fick komma för. Nu skulle de se "salen oppa bott'n näst Olförar'n" icke blott vördnadsbjudande genom sin storlek – utan skrämmande som... som Faraos väggar där borta i Egypten. Åh skulle dem icke känna sig som Josefs halvbröder på besök hos Potifar för att köpa säd mot hungersnöden hemma i Kanaan, Kankträsk eller Kusmyrliden? Kuvade och skyldiga till vad som helst skulle dem känna sig, kringrända av dessa tapeter. Det hjälpte inte att hålla blicken styvt riktad mot den vita västerväggen med dess trenne höga fönsterkors, då det var särskilt från sidan som de gyllene lömska blickarna glimmade fram under det yppiga bladverket.

– Men den som inte fått läsa för prästen. Och när man vet att han endast skulle skälla. Om endast han finge tag i en... fortsatte Hagar sin plädering.

Anna-Stavas ogillande svängde mellan omsorg om de nödställda som skulle såras av prakten, och till skam över skrytet som bolmade runt pelarna. De här tapeterna skämde ut Basnäs, hånade den granntyckte broder Ansgar, som aldrig skulle sätta på sig en röd busaron, färgad med utländsk köpefärg.

– På de platser jag haft förut var det aldrig tal om någon ledighet för pigan. Hon gatt arbeta lika mycket om söndagen som annars. Det enda fromma man fick höra där, var att pigan som sopar golvet gör en gudi lika behaglig gärning som prästen i predikstolen... så jag tänkte att den som sopar väggarna... sa Hagar.

Halvyllebrackor och lösa kvinnor. Förrymda tjuvar som efterlystes i kyrkan med stöldgods försnillat ur paradiset – dessa som icke hoppas på någon uppståndelse bland de saliga och som derför skynda att vältra sig i de mjukaste pälshår och sidenrosor dem kunna finna i jämmerdalen! Drömmare och lättingar med munspel och kroppen full av dans! Sådana som räkna med en lång sotsäng på vilken dem skola få tid ångra och bedja om förlåtelse för all werldslig glädje som dem hava njutit!

Föraktfulla ramsor drog genom Anna-Stava där hon satt och teg. Hon ville ut, bort, hem till sin gormande broder Ansgar som inte skulle träda en kvarts tum utöver sin förtjänade rätt. Anna-Stava kom ihåg sin mormor att hon haft stunder när hon inte var elak. Hur hon gillat att dansa, 'a Catarina-mor.

Hur hon haft ett guldörhänge. Det hade Ida fått vid arvsskiftet. Med rätta! Och två sidenklädningar

den vita när jag rustade till gravöl,
och den svarta när jag kokade åt brudfolken.

Och hennes ålders raseri – och avund – gentemot alla misstänkta som stulit grannlåten från henne, från kyrkstukammarn där hon haft dem i förvar. 'a Catarina-mor som gillat Didrik – hon skulle *också* hava gillat dessa tapeter! Frossat i dem! Den gamla lejoninnan! Anna-Stava log vid tanken – tills ordet *också* gjorde sig påmint som en hulling, en försägelse. Hon hade glömt att Didrik måste ha någon del i tapeterna. Hon hade haft för sig att tapeterna blommat ut ur Hagar i och med att hon satte upp dem! Att de likt hednafolkens mörker ormade sig ut genom Främmenquejnas armar och händer och genom hartassen (med vilken hon strukit ut klistret på baksidan och genom papperet tills dem välvde ut på framsidan?) För det här gröna ringlandet mot gredelin botten det kom av Hagars rot och stam! Och hur kunde Didrik, som älskade Anna-Stava, vilja se Hagars naturs-art fullt utslagen oppefter väggarna!

– Så att om det fattas något hwitmjöl i säcken så är det jag, som är den skyldiga. För varje mening Hagar sa tog hon några steg framåt; men röst och hållning fjärmade sig; om hon haft någon fostran i kroppen skulle hon naturligtvis hava brustit i gråt och rusat in på sin kammare inför denna omedgörliga husmoderstystnad.

Och Anna-Stava fortsatte med att inte säga: Hagar menade ju bara väl, det är vi som är henne tack skyldiga.

Hagar kom ännu närmare och lyfte båda armarna, i en vädjan om förlåtelse? eller samtal? eller bara av uppgivenhet? och hennes egen doft slog ut sina vingar. Det var inte modersmjölk, inte fostervatten, ”avslag”, barnbeck, eller någon av dessa födelselukter där syrligt och jolmigt kom alla händer att rundas

den här doften kom en åker att skjuta ax; strån som annars behövde veckor och nätter för att resa sig, de spratt upp nu, var som helst i slutet av november, i en tvinsjuk vintersol; när snallarhästarna som komma på vägen är vita av rimfrost; i en murrig oeldad sal som luktar vidbränt mjöl och arsenik

här kunde ett par vingslag av dessa armhålor förvandla ett par bestämda människor till flack fet åker och miljoner rysande strån.

– Det är väl dags att giva lillbarnet förmiddagsmålet, sa hon och sopade förbi med kjolarna, och pojken Otto trippade med, snett efter. De hörde inte om det var *Gästsalens* dörr eller dörren till *Gemaket* som slog i huset

förrän Didrik och Anna-Stava överföll varandra uppemot skänken som om de varit var sin främmen-queejn.

Och hon tänkte inte *före Sonens födelse* utan *innan Hagar kom*

Hur ofta hon gått ned i dungen utanför barndomens fönster och omfamnat luften på det ställe där han stått – en eller två gånger – och lovat detta tomrum att om hon endast finge vara i hans famn skulle hon godkänna vilken annan prövning som helst, som giftermål kunde innebära.

Så otänkbart att själva famnen skulle bli prövningen.

För hur kunde hon säga sig älska sin herre och man om hon inte alltid ville vad han ville! Skulle han ensam tyranniseras av Imperialen? skämtade han.

Människan och hans hustru, som det hette i första Mosebok. Dem voro utan blygsel

s'att maninnan, Heva, kunde säga: gör så i stället! inte nu! inte där! men här! snart! vänta mig! vagga mina moln! förtvivla mig inte!

och så bevingade dem varandra – människan och hans hustru!

OCH SÅ LYFTE DEM OCH FLÖGO LIKA HÖGT? Tillsammans!

I och med utdrifvandet ur Paradiset for Adam till väders själv; enastående; idelig och oberoende

och på marken blev Heva kvar, ett moln av förstummad åska

Människan förblev talför och skämtsam med stöd av Hustaflan och vigselformuläret. *Äktenskapliga plikter* kunde han säga, förvissad om att flickans högsta nöje var att se honom flyga. Och var det inte roligt när en köpesäng och en ordbok döpte hans hemliga häst till *Imperialen?* Gif åt

Kejsaren vad Kejsaren tillhör!

När hon läste om Utdrifvandet ur Eden såg hon blygseln som straffets kärna. Detta förbud i kropp och själ mot att låta Människan veta hur hans Hustru har det.

Att detta förbud, som gjorde karlen lätt och qwinnan betungad till sist rymde en oförrätt också mot honom. Att han fick skulden både för skillnaden – och för hennes förstumning.

Var det den oförrätten som aposteln tänkte på när han tusen år efter Paradiset tröstade karlen för hustruns besvikelse med den blida förmaningen till Kolosserna (3:19) ”I män, älsker edra hustrur och warer icke bittre emot them!”

Hur bitter skulle Anna-Stava icke ha varit mot sin äkta man – om det icke varit Didrik! – det anade hon inför de antydningar om *sådana* som barnsängsquinnor kunde låta undslippa sig mellan värkarna

en sådan som måste lappa kläder om kvällen tills karlen somnat!

och stiga opp en timme innan han vaknar och fäkta med nål och tråd innan hon går till fähuset!

hur orkar *en sådan!*

med *en sådan* stör till karl är arbete kväll och morgon rena vilan! i jämförelse.

och den systerligt avundsjuka beskrivningen av ”ett lyckosamt folk! dem göra en himmelsfärd som varar en hel timma! och på det leva dem högt en vecka! Och hava fred och ro till allt annat dessemellan!”

Innan Hagar kom saknade Anna-Stava den lätthet, den frihet i huvudet som skulle ha möjliggjort samtal med Didrik ”om allt annat”;

Att se tillsammans på något i stället för att alltid se in i varandras ögon. Att all undran inte alltid skulle dränkas i beundran.

Att få samtala om trosfrågor; framhäva Arndt som den djupsinnige gode och varna för Luther "som predikar lydnad och helvete för de fattiga och nåd och frihet åt furstarna! Hans sätt att bruka kastskoveln är icke kristeligt!"

– Hur ha vi det med doktor Luther idag, mamma-Stava? Giv 'an en omgång! Han tål nog, den Belsebubben!

– Han skriver att Den Högste kan tillstädja att en högmodig människa faller i djup synd för att upptäcka sitt fördärv och bliva ödmjuk. Men ingenting om den människa som blir *utsatt* för den högmodiges djupa synd.

Och Didrik skrattade och sa att Anna-Stava var ännu grannare när hon var lite ond; rent oemotståndlig var hon då och han skulle bli mera luthersk, om det var det som fattades honom för att hon skulle antasta honom och överfalla honom i nattens mörker!

Men detta var nu som åratal innan Hagar hade kommit i huset.

Och men innan Hagar kom hade hon haft samtal med andra som voro i själanöd eller annan vedermöda. Alltsedan huset blivit färdigt hade Strömmen haft mottagning en gång i månaden i sörkammarn. Då hade det också fallit sig naturligt att en och annan gick upp till Anna-Stava för att klaga. De gömde sig i klädkammarn som värmdes en smula av murstocken och som var ett lämpligt gömställe för avita* gråt och lovsånger.

– Han måste väl vilja mig något, Den Högste, eftersom han pinar mig så, men jag kan inte räkna ut det!

Anna-Stava hittade stärkande bibelord och böner.

Där kom någon med en ursinnig, urgammal fråga; och vid uttalandet förändrar den sig. Ett svar som lurat inom frågan brister ut så att båda måste le. En sidofråga vaknar hos åhöraren. Det har jag aldrig tänkt på! Det går inte att säga hur det är! För det är så och det är så. Och det stämmer inte! Hur kan man leva när det inte stämmer! Man strömmar ned i kvarnens tratt. En sten över – en sten under. Man försöker gömma sig i refflan i det längsta. Man skulle vilja dö som ett korn i åkern, dö på det värdiga viset, som ett senapskorn. Men man krossas. Man blir mjöl. Man blir gröt. Man blir skit.

– Men gröten blir väl annat först? Barnlekar och karlatag och kvinnokraft vid väven! Inte kan du väl säga att gröt och skit är riktigt samma?

Hon som inte orkat det sista havandeskapet. Den lilla kraft hon hade kvar gick åt till att hata. Hon hatade de barn hon redan hade. För att inte tala om karlen. Hon skulle ha skrattat, sa hon, om hans häst hade gått ned sig på isen med timmerlass och gubbe, sa hon. Så hade han fått ha en gäddkäft till töppa åt sig, sa hon. Så förtvivlat ond hade hon blivit. Hon gick till kallkällan för att föda. Hon skulle komma hem med det sista dödfött efter en störtförlossning, sa hon. Och vad hände? Där hon låg och födde i ljungen blev allt enkelt och bra!

– Det är visst bara herrskap och de frälsta som säga *kärlek* och *älska*. Men jag kände mig som Jesu moder, jag fick veta vad *kärlek av höjden* var. Jag som hade fött åtta barn. Dem hade aldrig gjort annat än slitit sönder mig och sugit ut mig och frätt bort tänderna ur min mun. Och så plötsligt detta lugn! Jag fick veta vad nåd är. Jag steg upp och värmde vatten i tvättgrytan och tvättade mig själv och barnet. Vi badade i kärlek.

Och hon hade tyckt att hela livet dessförinnan, all dess ”orenhet och styggelse” hade varit ett rimligt pris för den stunden. Och hon började se på man och barn med andra ögon och ville *älska* också dem.

– Ja jag säger ordet som om jag inte hade någon skam i kroppen.

Men då var de rädda för henne! Särskilt den största. Det var åratal sedan det hänt. Modern hade blivit lugn men kunde inte lugna dem, riktigt. Hon såg i deras ögon, på botten, denna strykrädsla. Den äldsta. Hon hade fått vara mamma åt småen, alla de rasande åren; taga emot syskonens barnatrots, som dem inte vågat visa modern.

– Och den lillaste, hon är en blomma och en ängel. Och henne hade jag tänkt dräpa! Vad finns det för förlåtelse?

– Men att hon lever – är inte det förlåtelse sa Anna-Stava.

– Men den första... hur... det finns en piskstrimma som slår upp i hennes ansikte när hon blir rädd. Jag kan inte minnas när jag gav henne den. Bara att...

Eva kom mera sällan, hon sade sig hava talat och varnat färdigt om Hondenna.

De vanliga kunderna och snallarna pratade om den konstiga pigan som aldrig visade sig.

Ska det vara Klöskattan?

Men vars har hon sitt eget?

Om det är Klöskattan så är Isänkan hennes mor...

Didrik och Anna-Stava blev förtegna på ett nytt sätt: de uppträdde så att ingen skulle kunna fråga dem; ej heller kunde de tala om Hagar med varandra.

Och det var som om folk inte hade andra åkommor än sin undran över Amman näst Olförar'ns. Denna visade sig icke. Men väggarna i den stora gästsalen betygade hennes närvaro. Dem voro hemska och lockade med en ny tid, ja en helt annan anda, och passade vissa sidor hos Olförar'n, och skulle det mot förmodan vara så att Anna-Stava gillade dessa tapeter fick man nog lov börja kalla henne Madám, fastän hon var född i Basnäs och hittills hade tyckts fjärran från all werldslig flärd.

De satt i *Gästsalen* och viskade med varandra om *Hondenna* i väntan på sin tur hos Strömmen

och Anna-Stava satt bland kyrkkläderna och hörde hur alla andliga spörsmål tycktes hava lämnat hennes trossyskon – liksom henne själv.

Hon kunde knappt öppna Bibeln utan att den sade något om Hondenna. Än ville Skriften driva henne ut i öknene. Än var hon quinnan som rörde vid Mästarens mantel. Vissa dagar handlade Skriften icke om annat, medan Anna-Stava beskrevs såsom mindre värd än en tofs i någon fariseisk mantel.

Sonen hade liv och övernog, han blomstrade. Hagar skötte honom med en blandning av vårdslöshet och takt som upprörde alla. Hon slet av honom lindorna, hon slet upp sin blus så att plaggen blev upphetsande hinder, liksom all omgivning. Hon föste sin egen son med armbågen och underarmens utsida bort från dibarn och nakna bröst ut på golvet där han fick klara sig som i öknen. Diverse fastrar, som kunde tyckas nog så uteslutna från livets källor, försökte trösta Otto. Men han stod mitt på golvet och blängde som om den erbjudna vänligheten rymde en större oförrätt. Han kunde få de fromma flickorna att känna sig osäkra, ja nära på dumma. Till sist kunde han flyga på Konrad med sparkar och knytnävslag så att flickorna äntligen fingo användning för sitt behov att försvara en oskyldig. Då log Hagar.

Men vars har hon sitt eget?

det som drivit upp all den goda mjölken i hennes bröst. Utan den mjölken vore undret Isak Mårten avlidet så här dags? Av högmod. Eftersom *vanlig* komjölk icke dög åt Didriks son? Dog det? hennes eget? före nedkomsten? eller strax efter? fanns det upptecknat hos prästen? hos länsman?

Vem är far åt pojken hon har med sig?

Har han fallit ned ur ett skatbo, den lilla hårdingen, eller har han någon sorts jordisk fader?

Vem är hon själv?

Heter hon Hagar i sig eller är namnet bara ett utslag av

länsmans skämtlynne? Vars är hon barnfödd? Leva hennes föräldrar? Vem saknar henne? vars någerst?

Sådana frågor hade man haft även om Konrad men dem hade smultit bort genom den gossens ödmjuka skick. Inför Hagar och Otto stärktes frågorna genom den brist på tacksamhet varmed dessa levde. Inte så att Hagar lät förstå att Olförar'ns var beroende av henne för spädbarnets liv. Tvärtom visade hon sitt behov av den lille – men det var då det minsta detta gästgiveri var skyldigt henne! Handelsboden var magert utrustad för hennes behov. Allt möjligt misshagade henne på ett tyst kännbart sätt. Egentligen var dibarnet det enda som dög! Hela liden i övrigt var ganska löjlig – tills alla kände sig kuvade och förargade av henne

Didrik beslöt sig för att efterforska hennes ursprung när han besökte Plass'n – men vågade inte uttala hennes namn därför att han bleknade vid tanken och därför att han tänkte låta länsman föra det på tal. Men denne ''som inte kunde tiga om något'' talade om allt utom pigor denna vinter, varken gamla eller nya. Han var nästan anständig.

Prästen sa att han inte brydde sig om pigfödslar om inte något husbondfolk tvingade honom därtill som nu senast på domsöndagen. Hans hustru bad att någon skulle lägga ett hittebarn på deras farstubro eftersom hon inte själv födde levande ungar. Hedman hade uppgivit både hopp och lust men sades få sig ett skratt ibland vid tanken på att det överhuvudtaget kunde födas något varmblodigt i detta kalla klimat.

– Var det då nödvändigt att ta i så hårt mot pigstackarn när storsonen min döptes? Och med gammelpsalmbokas formulär till på köpet!

– Det var för läsarnas skull. Dem fordra lite svavel från kyrkan. Annars övergiva dem oss alldeles. Och kasta sig i Stiftelsens* armar.

Didrik bemannade sig: han skulle fråga henne själv. Namn och ålder; härkomst; ärende i världen. Och när han skulle ”taga ett samtal” log hon; blygt, tillfälligt hjälplöst, ja fint – s'att han skulle ha känt sig som ett råskinn om han.

Anna-Stava fattade liknande beslut. Vi måste inlemma henne i husets ordning. Hon måste dock skicka sig rättvist mot husets övriga tjänare och syskon – även om hon inte kunde kallas *städslad*. Vi måste ändå få veta vem hon är...

Men så snart Anna-Stava skulle ”taga ett samtal” kom ett ”var det något madám ville?” som fick Anna-Stava att känna sig som en inträngling, en lat piga som spelade madam.

Allt eftersom vintern gick var inte bara *gästsalen* förverkat område för Anna-Stava, hon kände sig ovälkommen överallt där Hagars doft regerade.

Och ensamheten när den fromme Arndt fördömde Hagar åt henne: ”Äfven som en blomma, om hon till färg, lukt och smak är aldrig så skön, men innantill ligger ett förborgat gift, såsom många dylika finnas så är hennes sköna färg, lukt och smak icke allenast intet nyttig, utan ock högst skadelig.”

Breven från konsul Lidstedts verkställande broder, Lell-Snown, som fick Didrik att undra hur han kunde veta allt om Lillvattnets socken.

... hört talas om ett enstakaställe som heter Svedjebrännet. De hava en skog som. Pjesaur lämplig flottled. Försök köpa en avverkningsrätt åt oss där på tjugo år. Pröva få den under tusen kronor eller högst...

Didrik körde dit och såg att skogen höll på att torka. Stuga och uthus var grå; uppgivna; nästan omärkliga. Vilken skillnad en tunna rödfärg skulle kunna upprätta här! Inköpspris HHEM – kundens pris: ungefär tretton och femtio! och hundra gånger mer stärkande för gårdsfolket än en halv säck kornmjöl.

På gården var några torra barn. En pojke satt fastklamrad i brunnsflöjelns topp, en annan tyngde på motvikten så att pojken ibland satt stilla där uppe, ibland lättade den andre så att flöjeln sjönk för att åter snabbt höjas. En tredje pojke kastade snöbollar på den som hissades. Pojkarna på marken skrattade utan glädje och utan elakhet. Pojken som hissades i vädret grät litet; stötigt, hopplöst.

– Int ska ni väl göra så där, sa Didrik och släppte ned pojken. De andra stirrade på honom.

Från en stolpbod på gården kom ett vrål.

– Vad var det?

– Gawn (den galne)! sa den störste. Och de gick in, skyndade sig som små gamlingar, för vilka brådskan hejdas av en mängd osynligheter som kräver att bli beaktade i varje rörelse. De samtalade med ljud som inte liknade något språk.

Luften stod däven i stugan, fönsterrutorna var små och igengrodda. Två vuxna söner satt och gjorde ingenting; en vuxen dotter trampade litet vid härden; fadern satt med Huspostillan uppslagen framför sig. Då och då strök han med handen nedför en sida.

De mindre pojkarna stirrade på Konrad, pekade och småskrattade. Var det från en sådan här stuga som Konrad hade flytt innan han kommit till Månliden och blivit uppfostringspajk näst Olförarns?

Ingen enda rytm i stugan var stark nog att hålla Tomma Intet ute; det tryckte på, direkt mot bröstkorgen; Didrik kände andnöd. Ansträngningen att hålla ihop sig, att hålla fast sig mot denna anstormande stillhet.

Hemmadottern, i mors ställe? stod med ena handen runt spisstången – då och då hårdnade hennes grepp som om det gällde att inte slungas omkull eller sugas upp genom skorstenen.

– Hur få ni leva och må här då? sa Didrik.

– Som i främmande land, sa husfadern, Ruben Larsson.

– Mamma ha dödde, sa den äldste sonen.

– Klockern' ha stanne, sa den andre.

– Och ingen törs draga opp dem, sa dottern.

– Gå dem i skola? sa Didrik och såg på barnen.

Inget svar. Husfadern såg på Didrik med en förtvivlan som var närmare socknens vanliga förstånd och plågor än husfolkets övriga ansikte.

– Nog kan jag draga opp klockorna åt er, sa Didrik. Han gick fram till vägguret som hade en avlång sten till lod och drog upp den, satte igång klockslanten. Det fanns bara timvisare och han ställde den efter sitt fickur. Klockan började gå med ett stön som gick genom väggar och ben; någon snyftade; en annan skrattade; men snart log de alla.

De började röra på sig, stelt, med ömma leder, de skakade på sig som om en väldig tyngd hade lyfts bort.

– Hade man bara förstått att...

– ... si att man skull ha gått efter nån granne som hade hjälpt oss draga igång verket...

– När hon går, klockan, tänker man intet på henne.

– Men när hon står kan man intet tänka, fyllde en annan i.

– Vi skulle ha bjudit på kaffe. Men.

Didrik förstod att de inte hade något kaffe och letade i sitt minne efter deras senaste besök i Månliden. Han kunde inte minnas när han sett dem.

De hade denna uppsyn av enstakagård där maten, vad var och en inmundigade, inte helt förmänskligades; så att en dotter kunde ha drag av ripa, fadern av älg, och sönerna av gammal tjäder.

Gode Gud Jernbana! Kom hit människor! Hör oss! Tala med oss! Slunga oss om varandra! Vare samfärdsel!

Hela familjen såg på Didrik och på klockan och på Didrik igen. De mindre vaggade med kroppen och härmade klockans tickande tills de brast i skratt, tonlösa, ovana skratt.

– He finns en kloock' inni kammarn också. Hon stanne också när mamma dödde.

– Bäst vi draga opp hennar också, sa Didrik.

Husfadern gick före och medan Didrik drog upp det klocklodet stängde den andre dörren och satte en stol för. Det hördes ett vrål från dårkistan ute på gården. Ett ögonblick undrade Didrik om han skulle bli ihjälslagen eller kanske inspärrad i den här kammarn och hur lång tid det skulle taga innan han själv skulle låta som den galne där ute; att detta läte var det slutliga svaret på denna stugas samlade dårskap.

Men han såg gubbens sprödhet och tänkte på Konrad där i köket som nog skulle köra hem efter hjälp!

Och plötsligt låg mannen på knä framför honom och ”bekände allt.”

Det var han, Ruben Larsson, som hade farit med en säck majs från Månlidens handel utan att betala och som sedan hade blivit syndens träl. Hustrun hade grälat när han kommit hem med svinfodret därför att dem inte behövde det och därför att hustrun alltid grälade. Det var hennes naturs-art. Men hon hade kokat en gryta och trakterat grisen och denne hade gillat det. Men om natten hade mannen inte kunnat sova utan sett gröten för sig såsom gyllene, ja som ätbart guld, som denna Werldens Goda. Han blev tvungen gå till fähuset och äta litet och det var ganska gott. Inte hissnande precis, men godare än kornmjölsgröt. Sen gick han in och sov. Och nästa morgon hade han en hunger som endast svingröten kunde mätta. Han gick till fähuset med sin träsked och åt sig mätt direkt ur grytan. Det var hungern som var det avgörande. Det skakande begär som denna gula gröt hade väckt. De fantasier som dukade upp sig i hjärnan medan han hungrade:

han var då Then Förlorade Sonen I Främmande Land som Förslösade sin Faders Arv i Skörlevnad. Allt var den underbaraste hedendom. Han behövde icke ens hava ett fadersarv för att sålunda förslösa det! Till sist gick han till fähuset och åt denna majsgröt som med förbudets kraft var som paradisets äpple.

Ibland kunde han vakna och minnas hur handlarn, D. Mårtensson, desslikes Olförar, hade blivit lurad, och han kände sig förtappad och blev då återigen tvungen gå till fähuset och skrapa sig en skedfyll av majsgröten eller koka en ny om grytan råkade vara helt tom. Således blev majsen svaret på allt: syndabegäret och ångern botades med samma gyllene drav. Korna råmade när han eldade och väsnades där vid fähus-härden.

Och vad sade mamma? Hon upptäckte väl hans trälldom under synden men grälade inte mer än vanligt till att börja med. Det var hon som hade makten i stugan. Ruben hade börjat som dräng hos hennes föräldrar, men som dem voro dubbelkusiner var allt som ett och samma. Majsen hade kommit som *det andra,* den enda stora skillnaden. Odygdens Frestelse. Han hade sällan kunnat äta den där gröten utan att skratta, utan att känna av en hemlig styrka, som han dock inte kunnat bruka till något annat.

– Nog finns det ställen, där fadern nyttjar dotern – om han bara har en. Men det skulle jag aldrig göra, sa han lätt skrytsamt.

Gode Gud! Samfärdsel! folk! liv! Kom hundra rallare! med dragspel! och kort! och brännvinskokare! kom svavelpredikanter och klöskatter! kom riter och uppror mot riter! kom allt! utom denna malande självförtärelse!

Men en gång när hon vaktat i fähuset och tagit honom på bar gärning just som han skulle släcka sitt majsbegär, hade han berättat det för henne att han stulit det där fodret, att han nu var helt *begiven,* och att han dels var förtvivlad, dels aldrig ville skiljas från denna nöd.

Och som hon hade skrikit. Och som hon hade hotat. Att gå till prästen. Till länsman. Till Olförarn. Hon skulle ropa ut det från taken.

Gör det, sade jag, sa Ruben. Och då dog hon där i fähusporten. Och så började vi torka. Skogen fick *gadd'n.* Klockorna stannade.

Mamma hade brukat släppa ut idioten varje morgon och låta 'an gå lös. Även om han alltid varit svår gick det ändå på något vis medan mamma levde. Nu sen hon dödde är han så våldsam att vi inte klarar av 'an. Så han måste vara instängd både natt och dag. Allt är som förbannat här på Svedjebrännet.

– Har du kvar någon majs? sa Didrik.

– Nej han är slut. Ruben började darra. Har du mer?

– Nej. Och jag ska inte ta hem mera heller.

Rubens ansikte förvreds av besvikelse och lättnad. Och

hade Olförarns svåger lämnat fram betalningen. Jo. Men sakens *andliga* sida?!

– Nu tänker vi inte mer på det där, sa Didrik muntert.

Då reste sig Ruben från golvet och såg ut genom fönstret tillfrisknande, harmsen, som om han spillt ut sig för en ovärdig.

– Ni anser då detta som betydelselöst? Ni vill inte veta av någon botgöring?

Didrik hörde sig säga: sälj skog!

Men han visste inte riktigt om han sagt det så han sa något annat mer vardagligt: börja arbeta! Skicka barnen i skolan! Låt de äldre fara till kyrkan! Kom till sockenstämman! Börja leva ni som bo här! *Fören leva jer!*

– Skogen jer lite frisk. Han for torka då som mamma dödde. Som klocka stanne. Men skull han förslå som något botgöring? Om förbannelsen skull hävas med de arma träden. Så val (må) du då taga 'an!

Det hade stormat flera dagar så att alla misstankar måste hålla sig i skinnet. Varje medmänniska var dock först och främst en värmekälla, en famn, något som kunde vara stilla. I en stor snöstorm får varje liv detta förhöjda värde; dess förflutna ses som en tillgång genom att ha varit. *Hur* det varit kan man tänka på när vädret inte rör sig som vansinnigt.

Inte ett liv på vägarna. Karlarna trampade snö mellan stugorna eftersom barnen måste få vara inne. Röken blåste in genom skorstenen.

Anna-Stava bad fåfängt.

Man tänkte mindre lömskt om Hagar och son. Till allas förvåning blev också Hagar en smula beskedlig i denna storm. Hon kunde stanna nere i köket långa stunder utan att det var amningstid; och hon till och med åt nere – visserligen inte vid bordet utan sittande på vedkistan med Otto stående bredvid sig. Vedkistan var husmors matplats i vanliga hem. Men här, näst Olförarn, satt hustrun på ena kortändan mittemot husfadern – såvida hon inte på grund av ohälsa fick sjuklingskost oppe i *gemaket*.

Om aftonen blev allt så bedrövligt eftersom det varit skumt hela dagen. Det var bara kvinnor och barn inne; mammaLena hade kommit med sticksömmen*; ett par barn från Efraims; och Konrad som skickats in från stallet; och hur skulle man härda ut till sovdags?

Låt oss leka något sa Hagar.

Tänk att det måste en storm till för att Hondenna skulle vilja veta av några medmänniskor!

De började med en enkel kurragömma, där någon stod vid spisstången och räknade. Bästa gömstället var hos mammaLena. Hon satt och stickade och sjöng någon psalm så jämmerlig och sträng att ingen kunde ana en lekplats under hennes kjolar.

Du hela werldens nådastol
förvandla med din ljuva sol
vår köld i evig värma.

Sen skulle man köpa cattún och corderoj.

Hagar gick runt stugan och sålde stycken ur ett par tygpackar som Otto fick låtsas bära.

Skall du köpa något cattún idag?

Jo jag vill hava fem alnar och två tum!

hon mätte till med armarna och vek ihop i våder så att tyget nästan kom till synes, och fick hjälp av Otto som spelade dräng

Är du fattig eller rik?

Den som sa *rik* fick svaret:

Då drager jag bort två tum.

Den som kallade sig fattig fick så och så många tum extra.

I morgon skickar jag min dräng efter betalning. Då får du varken skratta eller le eller visa dina vita tänder utan bara göra så här: Och en skulle slita sig i håret, en skulle torka tårar ur ögonen, en skulle slå med händerna i luften. Hagar föreslog den ena gesten mer förtvivlad än den andra som de skulle svara med på indrivningens dag.

Hagar försvann med Otto och när de kom tillbaka hade han ett vitt tyg för ansiktet med hål för ögon och mun; vargmössan på huvudet; ett midjeförkläde knutet under hakan omslöt honom som en mantel ända till fötterna.

– Huru mycket corderoj köpte du igår av min husbonde?

Ottos röst var så djup och sträng att de mindre barnen började gråta; de större behövde inte anstränga sig för att hålla sig för skratt. Allt skulle ha slutat i grålek om inte de vuxna kiknat och "visat sina vita tänder" så att några panter kunde dömas ut. Den som skrattat fick lämna ifrån sig något – vävskeden, en träskål, en skyttel och så vidare. Panterna samlades i Hagars förkläde och straff skulle utmätas av Otto som domare.

– Den som äger och igenkänner denna pant – vilken dom skall han få.

Otto: hon skall stå på alla fyra och bräka som ett får!

Eller: hon skall stå på alla fyra och råma som en ko!

Och så vidare tills alla tänkbara husdjur stod där i ring och råmade, bräkte, gnäggade, grymtade, kacklade och gol.

– Och det för några alnar köpetygs skull! Håll er till vadmal och halvylle ni – annars blir här en annan utmätning! Och låt resenärer fara med sin cattún och sitt corderoj, sa mammaLena.

De minsta var rädda för Otto, han hade sällan sagt ett ord förrän nu, bakom mask, och då var han så sträng.

Hagar tog upp en ringlek.

Varför gå ni här på golvet
med edra ben så vita?
Vem skall eder hava?
Och vem skall eder svika?
Jo Erik den rike,
han skall eder svika!
Fram fram du Erik!
Du är en riktig dåre.
Jag är väl ingen dåre,
fast mången mig så kallar.
Jag är ju blott en sjöman
ibland de gossar alla.

Vi seglar opp iland
vi seglar opp ibland
den vackraste flickan,
jag tager i min hand

Hagar spelade ”Erik den rike” och när han skulle välja ”vackraste flickan” tog hon Anna-Stava. Hagars hand var liten, fast och het i Anna-Stavas långa frusna.

Det var turer som handlade om att Erik och hans utvalda än stängdes in innerst i ”bulten” än vecklades ut till de yttersta. När alla blivit röda av stojet (och Hagars doft) och nästan glömt stormen frågade Hagar om någon hade sett jungfru Maria. Det hade ingen. Skulle någon vilja? Efter tvekan sa Matilda ja. Hagar tog en vidhalsad butelj, smög sig till att gnida dess öppning mot en grytas utsida.

– Här i buteljens botten kan du se henne, om du blundar med höger öga och håller flaskhålet mot det vänstra. Ser du henne?

Matilda höll andan och spärrade upp ögat och såg ingenting.

– Ibland är hon svår att få syn på! Kanske tillhör du dem som ser bättre på högerögat? Matilda försökte med högerögat och höll andan och såg ingenting.

Men vars kan hon då vara, den heliga jungfrun? Hon har väl aldrig gömt sig här? Och Hagar tog upp en rund fickspegel ur sin kjol och höll den framför Matildas ansikte. Ringar av sot runt Matildas ögon väckte åter skratt och gråt: hon såg så hemsk ut att de äldre måste tänka på hennes ungdoms björn.

Konrad höll sig i utkanten av leken; han måste akta sin rygg. Men Hagar lockade honom ut på golvet. Han måste vara med och tävla i något och han skulle nog vinna. Han skulle sitta på golvet med benen raka och utvikta och en gaffel i ena handen. Hagar slog en skvätt vatten på golvet mellan hans knän. Så ställde hon sig på huk framför honom med en trasa och sa:

Om du hinner sticka mig i handen innan jag hunnit torka opp den här vattuskvätten – så har du vunnit.

Men det skulle ju göra ont! sa Konrad.

Då får jag väl skylla mig själv! sa Hagar. Hon sträckte fram trasan som för att torka golvet och han kupade ena handen överom vattupölen mer än han hotade med gaffeln. De höll på så en stund – när hon plötsligt släppte trasan, tog om båda hans fötter, och drog honom mot sig över fläcken.

Nu är vattnet upptorkat!

Otto skrattade. Och Matilda. Och någon mer, lite grann. Men de flesta rodnade och skämdes. Från Konrad kom ett läte som inte var skratt och inte gråt, det var en klagan från en annan värld.

I de hårdaste stugorna började man tidigt pröva barnen, vilka som skulle tåla livets förolämpningar.

Den som skulle tåla en storm utomhus måste visa att han tålde en storm i stugan, att han kunde överleva att slitas upp och få stryk om han pinkat ner sig i sömnen vid fem års ålder. När hela barnet förvandlades till ett arsel värt att hånas.

Som om ungen vore med skuld född; och skam; sin egen sedan urminnes tid.

Många barn trodde också att de genom sin födsel hade utsatt föräldrarna för ohemult tvång. Sådana barn togo emot misshandeln som ett avmäktigt svar på tal. Deras beslut att leva var så starkt att de räknade storm, stryk, eld, och is som naturliga strapatser, som föräldrar, oundvikliga, ohjälpliga; genomkomliga.

Dessa starka tycktes ha varit med långt i förväg, innan de hade sinnen, de visste vad de hade att rätta sig efter.

Men vissa andra trodde bara sina sinnen.

Dem hade väntat sig en värld där dem skulle godkännas från huvud till fot, ja kringom stussen. Och om minsta del av deras väsen förhånades ville dem intet leva. Då fingo dem dö som förirrade änglar – utom några som de vuxna bevekte att leva ändå.

Konrad tycktes stå i luften ett ögonblick medan förödmjukelsen vägde honom mot allt.

Han for på dörren med ett uttryck som om han lekt färdigt, som om ingenting kunde försona honom.

Anna-Stava efter. Hon fick kämpa med honom mer nu än första gången han skulle lämna huset, men till slut fick hon honom med sig in i kammarn, till varma tårar och torra byxor och försäkringar att Jesus älskade honom mest av alla barn och människor i hela världen denna aftonstund.

Otto var på sin vakt mot alla och få vågade erbjuda honom någon vänlighet. Han hånlog åt den lillgamla omsorg som de äldre barnen visade de yngre, vad för ett daltande det var, sa han. Nu menade de flesta att man ju måste förstå oäktingens utsatta läge, och särskilt om han hatade dibarnet, eftersom Amman var hans levande mor. Ja man kunde också förstå om han hatade Konrad som borde vara ännu mera utsatt genom att sakna såväl fader som moder, men som upphöjts till gårdsängel av Anna-Stava.

Hon erkände sin hjärtans orättvisa: hon älskade Konrad, han var brödtjuven i barndomens bagarstuga, den oskyldige, han som på en gång förhöjde livets värde, samt påminde om det som Ofvanefter är.

Men Otto – när Anna-Stava såg honom blev hela livet en elak historia. Men han betalade dess pris. Han godkände att ingenting var gratis. Han som var nio eller tio år och liten för åldern, han hade ögon så starka att man måste tänka på det gamla sockenhjonet Hård inför den blicken, han som aldrig tackade för något. Den siste som fått slita spö i Häradet.

Otto hölls hos drängarna, brottades med dem; lärde sig konsten att släppa väder i de mest invecklade turer, att gissa gåtor som gjorde narr av arsel och kön; att spela med näver på kam.

Bara en i Månliden godkände honom på ett utväljande sätt: Häst'n.

När Otto kom in i stallet vände den stora svarta hästen

huvudet åt pojkens håll till och hälsade med en frustande glädje som om det varit Didrik. Snart rörde sig Otto med en förtrogenhet i spiltan som förvånade alla. Häst'n var ju så stingslig och hade på senare år blivit än mer svårhanterlig.

Och nu vad Hon'dennas pajk får göra som kusen tål!

Som om dem varit föl ilag för länge sedan, dem'denna...

Som om dem hade ett gammalt välstånd* att fira ihop... dem där... elaka satarna...

Och i en viskning: vargar lär int vara sämst med varandra!

Otto kunde ställa sig på huk mellan frambenen. Han kunde gömma sig under hästens svans och kika fram mellan tageltestarna. Han kunde sätta sig i hästens krubba barfota för att Häst'n skulle leta havre mellan hans tår och han tjöt av skratt

medan Emmanuel och andra barn stod på vördsamt håll.

Konrads ögon och puckel tycktes växa medan hans kropp i övrigt förtunnades. Han blev nästan lik en spindel sådana stunder. Där kunde Otto snyta sig i hästens pannlugg, stoppa foten i hans mun, kalla honom "ditt sakramentskade ök" medan Häst'n svarade som om Jesusbarnet rumsterat i krubban.

När hästarna släpptes ut i bara grimman någon dag utan körslor kunde Otto klättra upp på den höga vedkasten, locka till sig Häst'n och kliva över till dess rygg. Häst'n rörde sig sedan i fint skritt runt gården.

Aldrig var han så vördsam mot mig, Häst'n, på den tiden jag brukade rida, sa Didrik

Att världen är full av orättvisa det veta vi. Men att Häst'n int kan skilja på två sorter...

Något tecken är det!

Här går Konrad och krusar för honom som vore Häst'n ett sto uti Faraos spann. Och vad får han för det? Bara nyp och bläng och stötar. Och så den där pajkrackarn som ser ut som ämnet till en hästplågare – han blir bemött som en livräddare?!

Ja den som kunde tyda alla tecken som är

Konstiga uppfostringsbarn ni draga in i husa, sa pappa-Mårten. En av dem jer ju lite frisk! He vaal aller nan arbajtar bortur hanom. Den aan' jer'e konstit slag uti. Da 'n pajkwålp sedenna rejér ve 'n elakhäst som he voor e'lamm – he jer nanting onaturlit. I huskes da I sej 'e

(En av dem är sjuklig. Det blir aldrig någon fullgod arbetare av honom. Den andre är av konstigt slag. Då en pojkvalp rumsterar om med en elak häst som med ett lamm – det är något overkligt. Jag ryser när jag ser det.)

En handelsdag när gubbar tävlade i att skrämma varandra med söners styrka och bravader på olika höjd.

Vill du prova 'an sa jag.

Men så sa jag åt 'an att vet du vad som fattas marra din sa jag... Och så vidare.

De äldsta hade omsorger av frommare slag.

Jag hade så bekymmer för 'n Petrus i morse!

Klippa du som brast!

Just det vet du! En rämna där 'n gammel-Adam kan slinka undan och gömma sig...

Först neka! Och sen ångra sig!

Ja int stämmer det, int. Nog vet jag det nog. Men det är just det med 'n Petrus som gör 'an så begärlig.*

Nånå.

Gubbar. Linoljade kängskor. Svarta skoband med stora tofsar – till minne av hästens hovskägg – grå styva knycklade vadmalsbyxor. Stor grå vadmalsrock. Hundskinnshandskar. Lång grå stickehalsduk. Stor grå fårskinnsmössa. Grått skägg. Isiga blåvita muntascher. Andedräkter som rök. Armar som peka, uppåt och nedåt. Huvuden skaka. Tofsar darra. Rimfrost. Iver som förnekar all gråhet. Ögon allt angelägnare som de blekna. Oh om du dock förstode vad jag säger s'att jag sluppe tro på Luther! Med allt vad det innebär!

Och spekulationer hur Petrus kunde ha känt sig när Mästaren sade åt honom att gå på vattnet.

Den som hade Petrus som sin klippa hade samma morgon när han hov fötterna över sängbalken känt golvet giva efter. Hur skulle det då inte kännas för Petrus som stod i rena rama vattnet varsän han såg kringom sig!

Och Strömmen. Som var en sådan hedning! Och dock en sådan huggare till att doktorera!

Och tur att man hade honom. För kärlingens skull. Och för hästens.

Och om man som gubbe ännu längre fram skulle vara tvungen *fara å söök**

För påsaraske kan val en stötestajn einnan man jer felu, saj dem (pungen kan bli en stötesten innan man levat färdigt, sägs det.)

En hästkarl braverade:

men då tänkte jag lära hästen min veta två sorter. Han var väl skämd därifrån han kom. I Blankvattnet där vara dem int som folk ve hästa. Han slog int bakut. Han trängdes int. Men han skull bita och stöta. Ingen skillnad om jag kom med betslet eller med en kakubit: han skull bara bitas. Så jag tog ett nykokat fläskben, rykande hett, så hästsatan fick det i käften när han trodde sig hugga kring handen min.

Handelsboden gick i vågor av beundran för den påhittiga karlen. Andra gapade och flämtade.

Hur blev hästen botad?

Det räckte med ett fläskben! Han högg int nå mer!

Jag menar botad för blemmorna?

Nog kanske han var lite nipprig i maten ett par dagar. Men int vart he några sår int. He' var ju ändå int hett som järn, int.

Handeln var full av folk. Alla pojkar runt Månliden hängde också kring väggarna. Smedens. Nickes. Efraims. Hagars son. Och Konrad.

Anhopningen av folk. Storslaget och nedrigt. Lögnaktigt och sannfärdigt – allt som stämde och inte stämde: man genomskådade och blev genomskådad; man stöttade upp och stöttes ned. Barn och halvkönlingar gillade de stora köpdagarna som de värsta rövarhistorier.

Men var de där då, Otto och Konrad? Otto kunde ha försvunnit innan fläskbenet rök in i hästens mun därför att någon hade sagt *oäkting* så att han hört det?

Konrad kunde hava dragit sig undan för sitt öknamns skull: *Könteln.*

Det var omöjligt att komma ihåg, sedan, i detta vimmel av folk. Sedan, när katastrofen i stallet hade inträffat.

PappaMårten brukade vattna hästarna först om morgonen; och mocka.

Nu kom han in i Olförarns hus, i vinterköket, en morgon.

Och hämta ned Olförarn, son min! He stå int rätt till med Häst'n, sa han till flickorna. Didrik kom ned och Konrad steg upp. De gick alla ut.

Månljust och stjärnklart. Skumt i stallet.

Hänger med huvudet. Skyggar för vattnet. Rör inte havre eller hö. De ledde ut Häst'n. De lyste på honom med stallyktan. Han var skinnflådd i munnen

Konrad började stampa i marken och gråta med den där svingande jämmern som kunde väcka Anna-Stava ur ett berg av ohälsa.

Och snart var hela Månliden uppriven och förstämd. Ja utskämd. Och man letade efter det tänkbara tillfång som den otänkbara nidingen kunde ha använt. Och man fann det: en slägga på golvet i ladan nedanför luckan som öppnades när man matade in hö i hästkrubban. På släggan satt hudflikar fastfrusna.

Någon som ville reta Häst'n? hade öppnat luckan? och när Häst'n högg efter en hand? fick den det stilla släggjärnet i munnen? som var brännhett i tretti graders kyla!

Konrad var otröstlig.

Vad har han för anledning att klaga nu! Han blir inte biten mer!

Otto var oberörd.

Det är tacken för att Häst'n behandlade 'an som en prins!

Vem av dem har gjort detta nidingsdåd?

Hela Månliden fick dålig andedräkt av sömnlöshet och misstankar. Didrik förbjöd sitt husfolk att berätta om hästmulen för snallare eller kunder. Men alla tänkte ju inte på annat. Konrad hade skäl men skulle inte kunna! Det var emot hans naturs art. Hela själen på den pojken var ju känslig som en... ja just som detta onämnbara. Otto däremot! Den skulle kunna! Svidande som järn i minus trettio grader. Den sakramentskade hårdingen. Och dock – han hade inget skäl! Utvald och korad av Häst'n som han varit.

S'att de hemligaste fiendskaper kom framkrypande.

Varför behöver det vara just nån av de här pojkstackara? Vem vet vad en som Nicke skulle kunna få för sig en natt? Smyga sig hit och hämnas för att Didrik inte åstundade honom som snickare medan han byggde storhuset! Hedqwist lejde 'an till att göra vissa finsnickerier. Och Didrik låtsades inte se det. Hedqwist tyckte att Nicke var märkvärdig med trä. Och vem tycker inte det! Som om inte Mårten Östensson skulle veta det och hava godkänt det, gormade Mårten Östensson för sig själv. Hedqwist han stanna ett år. Då går det an se ut Nicke som "mäster!" Men han som skall bo bredvid 'an livet ut kan int hava 'an som mäster och regent över sig. Den ljekatten! Men att

Didrik ibland är *glömsk* mot Nicke; lite *nedlåtande!* Det gillar jag inte, far'n hans. Men sonen min, 'n Didrik, Olförarn, han haver ju så mycket annat att tänka på. Han hinner int vara så förekommande och ödmjuk mot Nicke som han fordrar? Den ljekatten!

Men huru riktigt kan en sån som Nicke leva? Med alla dessa ungar! Annanvar unge tycks ju växa upp för dig! Du har ju lika stor hop som vilken bond' som helst! Och intet en ko! Hur bär du dig åt? Då skrattar Nicke och säger att har man bara en skog som Grenhulta kringom sig och ett strömdrag som Pjesaur eller Grundmyrån – nog tar man sig maten! Du min Skapare! Annars vore man väl en usling, menar Nicke. Men det säger han av högfärd, 'n Nicke? tänkte Mårten Östensson, pappaMårten. Innerst inne har han varit avundsjuk på mig! I alla tider? Och flyttat över avund och bitterhet på 'n Didrik!? Olförarn. Och så passar han på i nattens mörker och smyger sig in här hos oss i stall'n och sträcker fram släggan mot Häst'n s'att slepan (mulen) fastnar i järnet. Oh Du som bor i Höjden – att Du kan tåla ett sådant nidingsdåd! Att Du inte ögonblickligen slår en sådan ogerningsman med sår över hela kroppen! Käre Vårherre. Att du inte låter Nicke träffas av blixten mitt i vintern! Att du inte tänker på Häst'n, hur han lider oförskyllt! S'att du straffar Nicke, straffar honom s'att han en gång lär sig; en gång för alla får sina gerningars lön! Käre Vårherre om du tänkte det minsta på Häst'n hur han lider skulle du då inte kväsa Nicke, den ljekatten, s'att.

Mårtens älskade lilla kärling, mammaLena, hade en stund av anfäktelse när hon misstänkte Efraims Eva.

Hon ville hava bort Tjensteqwinnan och hennes oäkting? Hon orkade inte se på konstigheterna i det där huset, tänkte Eva? enligt mammaLena.

Det hade varit bättre att Storsonen där hade fått dö än att dem skulle bli fast för Hondenna! som troligen *dränkte sitt eget i dess första badvatten!* som det heter näst Luther.

Dem vara ju förblindade av tacksamhet, Didrik såväl som Anna-Stava. Som om dem int skulle kunnat få en ny son nästa år! Som int varit navelbunden och som hade givit sonahustrun bröstmjölk i överflöd. Unga människan! Som om hon int skulle hinna föda dussinet fullt! Jag födde fjorton. Och fick behålla sju. Nog gick väl det bra. Men detta oväsen som Didrik hållit på med om *storsonen*. Som om dem aldrig fått något innan och inte hade hopp om något mer! Efraims Eva ville öppna Didriks ögon!? Int fördärva Häst'n för alltid, onej. Bara låta Olförar'n förstå vad för en satapajk som den där oäktingen. Och mamma hans. När gubben min, Östensson jenna, sover då säger han *wargmössa*. Och tror int att jag förstår att det är den babyloniska skökan han har i påsarasket när han drömmer. Men Efraims Eva är en Mosedoter. Hon är klok hon. Hon ville få Didrik att vakna opp ur vansinnet och fatta vad som pågår här i huset. Den där Wargmusa... morrade mammaLena i långullfällen när hon inte kunde sova.

Drängarna. Assar från Digerträsk, Manne och Oskar från Nickes, resonerade långt ut på nätterna om vem som sårat hästen; efter att i ett dygn hava tröttat ut sig med att väga Otto och Konrad mot varandra.

De misstänkte pigorna i tur och ordning, hemmadöttrarna här på Månliden. Särskilt Matilda. Hon som piskat en björn i ansiktet, *oppi öga,* hon skulle inte ha den grymhet som behövdes för att om natten bränna en hästmule? Sannerligen! Just så mycket vanvett hade hon! Och mer till! Stackars Matilda hon skulle nog få bli tokig hon! Helt och hållet. För det syntes ju lång väg hur behöven om en karl hon var. Men om nu en karl skulle göra henne till viljes och det skulle komma ut; för Matilda skulle säkert försäga sig! då skulle det innebära att karlen aldrig finge sig en flicka som han ville ha! Han skulle vara utskämd för tid och evighet hos alla flickor som vore som folk. Så att säkert var det Matilda som hade sträckt fram järnsläggan mot Hästmulen bara för att hämnas på mannens ömtåligaste, och förnämligaste, det som hon aldrig skulle få! 'a Björn-Tilda!

Och varför inte Laurentia!

Hon ska väl hava en tummare!

Eller Sofia. Som också väntar på en träkrympare!

Eller nåt i vägmästarväg.

Eller nån av de där faktorerna som ligga över! På väg till Avaviken.

Nån av de där halvhöga jävlarna.

Var int 'a Laurentia tokig i Hedqwist?

Och Sofia i den där stenmästarn från Skjellet?

Nog mer att vi dög till att hugga stenen till det där källarvalvet och till bakugnen i vinterköket.

Men säga vad man vill om Olförar'n: det händer ju saker här kringom Månliden. Den där kusliga stenkällarn i backen, där allt håller sig kallt hela sommaren. Till och med Valbergara nea Plass'n, dem som komma från Småland, *för tu och sju** (oändligt långt ifrån) dem lät int bygga stenkällare förrän Olförar'n hade gjort 'et! Dem kom int på 'et!

Men dem var gifta, s'att. Både storbyggarn och stenmästarn.

Nog tror jag att 'a Sofia skull komma på danskvällarna.

Och Laurentia ännu mer.

Men dem få int.

Olförar'n är för högmodig för att låta systrarna sina dansa med vanligt groft folk.

Och Olförarns kärling jer för from.

Men dem dansa ju på sitt eget bröllop.

Då var prästens Elvira med och styrde.

En stund ja.

Som om du skull ha varit med då!

Då var väl du bara en halvkönling!

He var ju förresten långt innan han blev Olförar'.

Tänka sig den här stughalvan! Här bodde dem de första åren. Om man då hade vetat att det här skulle bliva drängstuga! Då hade man väl känt sig som en prins.

Eller åtminstone som ett kronjägarämne.

Vad är det för fel på henne nu då, stugan jenna!

Och det frågar du! Du känner int va som fattas!

En liten kärling!

Med tandvärk!

Och livmoderframfall!

Varför vill man ha det när man vet så väl vad det blir av 'et.

Int bara överheten lurar en hela tiden. Men man luras ju av sig själv också.

Fanen i påsa-rasket. Tänker aldrig på morgondagen.

Men jag har sett både Sofia och Laurentia dansa om kyrkhelger.

Har du bjudit upp?

Dem få ju int! Har jag sagt! Tror du man skulle vilja!

Inte alls dumt att bli måg åt gubben Mårten. Nog skulle han ordna ett nybruk åt en. Så man finge sätta fötterna under eget bord. En ko och några tillfång. Att börja med.

Som Hubert då! Han har det ju sämre än vi.

Men han är ju int svåger åt Olförarn!

Jag har väl aldrig hört nåt så förbannat. Som att man skulle försöka få sig en kärling! en som passar upp halvyllebrackor! och sällan mjölkat! För det gör ju 'a Björntilda! Och 'a Maximiliana. Dem andra sitta ju bara med högfärdsvävar dagen i ända. Och sjunga Sions sånger. Och spela psalmodikon. Och en sån skulle man försöka vara gift med! Om du så slängde henne efter mig 'a Sofia...

... eller 'a Laurentia så. Göra en av dem eller bägge tvåen på tjocken och så sätta tummarna i ärmhålen — det kanske! På sin höjd! Men stanna och ta det på sig! Aldrig!

Annat vore det med Klöskattan. Där vore ju allt gratis.

Ja en sån som fått två hon kan ju aldrig räkna med att få bli gift. Hon måste ju veta sin plats en gång för alla!

Fast ho vet! En som förlorat alla rättigheter kanske känner sig vara utan skyldigheter också?

Jag skulle ingenting ha emot att upprätta henne.

Upprätta! Du? Med en dränglön på sextio kronor och ett varv kläder och föda om året!

Upprätta! En sån där som kanske tjänstgjort åt både länsman och Valberg nea Plass'n!

Ett som då är absolut säkert: vem som helst av de där halvyllebrackorna skulle hon kunna få. Dem som färdas mellan Björnviken och Avaviken. Dem som int vara bofast! Men tänka om tvär-komma sig opp.

Hon lär kunna laga mat någe så olickligt att!

Vet du jag har hört att hon lär taga reda på soppen, klanke ko-soppen, och laga till rätter som herrarn' bli som galn uti.

Nog har man förstått att dem vara lite frisk oppi tjoppen (de äro sjuka i mössan). Men äta soppen! He bju' me spöj bara I hajr 'e (det bjuder mig spy bara jag hör det).

Man skulle ha farit till Amerika!

Ja ni som hava en bror där!

Det är bara ett rykte. Men för hög att skriva till Nickes. Om han nu är där

han var bortur en annan sort än vi han.

Av stor-stömmel-ras*!

Hårdingen var hans far... säger ryktet...

S'att hade vi kommit till Amerika och sagt: kan du skaffa oss nå knog i en timmertrakt? eller någon guldgruva? eller som skördefolk i någon mannagrynsåker? Vet du vad han skulle ha sagt?: Jag känner eder icke! Säkert. Så säkert som amen på böna skulle det ha blivit svaret. Och på utrikiska! s'att vi hade fått känna oss extra dumma!

Men gå här som tjänstehjon...

Det finns värre knog än att köra sparrar till Skjellet! Eller tjära! Och hämta varor tillbaka! Eller skjutsa folk! Eller ploga! Man får ju åka själv! Nog fan är man väl hellre dräng i Månliden än man vore husbonde på en enstakagård bortom Kusmyrliden, Hundtjärnhålet eller Svedjebrännet

Men som nu 'a Laurentia och 'a Sofia! Int mer än dem hava att välja på i karlaväg! Tror du int att dem skull vilja kunna såna där konster? Laga till något s'att herr faktor dén och herr inspektor dén blir lagom tokig som han äter kvällsmat...

Supé heter det på svenska!

... och sover över på väg till Avavika! Där oppi *Gästsalen.* Varefter han skriver till denna Olförarsyster: ''huru haver jag ej frestat att förglömma dig! Men det gallt (lyckades) icket! Vill du bliva min?'' skriver halvyllebrackan denna.

Så då blir det Klöskattan som får de breven?! Eftersom dem inte komma på 'et! Hur man lagar till ko-sopp som duger åt herrskap!

Det säger sig självt att det blir Hagar som får de kärleksbreven!

Och det känna dem på sig! bond'steijnten denna!

Så för att skämma ut henne, Hagar'stackarn...

Och eftersom dem vara säker på att ingen skulle misstänka dem – fromma fruntimmer som dem hållas för att vara...

Så har 'a Laurentia

nej 'a Sofia

'a Laurentia säger jag dig!

'a Sofia!

Vi hålla vad!

Vad var det jag sade? Jag har alltid vetat att 'a Laurentia jer värre'na (är den sämre)

Nog är det ganska! Där går nu hela liden och tror att det är Otto!

Eller Könteln!
Och då är det Laurentia!
Vet du jag blir så förbajad när jag tänker på det att... Det skulle inte förvåna mig om hon där misstänker någon av oss!
Det stora felet är att vi fingo smak för mjölk. Och gröt. Farsgubben, 'n Nicke, han kan leva på ekorre och fisk året om.
Hade Mårten aldrig kommit och blivit bond här tillsammans med 'a Lena, den lilla lappkalven, då hade vi varit jägare idag. Som farsgubben, 'n Nicke. Och lika viga som han.
Så undra på att bondstejnten* denna försökt skämma ut Hagar och pajken. Om he så skull gå ut över Olförar'ns häst.
Dem kanske tro att vi oroas över den där oäktingen, att han skall bita sig fast här så man int' får hava kvar tjänsten?
Och för att giva 'an dåligt rykte s'att Olförar'n skulle driva ut amman och barnet? så skulle vi vara i stånd att göra något så gräsligt mot en levande häst!
Tala om snuskig fantasi! Men.
Man ska heta Sofia för att kunna misstänka en hederlig dräng för något sådant!
Eller Laurentia!
Eller Matilda!
Dem vara allt lika...

Per misstänkte Hagar.
Kommer ned på boden. Frågar aldrig om lov. Har du ingen bättre tvål än örn-tvålen! Giv hit saxen! Klipper sig tygstycken som hon finner för gott. Pojken behöver ett byxpar. Pojken skall hava en skjorta. Ser på alla prislappar. Hon har varit piga hos Valbergs? – vet kanske hans bomärke? Vet åtminstone *att* ett bomärke? Har plockat

ihop bokstäverna? Har listat ut ordet? Ville göra mig misstänkt hos broder Didrik. Hela liden rungar av ett enda ord *HÄSTMULEN*. Och *O* därtill! Ingen tänker på annat. Tills Didrik om en natt tänker så här: Per är tokig i Hagar. Kanske göra dem något i det bakre rummet?! När Hagar säger: vad hava ni för bomärke här i Månlidens handel? Då kan Per inte hålla sig därför att han är tokig i henne, tänker Didrik. Precis som när Delila narrade av Simson en förbjuden hemlighet. Men saken är den att hon inte ens frågat. Hon är så förslagen att hon räknat ut det ändå! Och så illistig att hon vill låta oss veta att hon vet! På det grymmaste av alla sätt! Men skulle jag säga till Didrik att det är så det gått till, då svarar han kanske: vad har du för bevis? Eller också säger han: kanske du har skickat dig ohöviskt mot denna värnlösa kvinna? Du fick inte göra något ovettigt med henne som du hade i sinnet? Och nu vill du giva henne dåligt rykte... Vet du jag är besviken på dig Per! Vet du att vara son till 'n Mårten Östensson – det förpliktar! En sådan hyser icke nedriga tankar om qwinnor. För honom äro alla qwinnor vördnadsvärda – för mammaLenas skull. Man kommer dem icke när! Man låter sig icke fresta – förrän man träffar dén sóm!

Men sen man gift sig kan man orädd ligga ihjäl bruden... i all vördsamhet förståss...

Han ser inte hur nån annan har det, 'n Didrik. På ett sätt är han det enfaldigaste vi hava i den här socknen.

Men nu har jag beställt ett lås av Ante. Aldrig att vi behövt misstänka en levande människa här. Snallare ha lämnat sina lass ute i alla år. Magasinet har stått olåst. Och handelsboden. Liksom boningshusen och fähuset och matboden och stenkällarn. Men nu! En som kan göra så mot en oskyldig häst! Hon skulle inte vara i stånd att nattetid smyga sig ned i boden och stjäla!? Allt det som hon inte hinner taga i fullt dagsljus! Inför mina ögon.

Vore Didrik inte ett sådant bortskämt fenomen så skulle

man giva sig härifrån. Försöka bli räknekarl nån annanstans. På postverket i stan. Eller. Men då skulle denna socken narra av Didrik vartendaste jota. Han är int klok. Men misstänka mig för att vilja Hondenna något! Det håller han sig inte för god till! Fastän han annars inte tänker på folk, varken ont eller gott. Dem vara där för att höra på honom, Olförar'n! Det är det enda dem vara till för...

Spadar-Abdon hade fått en häst i förskott; det vill säga den bonde han köpte hästen av fick en skuld på hundra kronor kvittad i D. Mårtenssons handel, samt ett tillgodohavande på etthundra kronor uppskrivet att taga ut varor på i samma handel. Samt hade Abdon tagit med sig sagda häst, hemmavarande söner och goda grannar, varav två med var sin häst; och höggo dem timmer där borta i Högklinta. Varannan vecka for de hem till Eckträsk för att hämta hö åt kusarna, palt åt sig själva "och kärlek! Här finns det folk som mena att det är vansinne fara så långt öst på socknen och ligga borta i en koja flera veckor mitt på vintern! När man kunde bo hemma och bara bila några sparrar så pass man hade till utlagorna!* Dem hava aldrig provat skillnaden! Komma hem som en trasa kväll efter kväll! Hon blir så less se dig att! Men kom hem som en trasa en lördagsafton! Och innan måndagsmorgon har mamma gjort dig till en fullkomlig hjälte! Det är avståndet som gör susen. Och så får man träffa andra karlar och hästar därborta. Och att det är skonsammare för hästen med timmerskogen än att köra snallarlass – så mycket är i alla fall säkert!"

Spadar-Abdon brukade ha sådana glada tankar med sig när han tittade in i Månliden på sina lördagsfärder hem till Eckträsk.

Men plötsligt en lördag när Spadar-Abdon som vanligt gick in hos D. Mårtensson för att resonera en stund sa han att Gyllenmarkara dem betala en halv gång så mycket för huggning och körning som vad du betalar, D. Mårtensson.

– Men vad riktigt säger du karl! Jag betalar ju samma som Lidstedtara! Och samma pris gäller hela vägen ända opp till Avaviken.

– Men du kan ju förstå vad för ena hjältar Gyllenmarkara bliva öst på socknen. För dem säga att om böndren vill sälja åt dem, avverkningsrätter eller sparrar styckevis från hemskogen, så ska dem betala mer än Lidstedtara. Du har ju varit präktig med mig och ordnat kredit åt mig s'att jag fick mig en levande häst. Så int tänker jag bråka. Men som nu grannarna mina – dem ha vorte elak. Och särskilt pajka deras. Dem höras som bedragna. Och hade dem vetat det här så hade dem hellre huggit och kört på den sida av Högklinta där Gyllenmarkara nu driva. Kojorna vara ju int så långt ifrån varandra. Så karlarna träffas ju. Men att 'n Spadar-Abdon gör vad han kan för att försvara 'n D. Mårtensson. Olförar'n som vi hava. He kan du skriv opp.

Något ont var då ute efter denna Socken? Det började med Olförar'ns Hästmule. Det skulle inte giva sig förrän Jernbanan ginge förlorad! Förrän Nord, den Förrädarn, droge den österut; med ett tillfälligt överpris kunde uppvigla socknemännen mot sin Olförar, som ju var Lidstedtaras ombud i skogsaffärer.

Didrik hade en gång varit på gränsen att utlämna Nord åt Spadar-Abdon. Men avhållit sig – för Anna-Stavas skull? För sonens skull, som hon födde med sådan smärta att hela världen måste vara oskyldig, det borde överhuvudtaget inte finnas ett ämne som blyvitt i den värld där Sonen skulle växa upp.

Han hade också tänkt nämna saken till Konsul Lidstedt. Men hur skulle det inte ha sårat denne ädle man, ja besudlat honom, om han fått veta om en sådan ynkedom som detta blywitteri? Och Lellsnown. Denne talade själv. När han träffade Didrik var det för att *äska* och *yrka* och *förehålla* samt *inhämta upplysningar om givna oklarheter*. Lellsnown ville få det bekräftat och genomdrivet som han redan visste att han ville ha. Annat hörde han inte på. Han som aldrig sett en levande häst i ögonen, vad skulle han förstå om tanklösheter som utvecklade sig till hästmord.

Och ho vet om han brydde sig om *den inre linjen* i motsättning till *den yttre!* Om han brydde sig om Jernbanan överhuvudtaget! Om han frågade efter Lillvattnets förhållande till Schwärje! Till Fosterlandet? Till Konungen...

...nej bara av raseri mot den otänkbara niding i världen som sårat Hästmulen i Månliden

sa Didrik det till Abdon Karlsson från Ecksträsk

att den som levde tjockt om timmer och avverkningspriser öst på socknen, Gyllenmarkaras verkställande ombud och kompanjon – eller *kumpan* rättare sagt – det var Nord det. En sådan kunde bjuda flott. Efter att hava berikat sig på att låta snallare skjutsa vissa varor gratis. Tills hästarna deras rätnade. Som till exempel Spadar-Abdons Stina. För tio år sen eller när det nu var som denne Nord varit skrivare näst Lidstedtara.

Det kändes bra att få säga det därför att Spadar-Abdon blev så rasande. Men när han hade farit vidare upp till Ecksträsk kändes det inte bra för Didrik.

Han kom ihåg ett ord av Ansgar från den stora kväll när en trana hade stakat ut grund åt jernbanestation i Lillvattnets socken – samtidigt som Anna-Stava låtit honom veta att Sonen, Isak Mårten Didriksson, Storsonen, var på väg.

Och det handlade om det skadliga i att bliva bedragen, att det inte bara var farligt att bedraga själv

något som Didrik visste så djupt inom sig att han aldrig skulle ha sagt det i ord; och att han på sätt och vis velat skona Spadar-Abdon från namnet, bedragarens namn, att bedrägeriet med säcken blev som en av dessa lifsens oförklarliga smärtor, oss pålagda av Den Högste, så länge namnet var okänt

men att det i och med bedragarens avslöjande fick en jordisk närgångenhet, en förgiftningsförmåga som.

Herre Gud, som om inte Abdon skulle ha blivit nog straffad för att han blivit bedragen med den där säcken!

Att Ansgar förstått sådant och varnat sin Svåger för att *utsätta sig för bedrägeri...*

och för första gången tänkte han på Ansgar utan att bli full i skratt. Men det varade bara ett ögonblick – därefter tänkte han som vanligt om den stackars bokstavsträlen. Dessa suckare som väga varje ord med vattupass!

som inte tro på annat än den egna handlingen, ”gerningarna”, vad den egna ryggen kan lyfta! Nog* mer att dem tro på hjulet!

En jernbana våga dem inte drömma om! Så pass som.

Men han avskydde att han utlämnade Nords namn åt Spadar-Abdon

Var det i stället för den absoluta vägran han kände inom sig att forska efter vem som skadat Hästmulen i Månliden med brännkallt järn?

Hur dessa vidriga frågor kränkte Sonen. Han skyndade in och fram till vaggan, tog upp barnet, höll det intill sig. Denna varelse försäkrade honom att allt i grunden var sveklös glädje

att allt annat var små övergående missförstånd.

Spadar-Abdon hade Fridolf med sig som huggare i Högklinta.

Fridolf var en så präktig pojk, son åt syster Greta. Hon hade stannat som faster i huset sedan hennes ungdomskärlek farit åt Norge och därefter inte avhörts. Fridolf hade hört till hushållet mer än en vanlig uppfostringspajk – och särskilt sedan Abdons två äldsta söner hade farit åt Amerika.

Då *försonades* Fridolf så att han stundom behandlades som en *storson.* Och Abdon brukade säga att om allt annat slog fel så litade han åtminstone på det att Fridolf inte skulle schappa västerut som vissa andra. Och därmed avsågs såväl en falsk barnafader som diverse söner, nog så falska, trots att dem varit hemgjorda.

– Men låt dem hava det! Utrikes! De där latoxarna!

Kusken var alltid den förnämste; själva titeln hans rymde ett frustande. Kusken! Det var häst och karl i ett!

Men även huggarn var ett ståtligt ord. Det klingade av trädens hissnande fall till den grad att *huggarn* blev en besvärjelse som kunde lånas till andra sammanhang där en förstärkning behövdes. *He var som huggarn! Du var mig en huggare!*

Utom huggarn hade varje kusk en *brotslare* med sig i timmerskogen. En sådan var för fattig att hava en häst. Eller också var han för ung eller oslög (oskicklig) att ansvara för trädfällningen. Somliga förblevo brotslare, tvingade av en natursnällhet som kom dem att livet igenom stödja andra i deras arbete utan att särskilt hedras därför.

Abdons son Joakim var femton år och fick följa med som brotslare. Han fick hjälpa Fridolf att såga ut träden med timmersvansen – som hade handtag i båda ändar. Medan Fridolf kvistade trädet och kapade det i två eller tre stockar hjälpte Joakim fadern att släpa fram andra stockar och lasta dem på stöttingarna och binda ihop dem med björnbindningar*

Joakim fick också skotta mycket snö, vilket särskilt hörde till brotslarens uppdrag.

Abdon hade tingat ytterligare två kuskar från Eckträsk så att de var nio man i hela laget.

Josef Westermark med marran Delila; sönerna Selmer och Knut som huggare och brotslare.

Nikanor Lundmark med hästen Leviatan; sonen Gad som huggare och drängen Tyko som brotslare.

Dem byggde en koja åt hästarna av ragar* och en åt sig själva med eldpall mitt på golvet; där vid en kallkälla i västra slänten av Högklinta. Det gick åt mycket tid till att packa snö upp mot kojans väggar; och ändå var den kall.

Man skulle ha behövt täta den med björnmossa. Men. Det var väl svårt att veta för kronofogden när han auktionerade ut kronoskog att dem som skulle driva ned skogen borde få möjlighet att bygga kojan på barmark – s'att man kom åt björnmossa.

Därnere i Skjellet tro dem säkert att den där mossan bara är något att skratta åt, något halverst oanständigt eftersom vi kalla henne pissmossa. Men den är int bara bra i vaggan utan också som husmossa. Dem skull tänka på det. Herrar'n.

Och de förhöll sig misstänksamt till det stora lag som stod för Gyllenmarkaras drivning i det verkliga Högklinta.

Många kvällar hade man roligt i Ecksträsk-laget åt skillnaden i uttal. Folk födda öster om Plass'n talade nästan rena rama Skjelletbondskan. Till exempel *ren ben sten öron* uttalade dem *ran ban stan ara!* Det lät oändligt dråpligt för Eckssträskare som självklart uttalade dessa ord *rajn bajn stajn och ajra.*

Men efter någon vecka var dråpligheten förbrukad och oändligheten gällde annat, sådant som snö, köld och mörker. Dessa östsocknes voro snart – trots sitt förkastliga uttal – underbara avbrott i Högklintas stående omänsklighet. Om dagarna lyssnade man benäget till hästtjukorna från det andra laget. Man kunde utnyttja samma basväg en sträcka. Man såg varandras eldar på dagen vid matrasten. De yngre männen började hälsa på varandra om kvällarna. Och snart var de alla bekanta. Det enda som skilde dem tycktes vara uppdragsgivarna.

Nu sedan D. Mårtensson höjt priset per framkörd bit var Spadar-Abdon och hans lag idel lovord för sin uppdragsgivare och kunde likasom hålla honom som en sköld mellan sig och bolagsgubbarn' nea landet som alla voro allt lika, vare sig dem hette Gyllenmark eller Lidstedt.

Det stora laget sa att även dem hade ett annat namn

mellan sig och Gyllenmarkara. Han hette Nord och var också kommen ur vanligt groft folk så nyss, att han nog inte var ute för att luras.

Då berättade Abdon om sin sista snallarresa när han kört lass från Lidstedts och till Avaviken. Fast från Ecksträsk och till Araviken hade kärlinga hans, 'a Lina, fått köra. På den tiden hade Nord varit skrivare hos Lidstedtara. Och när Abdon egentligen hade fullt lass hade Nord sagt att *visst tar du en stackar till,* det är bara en halv säck. Och eftersom han just innan lastat hwitmjölssäckar tog alla för givet att den där halvan också innehöll hwitmjöl. Men oppåt marka upptäcktes det att "stackarn" innehöll blywitt! Som är tre gånger så tungt! Alltså vog säcken hundrafemtiotre kilogram i stället för femtioen. Alltså kom hela lasset att väga elvahundrafemtiotre kilogram i stället för det tusen kilogram som beräknats vara det tyngsta man fick fara med som lass så lång väg. Och då ménföre* uppstod – vilket Nord naturligtvis hade räknat med!

Josef och Nikanor som båda varit med om samma fasans resa övertog berättandet när Spadar-Abdon inte orkade längre. Hur dem hade skottat snö över de bara fläckarna. Hur kronjägarn varit den som upptäckt att den där halvan innehöll blywitt. Hur han då hade sett ut.

Med tiden blev det teater av resan – där härmandet av kronjägarn och länsman blev lustiga avbrott i allt det kusliga; de yngre pojkarna i båda lagen turades om att spela upp hur Lidström måste ha låtit och nigit; hur Holmgren måste ha tuggat sitt skägg och rullat små kulor mellan fingrarna. Vissa kvällar hade man så roligt med att göra narr av Öfverheten att man avstod från att komma fram till Marklunds skjutshåll. Åter andra kvällar kunde man börja där, hur hon ställde sig, 'a Stina, hur hon sparkade ut vattnet s'att Abdon blev blötskodd; och hur hon fortsatte att stå fast hon var död.

Mången gubbe fällde tårar över Abdons kärling, 'a Lina, och hoppades att den egna hästen skulle komma hem med livet i behåll från denna vinter. Det värsta med Högklinta var ju utförslöporna. Och konsten att bromsa, att kunna handskas med *skurlänken,** och tömmarna, och vidjan på samma gång! Och vissa hästar som hade skräck för branterna! S'att dem först höllo emot allt vad dem orkade, för att sedan plötsligt att hålla undan! Då ville det till för kusken längst fram att hålla ögonen på vägens kurvor, och på skakelträet, som höll ihop stötting och skaklar, att denna arma lilla träkrok inte hoppade ur öglorna s'att lasset rusade för sig medan hästen flög baklänges upp i famn på kusken och satt där med benen simmande i vädret! S'att kusken kunde hålla sig för skratt!

Eller om björnbindningen som höll samman timmerstockarna skulle lossna s'att karl och stockar skulle skjutsa fram i hasorna på häst'n'.

Utförslöporna från Högklinta ned till Klintån var ändå det värsta!

– Inte då, sa Spadar-Abdon. Det värsta är Nord. Han är den verkliga hästdråparen. D. Mårtensson däremot. Olförar'n som ve nu hava. Han var nästan bara pajken när detta här hände. Men han hjälpte mig på alla vis.

Tillkom att en av Nords tummare* visade sig skriva upp lägre mått på en tumsedel vars innehavare, Josef Westermark, inte kunde läsa – men vars son Selmer kunde – för att hela laget skulle tro på Abdon – att Nord passade Gyllenmarkara på grund av sin svekfulla natursart.

Att Lidstedtara däremot, åtminstone inom Lillvattnet, foro hederligt fram då dem här företräddes av D. Mårtensson.

Skulle Spadar-Abdon vilja träffa Nord? Jomenvisst. Det var hans drömmars mål sedan länge att få träffa Nord.

För att göra vadå?

Det kunde Abdon inte svara på. Men han skulle inte bli

färdig med Stina förrän han fått träffa Nord. Då vid sammanträffandet skulle...

åh det kändes som om ett under skulle ske: Stina skulle ruska på sig, lederna skulle lossna, och hon skulle börja gå, först lite ovant, ja spattigt, men så småningom ledigt och älskligt och bra som bara 'a Stina levde när hon gick.

Och det stora laget lovade att dem skulle ordna det mötet; så fort Nord kom för att inspektera drivningen skulle dem tillkalla Abdon Karlsson från Ecksträsk.

Om ett par veckor skulle kronouppbörden hållas i sockenstugan; Didrik måste utlysa kommunalstämma till samma dag. Han skulle utreda Den Inre Linjen på stämman; då den första februari.

Om måndagen skulle någon av Lidstedtara komma. Han hoppades på konsul Lidstedt, för att få nya ord om Den Inre Linjen som skulle förslå. På alla andra sätt hoppades han att Konsuln inte skulle komma. Häst'n hade inte börjat äta ännu. Och Anna-Stava hade den mest vanställande tandvärk: ena kinden var svullen upp över ögat.

Didrik flydde in i sömn; när tillvaron någon sällan gång var oförskämd mot honom sov han nästan medvetslöst. Så snart han vaknade till såg han Anna-Stavas kind, där hon vankade fram och åter – han stönade; vände sig på andra sidan och somnade. Han gick inte till stallet. Efraim och pappaMårten fick vattna Häst'n och godtala med honom.

Han kunde höra den mest okristliga söndagsbön släpa sig fram nere i köket, husets *anda* var som förgjord. När konsul Lidstedt kom måste huset *stråla*. Det måste vara den stödjepunkt som konsul Lidstedt och Fosterlandet hade utnämnt Månliden till.

Det blev Lellstedt som kom mitt på måndagen – han måste ha startat tidigt. Skjutsdrängen från Marklunds fick vila sin häst i snallarstallet innan han återvände – Didrik hade sagt till att ingen utomstående fick komma in i hemstallet och se Häst'ns smälek.

Lellstedt började inspektera handelsboden. De flesta

som fått kredit borde inte ha fått sa han. Men han kunde räkna upp bönder som han saknade i böckerna, sa han.

– Ansgar Larsson i Basnäs? Köper han ingenting?

– Jo men han betalar kontant.

– Berglund i Bredträsk?

– Nej han har för sig att han måste kunna taga allt vad familjen behöver ur jorden där han bor. Dem bygga hus utan en spik där i Bredträsk. Om dem köpa fönsterglas lämna dem fågel i utbyte. Dem hava sådan skräck för handel och köpenskap.

– Båda de här ha bra skog. Hur sköta de den? De ha fått denna naturtillgång för intet!

– Voro då nybyggarna inte värda att få dessa skogsskiften, sa Didrik. Så mager som jorden är kan det som kommer från åker och boskapsskötsel endast räcka till föda och kläder åt husfolket. Bönderna behöva skogen att plocka ur, för att få sig några kontanter.

– Det är just uttrycket *att plocka ur* som leder till baksträveri! Inte sälja mer än nödvändigt! Gå och klappa träden som om dem vore avelshästar! Det är slöseri med råvaror och arbetskraft.

Lellstedt bredde ut en karta över norra Västerbotten; den var som en ogarvad hud; så nyss flådd att ådrorna ännu var tydliga, röda. Han tycktes kunna namnen på alla byar och enstakaställen, från kusten och upp till Avaviken, med bäckar och åar. Han tycktes veta vilka som skattelöst sina hemman och vilka som ännu bara var krononybyggare. Han visste vilka områden som utgjorde bondeskog, "hemskog", vilka som var byaallmänningsskog, och vilka som var kronoskog.

– Hur gick det med Svedjebrännet?

Och Didrik hörde sig säga:

– Dem ville hava betänketid!

– Jag har gjort upp ett kontrakt om en avverkningsrätt på tjugo år. I det fallet hade det verkligen varit befogat med en avverkningsrätt på femtio år. Men lagstiftare där nere i Stockholm hava hjärtan som blöda för lappkalvarna i obygden. Så det beviljas inte mer än avverkningsrätter på tjugo år, nu längre.

– Herr Lidstedt. Vår mor har lappblod i ådrorna. Det gläder oss att Rikets högsta styresmän tänka med respekt på henne – när öfverhet på närmare håll finna hennes ursprung så föraktligt.

Didrik var vit, hans bröder bleknade, Lidstedt skrattade nervöst.

– Men kära bröder, sa han i lätt missionerande ton. Det är en vantolkning! Jag menade inte *folk* med ordet *lappkalvar*. Jag menade renhjordar, de verkliga renarna och deras kalvar. De nyttja ju dessa skogar årligen på sina flyttningar. Någon vecka höst och vår. Det har hävdats att ett mera effektivt skogsbruk skulle skada deras betesmöjligheter. Det är löjligt. Det är alldeles tvärtom.

Hur snabb han var, hur underfundig, hur bedövande skicklig. Efraim hörde lika väl som Didrik att han bara "fann sig" – ändå log Efraim godmodigt och tänkte på pappaMårten? som sa *min lilla lappkalv* när han var vanmäktig av kärlek.

– Ett tusen kronor? I en revers? Så kunna de taga ut varor här för den summan de närmaste åren. Men bed dem lämna fastebrev på hemmanet så att vi kunna taga inteckning på det!

– Inteckning? Det är oförståeligt att sådant skall behövas. Dem bliva ju fordringsägare, ej gäldenärer.

– När man köper en avverkningsrätt måste man ju hava någon säkerhet! Om de skulle hitta på att sälja hela stället sedan de lyft köpeskillingen – och innan vi hunnit utnyttja vår rätt. Den andra gången – på 19:e året.

– Varför reser ni inte själv till Svedjebrännet, sa Didrik. Han var ännu rasande över "lappkalvar." Men i grunden ville han inte att Lidstedt skulle se Ruben Larsson, inte höra ”gawn” vråla inte se den gamla flickan vid spiselstången, inte känna lukten av sjuknat vilt.

Ett tusen kronor var en struntsumma för dessa skogsvidder. Men torkan. Och/men hur stort område var angripet? Den där skogen måste snabbt avverkas. Och/men även om den inte var helt frisk skulle Lidstedts göra en enorm vinst. Om Lidstedt for dit och såg att skogen var ankommen skulle han kunna ta den för fem hundra, ja för hundra kronor. Men när drivningen började då skulle arbetarna få betalt per bit, som i frisk skog? Varje bit som de måste *lumpa,** hugga bort som otjänlig, skulle bli obetalt arbete. Didrik orkade inte tänka vidare i den snårskog av förluster och strider som skulle följa med avverkning av Svedjebrännet.

Känslan av ansvar för detta enstakaställe såsom hörande till Lillvattnet.

Folkbristen som kom en enstakagård att förgalnas.

Faran i den stora ensamheten.

Skammen för en socken att hava sådana mängder av ensamhet.

Denna skam var så kännbar, så oförsvarlig, att Lidstedt blev fullt berättigad att komma och klå en sådan trakt med ett hånleende?!

Didrik hörde inte att Lidstedt svarade på förslaget, men visste hur det måste låta. Ni har ju, i samarbete med er äldste broder åtagit er uppdraget som förmän för flottningen i socknens bäckar och åar? Ni har åtagit er att tinga avverkningsrätter åt oss från böndernas skogar! Vi beklaga att de flesta hålla fast vid sparrhuggningen. Att de alltid hellre vilja få arbete i kronoskog än ”offra” sina egna skogar. Men ni har ju åtagit er detta! Då kan ni inte begära att jag skall resa ut till varje litet enstakaställe för att själv göra det som ni åtagit er att göra!

– Ni ge väl inte kredit åt andra än sådana som hava skog! hörde Didrik.

Per sa att vissa kunder ju betalade med smör, andra med tjära, och åter andra med snallar'resor.

– Men vi är inte intresserade av andra än sådana som vilja sälja skog åt oss! Eller sådana som åtminstone hugga och köra timmer från våra avverkningsrätter åt oss. De som föredraga att stanna i självhushållets tid må göra så! Men då böra de taga konsekvenserna! Då böra de också klara sig utan kaffe och andra kolonialvaror! En skuld på ett hundra är oacceptabel utan inteckning i hemmanet! Jag tål inte se sådant lättsinne. Vi vilja inte ha något att fordra av fattighjon. Abdon Karlsson, vad är det för en slösare?

Herre milde om Konsul Lidstedt anade hur Lellsnown skämde ut sin broders namn genom sin fullständiga brist på *ande* och *stora linjer!*

– Abdon Karlsson står för neddrivningen av den trakt jag ropade in i Högklinta i höstas. Det timret kommer ju er tillgodo längre fram; då får D. Mårtenssons handel inkomster varmed A. Karlsson kan betalas, s'att denne i sin tur kan betala sin skuld. Emellertid berättade han i lördags att Gyllenmarkara betala sina huggare och kuskar en halv gång så mycket per bit som den taxa vi hålla. Det gör i genomsnitt fyra kronor mot tre i dagspenning för huggare, och häst-och-karl kan tjäna åtta kronor mot sex. Hade A. Karlsson arbetat åt Gyllenmark i stället hade han snabbt kunnat betala sin skuld här.

Lellstedt började trampa och svära. Att han hört om denna fräckhet. Att Gyllenmarkarna även i Avaviken och Lorsjö spritt ut till sådana, som redan lovat sälja skog till Lidstedts, att de skulle få mer hos Gyllenmarkarna. Och att även arbetslönerna skulle höjas till två hundra procent över priscouranten mot de ett hundra femtio procent som var en muntlig överenskommelse mellan sågverksägarna.

– Men ni måste förehålla dem som hittills sålt små uttag eller sparrar åt oss, att de inte kunna vända sig från oss nu, bara för sådana djävulens locktoner! bara för snöd vinnings skull! De måste dock visa någon trofasthet mot oss som... det här blir ett elände! De vill fördärva hela marknaden. Ni som har socknens öra! Ni måste tala folket tillrätta.

– Det var ni herr Lidstedt som släppte in Nord i Högklinta.

– Jag medger att det kanske var korttänkt, jag borde ha förstått att Gyllenmarkarna hade något rävspel i sikte.

– Ni betrodde inte mig att få ropa in den där kronstämplingen i dess helhet...

– Ni är för frikostig med krediterna, D. Mårtensson... ni har en tendens att överbetala... i alla lägen...

– Tala folket tillrätta! Få dem att sälja skogen för ingenting! Och hugga ned den för ännu mindre! Och köra och flotta fram den för noll noll! Och sen kallas för lappkalvar och fattighjon! Jag har inte Socknens Öra för det uppdraget. Jag har ett helt annat uppdrag.

– Nå låt höra. Jag kanske har missuppfattat vår överenskommelse, sa Lellstedt utan ironi.

– Det gäller Jernbanan. Att få den godkänd, ja anammad av Socknen. Men så fast ligger ännu inte den Inre Linjen i detta folks hjärta. Om sockenborna inte vänta sig något gott av Världen kunna de föredraga att Jernbanan, som en världslig angelägenhet, förlägges så långt österut som möjligt. De kunna föredraga att själva draga sig bort från allfarvägarna. Att bliva svedjebönder. Att bränna skogen – om den anses så värdelös. Och sätta lite potatis i askan. Snara sig en ripa till sovel. Och giva skit i alla koloniala finheter.

– Men bäste Didrik Mårtensson, ni som har talets gåva, ni måste väl kunna tala förstånd med sockenborna.

– Abdon Karlsson har blivit bedragen ett par gånger i sitt liv. Och det har inte varit bra för den mannen. Vad han behöver är inte fler vilseledande ord utan... jag kommer att ändra vårt kontrakt så att Abdon Karlsson och dem han tingat till sin hjälp få samma betalning som dem som arbeta åt Gyllenmarkara där i Högklinta.

– Det här är vansinne. Den här överbetalningen är en bluff. Och hur får folk reda på allting! Vilka dumheter som helst!

Det blev tyst en stund, Lellstedt bläddrade i bodkladden, i högen av motböcker, många föredrog att ha sina böcker i förvar ”näst 'n Per, leijln denna, näst D. Mårtensson.”

– Så ni är inte så pigg på att tinga avverkningsrätter åt mig i vinter? Och leja folk till avverkningen? Nänä.

Didrik, Efraim och Per växlade blickar: skulle nu inte Lidstedt säga att han i sin tur skulle betala mer för det timmer som Didrik skulle leverera från Högklinta? Men han sa ingenting om det utan ägnade all uppmärksamhet åt handelsbodens räkenskaper.

– Ni ligger ute med mer än som är tillrådligt.

– Den här vintern kommer det att råda betänksamhet, sa Didrik. Dem som hittills varit vana att sälja sparrar eller mindre partier skog komma inte att göra det när dem höra att det bjuds mer av andra bolag. Å andra sidan vilja dem kanske inte heller sälja åt Gyllenmarkara första året...

– Nej det vore dumt, sa Lellstedt. För var skulle de då kunna handla? Alla de här... vågar jag säga *fattiglapparna* utan att det missförstås...

Efraim och Per träffades av hånet som var öppet nu, men Didrik fortsatte som om han inte fattat hotet.

– Vi kunde avverka Grenhulta nu på senvintern. Det skulle återställa byarnas förtroende för Lidstedtara. Om jag lejer ett par karlar från varje by och de få den högre lönen. Om de förstå att D. Mårtensson levererar timret till Lidstedts som förut – det kommer att bryta udden av Gyllenmarkara. Eller rättare sagt: matta den glans som deras namn tillfälligt utstrålar.

– Men bror Didrik, sa Efraim, vad kommer pappaMårten att säga om detta.

– Har Mårten Östensson inte sålt hemmanet åt er, söner? sa Lellstedt. Jag frågar därför att vi har ständiga bråk med förgångsgubbar som försöka hindra sina söner att fritt disponera över hemman och skog. Jag är visst intresserad av Grenhultaskogen! Mycket intresserad. Men det ska vara klart med lagfarten! Er besittningsrätt till detta skifte innan jag spekulerar på någon avverkningsrätt.

– Ursäkta, vi sälja ej någon avverkningsrätt vare sig på femti eller på tjugo år. Vi göra ett engångsuttag. Jägmästarn och kronjägarn få göra en stämpling och bara märka ut det som är fullmåligt. Nu i vinter. Vi vilja ha betalt per stock. Och vi begära två hundra procent av priscouranten.

– Vilken oväntad affärsman ruvar inte i er, D. Mårtensson! Vilken påpasslighet!

– Denna ”påpasslighet” – att låta er köpa virke från vår hemskog just i vinter – är faktiskt min enda möjlighet att ”tala förstånd med sockenborna” som ni sa för en stund sen.

– Ni har kanske rätt! Låt oss skriva kontrakt strax på stunden! Antag att Grenhulta har mellan tre och fyra tusen fullmåliga tallar. Så kan ni utan vidare få ut tio tusen stockar.

Och Didrik var beredd, strax på stunden, men hindrades av bröderna. De menade att skogen måste räknas upp först, så att man inte kom i brist.

– Ja som ni vill. Å andra sidan var ju det här ett specialerbjudande, framtvingat av konkurrenternas osunda affärsmetoder. Om priserna nu falla till det normala inom två veckor... och vi inte hava något skrivet...

– Så gäller dock ert ord, konsul Lidstedt, sa Didrik.

– *Disponent* Lidstedt, rättade han. Det är min broder, *konsuln,* som står för ”de stora linjerna.” Hans lille pedantiske broder får vidtaga mått och steg närmare marken så att säga. Samt bära hundhuvudet inför bank och utländska kunder.

Medan bröderna lyssnade efter varje hans ord tycktes samtalet för Lellstedt mycket väl rymmas bredvid granskningen av motböckerna och nagelfarandet av varorna.

Efraims äldste, Emmanuel, hade en barnflock omkring sig; än stod de i stilla begrundan av herrkarlen; än rusade de ut – vid ljudet av hästklockor, för att se om det var snallare eller gårdens drängar – och de varnade med gälla röster att en storkarl gästade handeln! *En Lidstedtar! en Lidstedtar fra Skjellet! En fullkomlig schwenschk!*

Men en person lät sig inte avskräckas. Det var Hagar som kom och plockade åt sig några varor. Ett pund krossocker – OOSE; en soppterrin – OLEN – från högsta hyllan; hon stod på huk och grävde i den torkade frukten – OLEM per tunna; hon var helt självsvåldig.

Per letade efter husets motbok. Men eftersom hon inte uppgav vad hon tog måste han gissa och dölja sin förvirring. Efraim såg förgrymmad ut. Lellstedt skulle kunna antyda att går det inte noggrannare till med bokföringen av inkommande och utgående så kommer denna handel strax att. Och så vidare. Varpå Didrik skulle svara något om Storsonens liv som den ädla Quinnan räddat, något sådant där högstämt vid sidan om, som förvandlade vilken köpesak som helst till werldsliga småheter – tills bröderna skulle bli så förlägna att!

Men Lellstedt sa:

– Ska det bli supé här! och bespetsade sig som om han kände denna Hagars framfart i världen mycket väl. Eller åtminstone hennes kokkonst.

– Vårt enda bekymmer är att det bliver ett så dyrt timmer det som ni skaffar oss.

Då sa Per med en svenska som postillans:

– Den första timmertrakt vi hade ansvaret för att forsla

ned, från Hundtjärnliden; ni Lidstedtare hade sagt att häst och karl skulle tjäna fyra kronor per dag och huggare två! Men det blev en farlig snövinter det året. Och oerfarna med nya redskap och stöttingar som alla voro. Dem tjänade hälften. De flesta hade skulder på fläsket och havren när våren kom. Tror ni att det hade gått leja dessa samma karlar för en ny vinterdrivning om vi hade krävt dem? Det fick bli jämnt det året! Vi skyllde på stocksågarna att dem voro så dyra att det inte blev något över. Men det var vi som kommo i skuld. Hade inte bror Didrik fått ett större arv efter sin svärmoder vet jag inte.

– Få se nu: det är sju åtta år sedan? Då skrevo ni kontrakt direkt med min broder, konsuln, inte sant? Det här är första gången jag överhuvudtaget hör talas om att den vintern skulle ha varit så svår.

– Det beror på att vi skämmas över snön här. Om herrar inte förstå dess natur så nännas vi inte förklara den. Det gäller alla. Men värst är broder Didrik härvidlag. Han skulle vilja flyga över skaren alla årstider. Han vill att allt skall vara gratis!

Bröderna skrattade – Per var ingen lillbror längre – men Didrik undrade om det inte var en viss främmenquejn som kom hingstfölet att slå bakut. Förresten: han var kanske tjugofem år om man tänkte efter.

Hon hittade en vitväv i en kista i klädkammarn mitt emot nöhl-kammarn och klippte till ett stycke långt nog att täcka det stora bordet. Och finporslin och bordsbestick och ljusstakar som dittills stått i förlägen väntan på Konsul Lidstedt. Det framdukades nu som självklart husgeråd.

Anna-Stava gick omkring i *Gemaket* och var otillräknelig av tandvärk. Hon kom ned i köket och uttalade den första kritik mot Månliden som hennes svägerskor någonsin hört henne yttra.

– Vad är det här för ett ställe som inte har så pass som en droppe medixin!

Anna-Stava som var så from! Och så ändå taga för givet att brännvin måste finnas! Hon hade förstås rätt, men. Nog måste väl Didrik ha berättat om sorgen och skammen med farfar nea landet som söp opp ett hemman s'att pappaMårten gatt draga oppåt marka? Med ett brännvinshat så oförsonligt att. Men även om folk skrattade litet åt det förbud mot brännvin som pappaMårten slagit in i backen här, så hyste många förtroende för Didrik just tack vare detta förbud. Särskilt qwinnorna. Så hade inte Anna-Stava haft en sådan tandvärk skulle man sannerligen ha förvånats! Och en sådan ton! Och innan man ursäktat henne färdigt stod Hagar där – hon kunde försvinna och återkomma i en blink, eller hon kunde slamra s'att väggarna knakade, allt efter humör. Hon sträckte fram mot Anna-Stava en liten flaska och sa att hon hade medixin och madám kunde ta den och behålla den och ha den på nattygsbordet och läppja.

– Får man bara sova brukar ju värken giva sig. En annan hjälp är ingefära. Man kan taga litet avskrap från en ingefärsrot och lägga i tandhålet.

Anna-Stava tog emot flaskan och gick upp till *Gemaket,* överflödig i hushållet som hon blivit, och ställde flaskan ifrån sig som om den innehållit gift.

Hon kunde höra dukandet inifrån *Gästsalen;* hon kände tapeternas grönt-lila bulta i tandköttet med små gyllene taggar, som ilade genom, och förbi, och återkommande. Hon hörde Hagar springa upp och ned i trappan, med pojken trippande bredvid; hon kunde inte höra några ord men *att* människan talade, och att orden kom mindre korta än vanligt, att rösten var glad och varm. Anna-Stava började gråta. Hagars vägran att låta sig avtackas, benådas, uppmuntras! Nu var hon glad av egen kraft och stolt därför att hon kunde gripa möjligheten att utöva en konst som hon kunde – i ett hus som så nyss lämnat nybyggarstadiet att dess qwinnor intet visste om finare kokkonst

och Anna-Stava som haft en mormor som kunnat i sin ungdom, men som senare, dels på grund av missväxtår, dels på grund av familjens tilltagande pietism sällan kommit åt att laga läckerheter

som dock ibland talat om ”tillredandets fröjder” men i så frossande ordalag att Anna-Stava inte. Det var Ida, som lärt sig några konster genom tjuvlyssnande.

Till sist var Hagars supé en sådan plåga att tandvärken blev en hjälp, en avlastning. Anna-Stavas avund och ånger hann inte in i själens innersta utan maldes in i den onda tanden.

Alma kom in med en bit ingefära och en kniv och sa att hon varit ned i boa och tiggt av farbror Per.

Och Konrad kom med lite snus i handflatan; det hade han tiggt av en snallare, som just hade kommit. Och snus i en tand var det bästa mot tandvärk.

Hagar tände brasa och lampor och ljus.

Hon hade dukat en plats på ena långsidan – och Lellstedt tog den självklart; Didrik satte sig mittemot med en häpen broder på vardera sidan. Didrik skämdes och var full i skratt – som om han vaknat och just förstått vad han drömt. Allt det här som han först smugit med och sedan glömt – nu stod det framdukat! Och det när husmodern, Anna-Stava, låg sjuk. Nu var det bra att inte ha brödernas ögon mittemot sig.

Och innan de började äta lade Efraim den ena handen över den andra och läste, med pappaMårtens röst, *gode Gud välsigna maten, amen.*

Man hade en aning om att herrskap – utom prästfolk – bara läste bordsbön inom sig, utan röst. Hade Didrik redan blivit så mycket *patron* att han tänkt läsa i hemlighet? så hade Efraim ännu så mycket bond-känsla i kroppen att han måste utsäga matlagets erkänsla till Honom som Växten Gifver? och eller för att han ändå var äldst?

Didrik godtog Efraims läsning som en berättigad varning, den antydde att *Gästsalen* med allt sitt tillmötesgående dock inte helt var försvuren åt Lidstedtara; dock hade kvar någon kännedom om födans verkliga pris.

Lellstedt talade mycket och fastslående och rent allmänt. Allt måste underordnas Bolagets behov. Detta var så naturligt att han måste undervisa och ibland huta åt en tanklös omgivning som av misstag kunde syssla med annat.

Didrik och hans bröder var tacksamma över att han pratade som vanligt, eftersom de själva var fullt upptagna med ansträngningen att se hemmastadda ut.

En soppa bars in vars like de aldrig smakat. Den var god. Och Lellsnown sa att den var god. Och när de redan ätit ur varsin tallrik sa gästen att denna soppa var ännu ett tecken på skoglig rikedom som folk i allmänhet lät förfaras. Svampen – som så få förstod att torka och förvara och tillreda.

Bröderna vågade inte misstänka att vad de redan ätit kunde vara kosopp.

Ripa med gräddsås kom och kallades *huvudrätt*

Didrik mindes den första tiden när Anna-Stava ibland fått upp il av hemlängtan. Då kunde hon ränna till skogs och lägga snaror för ripa. Hur hon nästan förvånats över sitt tilltag då hon sällan gjort det hemma; där var det bröderna och Ida som gillrade. Men Lass-Annersas jägarblod fanns i henne själv, upptäckte hon. De snaror hon lade ut runt Månliden blev emellertid vittjade och när hon fick veta att jakten var Nickes näringsfång och vanerätt lät hon bli att lägga fler snaror. PappaMårten var av bondesläkt, nerifrån landet, och hade aldrig jagat, och ville knappt förstå hur det gick till. Skulle man nödvändigt äta vilt så kunde man byta med Nicke, mjöl eller mjölk. Men man gillrade inte i Nickes tassemarker.

Didrik kallade henne ibland *min lilla jägarstejnta* – med samma tonfall som pappaMårten sa *lappkalv* till mamma-Lena. Eller som alla karlar sa *Kusen* om bäst'hästen. Och nu i Lellstedts närvaro kändes dessa smeknamn ohanterliga, inte ett spår lustiga.

Ripan var läcker, fylld med något helt obekant.

En röd dryck som Didrik ett ögonblick fruktade var vin.

Men Lellstedt tackade särskilt för att det var lingondricka; ''spetsad med ingefärsrot, minsann''; fullmatad och glatt som han var; men ingen läckergom som länsman; han åt som han talade, snabbt och utan krus; och utan att låta måltiden avbryta hans ärende i världen som gällde skogarna i norra Västerbotten.

... bönder, som spara sina skogar, vilket i realiteten betyder att de förslösa dem! Bara där bolagen övertaga skogarna kommer det att blomstra. De andra bli betydelselösa.

– Vilken betydelse skola de få, dessa människor, vars

skogar ni komma att förvärva, sa Didrik.

– Vi komma att kunna hävda oss utomlands. Komma att kunna uppfylla de krav som våra stora kunder ställa på oss på Kontinenten.

– Berätta ni det för dem?

– Hur då... berätta?

Hagar dukade ut efter huvudrätten; Lellstedt frågade i förbigående hur hon burit sig åt så att ripan inte smakade det minsta torr – som var det vanliga felet med den fågeln; hon bara log till svar; Otto hjälpte henne att bära de använda tallrikarna, och hon sa att hon skulle hämta *desserten.*

– Vad dem göra med timret på Kontinenten! Vad som händer med plankorna som vuxit här? Är det så att något betydelsefullt kommer ut av timret där borta i fjärran kunde blotta nyheten därom upplevas som lyftande här, sa Didrik.

– Jag har faktiskt aldrig stött på något sådant intresse. Utanför Månliden. Mitt intryck är att folks horisont inte är mycket vidare än paltgrytan. Möjligen drömmer en och annan om en sviskonsoppa till söndagen – med en aprikoshalva i – på sin höjd.

– I och för sig är en paltgryta märkvärdig nog – om man tänker på allt som måste göras... åratal i förväg... innan den kan bringas i kokning, sa Didrik.

Lellstedt log och gav ett lätt försenat exempel på vad Kontinenten kunde åstadkomma.

– Till exempel kan jag tänka mig att en sådan här tapet tillverkas i Frankrike.

Bröderna satt mitt emot den vita västerväggen, men kände tapeten i ryggen och från sidorna; och utan att se på den var det som om Didrik för första gången skulle ha insett den; och han sa:

– Den förslår inte.

– Hurdå *förslår,* sa Lellstedt.

– Som betydelse... utöver palten...
En kastvind kom huset att kännas tunt som om timmerväggarna ett ögonblick undandragit tapeten sitt stöd.
Det skalv som när Anna-Stava spelade psalmodikon och sjöng *jag är en främling... blott en afton...*
och om Didrik var en inträngling här, skulle Lellstedt inte tro sig vara mera värd
eller om det var Hagar som kom med blåsten
men Didrik svingade ut i ett tal där palten, från dess oansenliga yttre av potatis, blod och korn till dess inre – den smultna fårfetan – levde i samspel med himlafästet
och vare sig folk ville sälja skog eller inte så hade dem *betydelse* i denna socken och absolut icke en mindre betydelse än timrets avnämare på Kontinenten.
– Nå vi affärsmän äro inte professorer i filosofi. Vi känna till de merkantila lagar vi hava att rätta oss efter, men andra finheter överlåta vi med varm hand åt var och en som gitter tänka på dem.
Lellsnown skiftade färg och Hagars återkomst var livräddande sa han.
– Är det fårfeta späckad med palt till dessert eller... och han skrattade ursäktande, och sa att inte är det väl plommonsufflé! (Så att värdfolket fick veta namnet på vad som serverades vid deras bord). Och vilken *traktör* detta Månliden hade förvärvat!
Hagar stod med en grytlapp om stekpannans handtag och en brädbit under och Lellstedt skämtade att en så uppblåst och uppburen läckerhet som kunnat hålla sig hög nedifrån bakugnen och ända hit upp, den måste tagas fast med kniv så att den inte undslapp genom skorsten och började tävla med månen, gyllene som den var i de mörka skogarnas inre. Och han tog upp sin slidkniv så skämtsamt som om dessa nybyggarsöner varit fullständiga herrar och stack kniven i *desserten* s'att den suckade.
Och Otto höll fram en träskål, en vril, någon gång sni-

dad av Nicke, med vispad grädde i.

Bröderna satt överväldigade.

... sötman som varken var skarp eller jolmig utan bara framhävande en invecklad godhet i aprikos och plommon som inte kändes när man gnagde på dessa frukter i torkat skick. Och vad var det flyende vita... sannerligen inte *får-feta*

och hur hade hon fått dessa moln att hålla fruktköttet uppe?

PappaMårten, som inte nog kunde beundra en skål korngröt, en nykokad mandelpotatis, vad skulle han ha tagit sig till inför denna vällustiga kost?

Och ändå. Men ändå. Köket därnere var fullt av folk som sett den här *supén* lyftas av elden, rätt för rätt, och ut ur bakugnen. För att bäras bort ur deras åsyn, bara efterlämnande dofter i näsan; dofter som kunde göra kännbar en viss beskhet som fanns i kornmjölsgröten – om man av trött girighet åt en skedfyll för mycket av den.

Som måltiden fortskred uppe i *Gästsalen* började också Efraim och Per uppskatta att de satt i rad så att broder inte omedelbart mötte broders blick.

Hagar stod snett bakom Lellstedt och Didrik undvek som alltid att se på henne. Han hade en minnesbild av hennes första kväll i huset, hennes hålögda raseri och mjölkstinna bröst; sen hade han undvikit att se på henne och hade därvid fått hjälp av sina ögonlock, som av sig själva förtyngdes när hon var i närheten. Men han nådde så högt som till hennes händer med blicken; hon stod med ett vitt tyg och vek det och la det över den ena handleden; sen flyttade hon det till den andra, inte oroligt, utan kanske bara som en... påminnelse... med fyra små knappar uppefter handleden...

Här var 'a Catarina-mors svarta sidenklädning återvunnen, ja återuppstånden, och han kunde inte längre hålla ifrån sig kännedomen om vilken Hagar som. Det var hon som serverat på hans bröllop och som svarat *he angå ingen* när han frågat vars hon var barnfödd. Det var hon som varit piga hos länsman den första gången Didrik varit på besök hos denne och som svarat *he angå ingen* när han frågat vars hon var barnfödd. Och det var hon som gått efter Nabot och utsänt en doft av oemotståndlig sorg en sommarnatt nea Plass'n. På väg till bron där det var dans.

Lellstedt hade ätit upp och för att väcka dessa bröder som drömde mer än de åt, sa han, fortfarande skämtsamt, att

– ni talade så poetiskt om palt, hur den skulle förslå för storartat tankearbete, och att den dock inte förslog på grund av folkets högsinthet, eller hur orden nu föll? Men att Lillvattnet är att gratulera till sin Olförar så mycket är uppenbart.

Och Lellstedt sa att han hade två dagsresor kvar till Avaviken så att han måste draga sig tillbaka "från denna sannskyldiga taffel som varit på en gång så välsmakande och spirituell" då han också måste skriva ett par brev före sänggåendet och då han måste påbörja färden så tidigt som möjligt nästa dag och då Månliden var berömt även för sina skjutshästar.

Helst skulle han ju vilja bliva skjutsad ända till Lappträskvattnet, och byta häst först vid det skjutshållet. Skulle det vara möjligt tro?

Didriks blick hade kommit upp ända till hennes bröst. Och han såg två fuktfläckar sprida sig utöver vardera höjden så att sidensvärtan djupnade och mjuknade.

– Jag kör själv i morgon, sa Didrik torrt.

Med en ytterlig ansträngning kunde han få syn på hennes vänstra axel. Den putade sig fram en aning, liten och hård som ett flickbröst, en hemlig glädje, gratis, och oberörd av all tyngd.

I höjd med Hagars handleder var Otto, med stora ögon och en liten mun som skulle kunna veta allt.

Lellstedt skulle sova i sörkammarn, iordningställd av Hagar, med van hand? Och när han måste *draga sig tillbaka* som han sa – blev Efraim röd och full i skratt: en herrkarl som inte tycktes veta vad uttrycket betydde på bondska s'att det var förbjudet i alla andra sammanhang; det drag av oskuld som han därmed åsamkade sig; mitt i detta täta, oupphörliga medvetande.

Men Didrik tänkte att det var *det* herrkarlar kunde! dem hade sig själva i sin hand, så att deras hustrur aldrig blevo med barn annat än! Samt kunde dem äfven nyttja tjensteqwinnor? utan följder!

Nu måste vi bestämma om Häst'n sa Efraim. Det har gått en vecka. Det läker inte. Han äter inte. Å andra sidan är han ju bortåt tjugo.

Didrik var blek och hade skarpa käkar och Efraim och Per sände blickar mellan sig "att vi nog aldrig hava riktigt förstått hur mycket Häst'n betyder för bror Didrik jenna." Och de lovade i antydningar att dem skulle sköta om det där i morgon; Strömmen sades hava en metod att giva en häst något innan, s'att han slapp all fruktan; och skulle dem klippa svans och mån? Nej det hade dem själva tänkt; om det varit en vanlig häst, men. Ej heller huden? Och var skulle man kunna begrava honom? Efraim sa att han visste om ett kallkällhål som stod öppet även i stark kyla och som inte nyttjades för dricksvatten. Skulle Didrik inte gå och säga farväl till sin enastående kamrat? Men bara dem sågo hans låsta käkar förstodo bröderna och förvånades intet.

Kan du inte ligga här uppe i natt du, sa han till Per.

Han tog ett ljus och gick in i *Gemaket*. Anna-Stava sov. Och han läste en bön över henne med tacksägelser för att de var gifta; så att han skulle ha tid på sig; att nå fram till henne; tid på sig att hylla henne – och till sist få henne att veta det, absolut restlöst, att han älskade henne. Ibland trodde hon kanske att han inte gjorde det! Men även om han blev otålig när havandeskap så ofta skymde henne för honom; även om han ibland önskade att hon skulle vara starkare; så att hon kunde bjuda ett muntrare motstånd

så var det bara tillfälligt. Hon skulle vara precis som hon var! Med eller utan svullen kind – Anna-Stava var ojämförlig, dyrkansvärd; och höjd över alla småaktiga bekymmer. Framförallt var hon höjd över varje misstanke. Om han skulle dö exempelvis, så här mitt i, skulle han aldrig behöva befara att hon gifte om sig eller så mycket som tittade åt en annan man.

Hagar däremot.

Man behövde varken tycka om den quejna, eller ha ansvar för henne, för att känna att ingen vakthållning skulle förslå. Antagligen tänkte hon inte på annat än hemliga hemskheter, som hon undanhöll någon – tills han inte kunde tänka på annat.

Han låg på en bädd på golvet, som han brukade när Anna-Stava var opasslig. Så snart han slumrade till, hörde han det tassa ute i gången. Till slut var han tvungen taga halmbolstret och fällen och smyga sig ut och in i *kontoret*. Per sov lugnt. Först lugnade det Didrik; naturligtvis: Per som ännu inte tänkte på flickor överhuvudtaget förstod väl ingenting av Hagars natursart? Men denna oskuld gjorde honom också dum, Per! Han förstod inte att Didrik bett honom ligga här i det rum som gränsade till sörkammarn enkom för att låta Lellsnown förstå att han var avlyssnad, om han skulle få för sig att smyga genom *Gästsalen* till någon kammare

där den sovande kanske vägrat lägga på hakarna!

som hon ansåg sig behöva mot allt husfolk! Per sov ljudlöst. Didrik gick närmare väggen och lyssnade – där inne snarkade Lellstedt, samlade kraft med varje andetag. Den mäktiga girigbuken.

När Didrik äntligen somnade på golvet i *kontoret* drömde han att han skulle bygga en stuga uppe i backen åt främmen-qwejna. För det var mycket synd om henne som inte hade något hem. Han spikade och det gick fort och bra, och han måste nästan skratta över sin skicklighet: i vaket tillstånd hade han sysslat föga med snickning. Till sist slog han fast en hake på utsidan av dörren. Det hade nu samlats många människor som beundrade bygget men inte förstod varför haken skulle sitta på utsidan så att han blev tvungen att hålla ett längre tal. Han talade härligt – fastän han inte kunde höra själv vad han sa – men så småningom godkände alla det berättigade och naturliga i att haken måste sitta på utsidan till Hagars lilla hus. Men då var han oförmedlat på Svedjebrännet i kammarn hos Ruben Larsson och lillhuset på gården var inte byggt för Hagar utan för *Gawn.* Och i samma stund hördes ett tjut från den galne som kom Didrik att vakna och sätta sig upp. Ett ögonblick tänkte han på denna varelse som han aldrig sett, och mindes tjutet, dess raseri och förtvivlan. Hur länge hade han låtit så utan att uppgivas? Utan att ”bli van?” Men han är ju galen. Han känner nog inte som vi... ”Men varför tér det sig då så – om det ej finnes ett motsvarande skäl?”

En annan galning, Ludvig, återställde möjligheten att le åt hela drömmen.

Didrik gick ned i köket, blåste upp elden; drack en kopp *blanda** som stod i ett ämbare på diskbänken. Det dånade av sömn från alla soffor och barnsängar.

Gick fram till vaggan. Sonen log emot honom. Igenkännande, glad, eftertänksam. Detta att barnet var så vida förmer och ändå godkände Didrik utan varje inskränkning! Didrik måste helt enkelt vara den han var inför denna blick. Han var godkänd *in blanco!* Didrik hade velat ta upp honom – men nu var gossen blöt efter natten, och skötsel var något så krångligt att endast kvinnor. Ett ögonblick kände han avund. Det hade ingenting med amningen att skaffa – bara en enkel känsla av att det måste vara roligt att syssla med barnet så; hans systrar kappades ofta om att hinna först och lekfulla ramsor och smeknamn hittade på sig själva. Quejnen hade då några förmåner också...

Hagar kom in, okammad; schal över särken; sömnig på ett vardagligt, nästan surt och i varje fall anständigt sätt. Hon tog samma kopp som han använt och öste sig en fyll *blanda.* Och för denna, intill systerlighet vanliga människa hade Didrik haft en så förödmjukande natt, att! Han gick ut och skrattade. Månen var stor och vacker.

Han stod på bron och försonade* sig och beundrade månen och allt; när dörren öppnades och Otto kom ut. Han ställde sig på kanten av bron mot norr och pinkade ut i snön. Man gjorde inte så i Månliden, ens om man var snallare! Inte av högfärd, ännu, utan av pappa-Mårtens huldhet om all spillning från folk och fä som kunde samlas och användas till gödning. Den här främmen-pajken hade inte fått pissreglementet uppläst för sig ännu? Didrik kunde ha tagit tillfället, men hade godhet kvar från vaggan och ville dela med sig åt pojken men var helt brydd därför att Otto ställde sig och såg på Didrik så ohanterligt. De där stora ögonen som aldrig log och den där lilla munnen som ofta log, men innehållslöst, om inte hånfullt. Så Didrik sa:

– Få känna hur tung du är! Om jag orkar lyfta en sån karlaparvel...

och satte handflatorna om gossens huvud och lyfte honom så.

Det var sånt som drängar och halvkönlingar gjorde med småpojkar; duvningar för att se hur mycket den mindre tålde, hur länge en sådan kunde behärska gråten. PappaMårten hade aldrig godkänt att någon starkare dummades med en svagare. Hade man kroppskrafter över så var det bara att ned i diket! Spada av dig otukten om du vill bli människa, *vaal männisch.*

Till och med huvudbonaden är okränkbar för mannen. Hur mycket mera huvudet! Att bli hissad så att huvudet behandlas som överkropp är en förolämpning; som att säga *ohängd.* Den åsikten var allmän, och gemensam för Didrik och gossen.

Han hade börjat lyfta av rådlöshet. Men som han höll pojken kände han den finlemmade kroppen besätta hans händer genom huvudskålen. Och Hagars doft. Pojken hade sovit i samma säng som hon? Och Didrik blev yr

det liknade den ömhet han hyste för Anna-Stava och Storsonen

och ändå var den helt annorlunda – den sprängde all vördnad. Den ville förgå sig.

Ett ögonblick kändes det som om Didriks händer, oberoende av honom själv, skulle kunna trycka så hårt att det krasade, att något oåterkalleligt ginge sönder.

Om nu gossen bara ”gav sig” genom tårar, genom att den där lilla munnen förvreds i gråt, skulle de vara räddade

men det enda som hände var att gossen, sakta, fällde ögonlocken medan seendet flyttade ned till munnen.

Detta styva grin tycktes veta allt om Didrik. Men där Storsonen i vaggan bara fann härligheter när han ”visste allt om Didrik” där fann den här pojken bara sådant som Didrik själv föraktade.

PappaMårten avbröt dem genom att komma ut ur stallet och slå i en dörr så att Didrik släppte ned pojken.

Och påminnelsen om den dödliga kränkningen mot Häst'n sköljde bort det erbarmliga i Didriks sätt mot gossen; ett kok stryk skulle han ha haft! vem det nu var som kunnat begå en sådan råhet mot ett oskyldigt hästkreatur.

Svullnaden hade gått ned och smärtan hade domnat. Men andedräkten var som Jobs när Satan hade fått Den Högstes tillstånd att bulta honom ett tag

men det gjorde mindre eftersom Anna-Stavas herre och man inte var tätt bredvid denna morgon.

Alma kom och frågade hur mamma mådde och hällde upp ett glas vatten ur *karaffinen* och lyckades med det utan att slå sönder eller spilla och sa att inte hade jag fått bängla med detta om pappa hade sett på! och hon ställde fram spottkoppen så att mamma fick skölja munnen. Och Anna-Stava sa att din ingefära som du kom med i quällst* den hade varit skarp nog att få övertaget över värken! Ska du börja doktorera folk som en riktig kråmakärling* du, Alma-stejnta.

Och Alma började spela upp om hur det varit i quällst, om hur Hagar hade eldat i bakugnen utan att fråga någon om lov, hur hon hade skickat Maximiliana till Nickes efter fyra ripor; och dem hade kommit, plockade och uppgjorda, hur hon sedan skurit fyra skivor rimsaltat fläsk, rullat ihop dem, tätt som spolpennor och trätt på dem torkade äppelringar och stoppat dem in i de små fågelkropparna och några enbär i varje! och så in i den brinnande ugnen! Och strött peppar på dem och öst dem med spad i den största stekpannan och det hade luktat så gott och hur hon kokat sviskon och aprikoser på härden och ställt ut på bron till att kylas och hur hon hade druckit ur spadet och bjudit pojken sin att också dricka och hur hon trasat sönder de kokade frukterna med kniv och socker när dem voro kalla och hur hon piskat äggvitor s'att det rök som ripdun och hon hade hållit skålen upp och ned och ändå föll det där dunet inte ned och Hanna hade skrattat när hon såg det s'att hon hade pinkat ned sig, stora flickan! Och fastrarna hade varit sura hela kvällen och Sofia hade en gång alldeles tydligt sagt *oäktingen* fast hon nog trott att ingen hörde det och Laurentia hade sagt *Hon'denna*.

Och så hade hon haft med sig en kniv som ingen sett förr och med den hade hon skalat potatisen innan den var kokad! Och så hade hon skurit den i slantar och tagit ut pannan med ripor och lagt dessa potatisslantar i ringar runt om fågelkropparna s'att dem fingo gräddas färdigt tillsammans.

Och främmenqwejna hade varit elak en gång för att det inte funnits något annat att grädda efterrätten i än en vanlig stekpanna, den lilla, för det kan ju *smaka bond'* ur den sa hon, s'att Laurentia vart så elak att hon slog av tre trådar i ränningen i väven, sa hon, i rena harmen; men främmenqwejnna hon skurade stekpannan med såpa och med sand och slösade med vattnet s'att. Konrad gatt springa och bära ämbar på ämbar och sen smorde hon stekpannan med *smör!* mamma, inte med flott! innan hon hov ned de söndriga sviskonen och aprikoserna och äggvitan som hon likasom bäddade ihop s'att dunen rök. Och hon tog upp stekpannan med riporna och lät den stå litet på sidan på härden och hon rakade ut alla glöden ur bakugnen och hov dem också på härden och ställde in stekpannan, den lilla, med sviskonen och aprikoserna och skummet som var som dun in i bakugnen och stängde luckan; och medan den var där inne gjorde hon en soppa och i den hade hon lagt små bollar av något, och då hade hon inte sett så arg ut, s'att Alma hade frågat vad det var och då hade främmenqwejnna sagt att hon haft med sig torkad sopp, s'att Alma hade förstått att hon bara drev med henne eftersom sopp ju var sånt som bara kor kunde äta. Men det hör du väl på ordet, *att sopp passar till soppa* sa Hon'denna och äggula hov hon på botten i skålen som stått högst upp i vrån i boa och medan hon hällde soppan på gulan fick pojken hennes vispa och sen lade hon på det rosiga locket och for med det hela oppa bott'n, och då hade det varit kvar litet i grytan och då hade fastrarna undrat mycket mellan sig om dem skulle töras smaka litet när hon gått oppa bott'n i gästsalen, men dem hade inte torts, utom till sist faster Matilda – och hon hade sagt att det var gott och hade farit så noga runt alla kanter först med sked och till sist med fingrarna. Då såg Laurentia och Sofia på varandra som dem göra ibland när Matilda... som om hon inte vore riktigt i ordning... men det är hon väl? Visst mamma? Visst är Matilda i ordning! Hon är mjukast av alla fastrar som finns.

– Och vad fingo dem att dricka? Kärnmjölk eller sötmjölk?

– Hon frågade om det fanns frusna lingon och så skickade hon efter fyra skopor fulla ur tunnan där i matboa. Och så kokade hon upp dem med socker och skrapade i lite ingefära samma som ye fick i tanden, mamma, och stötte och silade och kylde. S'att jämt var det någon som fick stå utpå bron och vakta något gott mot hundar och skator och katta. Två tillbringare vart det, fulla.

Men det värsta var kanske gräddan som hon tog, främmenquejna, fortsatte Alma. Från sju tråg skummade hon av och ställde tillbaka trågen i kantoret. Så då hade hon skummat alla! S'att till kvällsgröten fick husfolket bara blåmjölk! Och piskade gräddan på samma vis som hon hade gjort med äggvitorna. Och pojken denna, han sprang bredvid och bar alla möjliga kärl och tillfång.* Han fick passa upp som om han varit en flicka. Hon betrodde inte mej. Och inte fastrarna. Dem fick vara nöjd om dem kom åt att koka kvällsgrötn s'att husfolket fick sig något i munnen, sa dem. Även om dem gjort något så bondaktigt och obetydligt som att hugga timmer och hämta hö från utängsladan, och köra snöplogen, sa dem och var orive*.

Anna-Stava såg på detta sitt äldsta barn, som just fyllt sju år, klok och bister och rolig. Hon behövde inte fråga om pappa var borta; Alma sökte sig aldrig till Anna-Stava om Didrik var i närheten eller kunde väntas. Då ägnade hon sig åt Siri eller Hanna och lärde dem att mamma inte fick störas om pappa såg det. De hade fastrar, kusiner, farfars, och fähusets alla djur, de saknade inte famnar och varma vrår. Men det var en triumf att komma åt en stilla stund med mamma och hava hennar för sig själv.

– Pappa har farit oppåt marka. Han tog skjutsen själv. För he var en Lidstedtar'. Ha ye hört he mamma? Att dem kalla Lellstedt för Lellsnown? Och han körde med Esau. Och farbror Efraim har farit åt Basnäs efter Strömmen. För dem ska visst häva bort Häst'n idag. Och Strömmen jett vara med. För Häst'n he jer ju halverst som en människ...

– Läs en bit ur Arndt. För Häst'n och mamma din. Vars slutade vi sist? sa Anna-Stava.

– Vi var mitt i femtioåttonde kapitlet, sa Alma.

– Vad har det för överskrift?

– "Att den naturliga himmelen och hela werlden, med alla naturliga krafter, är underkastad en christens tro och bön." Och hon fortsatte.

– "... huru kan det alldeles förnekas, a t t firmamentet hafver sin verkan i människan, då likvisst hela firmamentet är i människan", vad betyder det, *firmamentet?* sa Alma.

– Skåda bak i "Registret på alla märkvärdiga saker."

Och det tog tid för Alma att finna det, men hon fann förklaringen *himmelens fäste* och fortsatte "då likvisst hela himmelens fäste är i människan, och det microkosmiska firmamentet hafver en så noga och riktig öfverensstämning och sammanljud med det macrocosmiska",

Men *microcosmiska och macrocosmiska* stod inte i Registret över Märkvärdiga Saker. Enda felet med Arndt var att han måste blanda ut texten med så mycket latin. Men pappa hade en lista över främmande ord. Nog kunde Alma gå in i *kontoret* och låna den en stund. Men flickan vågade inte.

Anna-Stava skämdes, över Didrik? över sig själv? som inte ansträngt sig mer att få honom att inse flickebarnen; samtidigt var hon så trött att hon helst hade somnat igen; samtidigt kände hon att detta ögonblick hade den största betydelse; att det inte fick försummas

och hon tänkte på Dolsedumpan, rotegumman som dött i hennes famn, och som tiggt henne om en sak: att Anna-Stava skulle ta bort fällen som låg mellan dem – och hur Anna-Stava somnat ifrån denna yttersta vilja.

Och hur kunde hon tänka på en gammal sockenhora inför detta rosiga barn! Därför att ivern hos barnet var – inte densamma – men besläktade? Hon steg upp.

– Tag ljuset så gå vi tillsammans. Och de fann ordboken – och vi kunna visst låna den! För pappa kan henne utantill! som ett rinnande vatten!

Alma stannade på tröskeln och sa:

– Är det här som gerningsbanan dånar om nätterna?

Luthers helvete över alla som hade svag tro och förlitade sig på *gerningar* hade förenat sig med pappaDidriks *jernbana* till en *gerningsbana* som dånade skräck i flickans drömmar? Men inte värre än att hon ville leva?

Mor och dotter återvände till *gemaket* med ordboken och kom fram till att himlafästet fanns i förminskad form inom människan liksom detta samma himlafäste fanns ute i det stora världsalltet.

– "Det är orimligt att hålla före, det så store himmelske kroppar, som äro många resor större än hela jorden, hava alls ingen kraft och verkan, alldenstund, såsom den werldsligen vise mannen säger: ju fullkomligare några skapnader äro, ju ädlare kraft och verkan hafva sjelfva de tingen, hwilkas skapnader de äro. Människan är den större werldens medelpunkt, på hwilken alle strålar syfta och sammanlöpa.''

En omisskännlig dov duns kom all luft i huset att skälva. Alma såg upp ur boken, suckade och sa *he var väl Häst'n som rätna*. Men då somnade Anna-Stava. Alma gick bort till fönstret och fortsatte att läsa för sig själv.

Konrad kom instapplande och föll ned över hennes knän och grät. Han berättade mellan snyftningar hur de hade lett ut honom, hur han hade hängt med huvudet ''nästan till jorden'' hur mager han hade varit om knäskålarna, särskilt knäskålarna. Och dem hade lett fram honom längs med ett flak som dem hade lagt på två stöttingar. Och hur han hade darrat. Och Strömmen hade strött ett pulver i näsahålen på Häst'n s'att han vacklat och då hade karlarna styrt kroppen s'att den föll ned på flaket och då hade Smeds'Ante slagit honom för pannan med storsläggan s'att bloden... och sen hade Strömmen lyssnat på hjärtat på 'an och sagt att han var död. Och då hade farfar, pappaMårten, sagt att det var onödigt att sticka honom. Och sedan hade dem brett över honom med ett lädertäcke. Och sedan hade Efraim spänt för 'a Leijla, men det hade varit nästan omöjligt, för Leijla hade inte velat. Fastän Häst'n var övertäckt var det som om marran hade vetat att det var han som låg där. Efraim och Assar skulle köra bort med liket, men Leijla var så oregerlig att 'n Efraim gatt gå bredvid huvudet på Leijla och hålla henne i grimman och god'tala med henne att int skämma ut sig utan försöka gå som folk.

Körde dem västerut eller öst'at? frågade hon i onödan. Hon visste inom sig att de for till Hästätarflarken. Inte bara för att det var den enda öppna grop som kunde svälja en så stor kropp i denna kyla, och på lagom avstånd från bebyggelse. Men därför att Hård var där och väntade.

De' två snällaste här på Månliden var Anna-Stava och Konrad, "halverst* som änglar dem!" Det var likasom fastslaget, godkänt – och deras ursäkt för att slippa arbeta så tungt som Matilda och Oskar till exempel, eftersom det nog var som ett *arbete* också att jämt måsta tyda allt till det bästa!

Men Anna-Stava hade denna försummelse som med tiden åt upp andra försummelser, ända tills syndabekännelsens *och vet mig för den skull vara värd att förkastas* mest handlade om detta: att hon inte gett Hård en rätt begravning. Kunde det inte tänkas att Konrad hade någon liknande skam? *Om han hade det skulle hon bikta sig för detta barn!*

Hon kunde inte minnas efteråt hur frågan fallit, men att den likasom förutsatte att det var Konrad som gjort det där med hästmulen. Samtidigt med anklagelsen följde en trösterik förminskning – att han bara velat skämta!? Att han inte förstått vilket brännsår som skulle bli av järnets kyla?

Men hans förvåning. Att hon kunde tänka det! och Besvikelsen! Oförrätten! Harmen – som inom en minut växte till ett *skulle hava kunnat* som straff mot denna välgörerska som utgått ifrån att han *hade kunnat*. Hon såg en ängel omkomma. Och hennes tårar hjälpte inte. När han såg upp var det en försvarslös pojke som inte längre räknade med att bli igenkänd. Hans änglavingar var bara ett lyte. Han skulle vara hänvisad till en framtid som hantlangare åt dagakarlar som skulle kalla honom *Könteln* och *Kus-mat* och förakta honom för att han inte orkade som andra, och inte växte som andra. Och retsamheter sådana som "Vad fattas dig? Längtar du efter att få bli getare i Blankvattnet eller?"

Han skulle börja lyssna. Eftersom den godaste madam var mäktig de gemenaste misstankar – hur skulle det då inte se ut i de vanligas skallar? Och om någon – som Olförarn! – behövde veta något dåligt om en annan – kunde det vara bra för en som Könteln att känna till det...

Anna-Stava skyndade upp ur sängen och hindrade honom från att gå. Han tog inte emot hennes böner om tillgift. Men han var dock en from gosse? Men också hon var en själ i nöd! sa hon och nu skulle dem gå till den heliga skrift, och söka bot och ledning, sa hon. Ofta ofta hade hon fått ord som upprättat henne när hon varit förtvivlad till döds.

Han förhöll sig kall men väntade medan hon slog upp och läste den rad som kom upp av sig själv, som fingervisning.

Men jag säger eder den som ser på en annan qwinna till att begära henne han har redan gjort hor med henne i sitt hjärta.

Anna-Stava blev förlägen. Ibland var Skriften inte det minsta samarbetsvillig. Den här raden var för en annan karlavarelse! Efter en avsevärd tystnad sa gossen, Konrad:

– Då måste ju Mästaren själv hava gjort hor.

Anna-Stava nästan flög i luften: Vad vågade han understå sig att tyda fram.

Men Konrad framhärdade:

– Hur kan någon veta vad det är: att begära – utan att själv ha behövt?

Hans röst som varit gossebarnets, aldrig över tolv, föll ned i det första målbrottets grovlek; Anna-Stava såg att han kunde vara sexton. Och han såg på den knubbiga Alma som om hon varit en skål monka* eller en hop med sopp, som visst var tänkbar för folk också.

Kajsa-Karin hade följt med Strömmen. Och hon satt i köket och höll Hanna och Siri, en på vardera knäet. Fastrarna var tacksamma över att det kom en moster för en gångs skull, och särskilt en sådan sorgedag, när allt husfolk var så bedrövat, att småen kunde få bli rent olyckliga eftersom ingen kallade dem *lifsens tröst, lilla fölet, gullsnodden* med mera sådant.

Didrik hade tagit skjutsen med Lellstedt oppåt marka och ingen skulle bli förvånad om han inte kom hem förrän nästa dag, för han ville nog vara utom synhåll för allt Månlid-folk en dag som denna för att även om alla sörjde Häst'n så kunde ju ingen sörja som Didrik. Det måste man ju förstå.

Utom att Kajsa-Karin var mycket välkommen – men även Strömmen, och särskilt som han såg nykter ut, för han hade givit Häst'n lindring i det sista –

så var man tacksam för att Hondenna höll sig på sin kammare en dag som denna! Efter alla de bravader som! För hade hon varit kringom ugn och eldstad så här på förmiddagen skulle husets egna kvinnor inte hava kommit åt att laga något åt husets egna anhöriga! Som hon regerade. Men dem hade väl sina skäl – att hålla sig litet på sidan, en dag som denna, såväl quejna som pajk!

Och Eva kom och gladdes över den doft av Basnäs som Kajsa hade med sig – och över att *Hondenna* inte var till synes – och över att Strömmen hade kommit, s'att Anna-Stava kunde bli hjälpt.

– Detta är Månliden i anda och sanning: om en kärling

nästan dör i barnsäng eller av tandvärk, det behöver man inte kalla på doktorn för! Men om Häst'n skall hävas bort – då måste doktorn komma och hjälpa honom över gränsen.

Men Olförar'ns systrar tyckte att det vara mera härsket än roligt sagt av Eva. Hon kände tydligen vad hon kände: att vara doter åt gamle Olförar'n och bara svägerska åt den nye!

Strömmen lät Anna-Stava snusa in något pulver – samma som Häst'n fått?

Han höll fram sin högra hand som darrade och han talade om den och till den

att det inte bara var av brännvin utan lika mycket av kärlek som den skalv; men att det fanns en annan kärlek som han kunde befalla fram och då skulle handen bli säker, precis så lång stund som han behövde; ville Anna-Stava att han skulle befalla fram den kärleken?

Hon svarade inte.

– Nene. Men jag har så det räcker åt oss båda!

Och han drog ut den förvärkta tanden utan en darrning.

– Nog var väl det ett kärleksbevis? Så gott som många andra?

Och han hade med sig ett par tandborstar och undervisade och sa att alla måste börja borsta tänderna i socknen. Med salt. Och skölja noga. Desto viktigare som lakrits och toppsocker börjat grassera. Och skulle Anna-Stava försöka förklara för Per om vikten av tändernas rengöring bland kunderna, sa han.

Hon sov en stund och när hon vaknade låg Kajsa-Karin bredvid henne.

Det hade kommit förbi en barnafader från Digervattnet och skjutsat barnmorskan som skulle hem nea Plass'n. Och eftersom det fanns rum nog i risslan, och eftersom det gällde att installera sig i skolan "i tid" där han skulle börja om ett par dar och så vidare, tog Strömmen tillfället att giva sig av.

– Hos Valbergs blir det väl alltid någon råd, sa Kajsa.

I åratal hade hon längtat efter att någon enda gång få sova i syskonbädd med Anna-Stava åter, sa hon. Och kunde dem verkligen hoppas att Didrik skulle ligga borta s'att hon finge sova tillsammans med Anna-Stava tills i morgon, för så mycket behövde hon träffa henne. Och eftersom Anna-Stava var litet frisk efter en så svår tand; och eftersom Kajsa dels var något vårdkunnig och dels var en hjärtesyster så kunde väl gårdsfolket inte döma ut dem som lättingar om dem stannade på sidan om allt arbete?

Först grät de en stund. Sen skvallrade de om mormor, om de andra syskonen. Om kärlekens plågor. Om Ansgar som led under alla plikter, även den äktenskapliga. Elisabet höll på att förbittras. Och Ida, som svämmade. Men hennes granna karl såg ankommen ut. Han hostade och var bensvag och dög inte till mycket arbete. Han spelade zittra. Ibland kunde Ida taga honom och bära honom runt på köksgolvet tills sonen deras blev så svartsjuk att. När hon kom hem från skogen där hon huggit sparrar tillsammans med drängen, Olof, som hon bara tagit hemifrån Basnäs! Ansgar vart ju så elak att. Men Ida gör ju absolut som hon vill. Hon går i vadmalsbyxor. Och kör med häst! Och hör aldrig vad någon säger. Så länge Sigfrid lever går allt bra. Men Strömmen säger att han nog har åt bröstet. Och skulle Ida förlora Sigfrid då skulle hon bli hemsk. Du förstår vem hon skulle bli som?

Fårfällen som på en gång lockade fram och förmildrade nästan otänkbara förtroenden.

– Strömmen tog mig eftersom han inte kunde få dig, sa han. Men prisa dig lycklig som slapp 'an! För Strömmen kan intet konsten att vara gift.

Och Kajsa berättade hur sårad hon varit och ond på Anna-Stava. I början av äktenskapet kunde han vara öm och förespeglande. Hon skulle lägga sig före han. Hon fick inte ha så mycket som en kom-i-säng-tröja*, ja inte det minsta linne på sig. Han måste få se på henne, länge, bara se. Tills hon blev så blyg att. När han lämnade stolen vid sängkanten och hon trodde att han gick för att klä av sig, kom han tillbaka med glas och butelj, satte sig på stolen igen och började dricka. Hon fick fortfarande inte bre över sig, eller taga något på sig, han måste bara få mätta sig med anblicken. Och så berusade han sig på brännvin och hennes blygsel. Nästa dag hade han ont i huvudet och klagade över kvinnors kättja som var så mycket värre än mäns. Och hur förnärmande det var för mannen att kvinnan inte tänker på annat! Och det värsta var att han hade rätt så till vida: Kajsa-Karin tänkte inte på annat, sa hon. Hur hon skulle kunna överlista honom, hur dem skulle kunna berusa sig med varandra, för visst är det ett rus? säg Anna-Stava!

Och Kajsa skulle ha återvänt till barndomshemmet, trots att mormor var så elak och Ansgar så snål. Men eftersom Anna-Stava då ännu var hemma. Och eftersom Strömmen då påstod att det var henne han velat ha, så kunde Kajsa inte gå hem. Men efter en tid hade hon misstänkt att talet om Anna-Stava mest var en påhittad olycka, en förevändning, att det enda han ville var supa. Och hon sov i kammarn med haken på; för att han inte skulle komma åt att göra narr av hennes längtan.

Och sedan, en tid, hämnades hon genom att påklädd till kropp och själ betrakta honom medan han var utlämnad i sin fylla.

Men efter en sådan ödslig tid återkom deras samtal; hans behov av hennes lyssnande. Han ville att hon skulle vara med när han förklarade för skolbarnen, eller för luften, vad som hände när en ärta grodde, eller vad blodomloppet var för något. Han tog henne med på alla sjukbesök. Och när det slaktades i Basnäs tog han henne med och undervisade om djurets kroppsbyggnad vid styckningen. Och om kvällen visade han bilder av människokroppen och gjorde jämförelser med vad de sett. På sitt knarriga missunnsamma sätt kunde han berätta så hissnande att...

– Jag minns! sa Anna-Stava, från skolan. Det var knappt att man nådde ned till golvet ibland, så märkvärdigt blev det när han berättade om världsalltet. Bara man...

– ... hade sluppit se honom! Tänkte du säga! Medge att det var det du tänkte! sa Kajsa-Karin och Anna-Stava rodnade.

– Men när han berättar om tyngdkraften. Och om balansorganet. Och om hur jorden far genom rymden. Aldrig på samma sätt. Och kanske kommer jag aldrig att förstå det till fullo – men han har då en hänförelse för Skapelsen. Och han gör mig delaktig i den, s'att. Så jag kommer aldrig att kunna gå ifrån honom och ta en vanlig pigplats. Han tror att han inte kan leva så länge till och skyndar sig att lära mig allt han vet – så där att det inte ska märkas... och jag snappar också upp det i hemlighet. Vi lever som två tjuvar bredvid varandra. Han kan lägga fram en boksida som han räknar med att jag måste se och häpna över. Men jag måste läsa den ''olovandes''.

Kajsa-Karin berättade att ''han kunnat känna jordens rusande genom världsalltet när han söp.'' Men att han på senare år alltmer sällan ''kom dit''. Ett gott rus borde förberedas med åtminstone en månads avhållsamhet, sa han. Men han orkade inte tåla sig så länge. Men en gång hade hon upplevat hur han efter några dygns fylla hade stått hopkrupen på ett ben och hållit huvudet mellan händerna och det var ''jorden som höll på att falla ur sin bana och det ankom på honom att styra den rätt.'' Och jag tyckte att det var min skalle som han höll fast i sin egen.

Någon gläntade på dörren ibland, var det Alma? Ibland var det Laurentia. Var allt i ordning i huset? Jo. Fick lillbarnet di? Jo. Ävenså Siri-Datt'n fick. Hade det kommit snallare för övernattning? Nej inte ikväll. Och Didrik sov nu över i Lappträskvattnet? Han hade inte kommit. Men länsman hade kommit. Holmgren. Och trots att alla sagt åt honom att Olförar'n nog inte skulle komma, så ville han "vänta i det längsta", sa han. Och plötsligt hade det blivit mörkt. Fick han sova över? sa han. Och söderkammarn var ju ledig. Och ännu varm efter Lellstedt. S'att Främmenquejna, Wargmössa, Hondenna, till att rusta supé, åter.

Jag tycker inte om tapeterna som hon har satt opp i gästsalen, sa Anna-Stava. Dem vara som Salomos ålderdom.

Sen sov de litet och lät huset brusa alltmer fjärran. Brasor knastrade. Vaggmedar knarrade. Vävstolen slog. Fotsteg hasade. Matildas omedvetna röst. Drängarna som talade högre emedan såväl Olförar'n som Madám voro borta. Länsmans skrattande som hördes någonstans på Övervåningen.

Men systrarna lät alla ljud vara otydliga, ett allmänt betryggande sorl för barn som ska somna

ändå nändes de inte riktigt somna, utan berättade små skamsna fantasier.

Om Salomo, just, som också Kajsa-Karin tänkt på och som var så kättjefull att han antagligen inte märkte om det var Höga Visans lilla tornbröstade brud eller någon annan. Och då brukade Kajsa-Karin ibland smyga sig in när Konungen sov och då gjorde dem vad som helst i mörkret och innan morgonen grydde smög hon sig ut och nästa dag visste Salomo inte vem som hade lägrat honom utan kunde gå där och domdera och vara både vis bland sina hundra tärnor – och *lika vis*

Anna-Stava hade en annan dröm. Den handlade om bihustrur. Två tre stycken. Dem lade hon i Jakobs famn. Själv sov hon. Så snart han lägrat en och ville hava Anna-Stava tog hon den andra bihustrun, lade den i hans famn, vände sig bort och sov, och så vidare. Dessa bihustrur vore omättliga och ändå glada – det gjorde dem ingenting! Om morgonen var Jakob maktstulen, ja rent förödd. Anna-Stava däremot skulle vara fullsövd, lätt och stolt som en trana.

Är det mycket oanständiga drömmar vi hava?

Inte så farligt. Förebilderna stå ju i Bibeln så...

Luther säger på ett ställe att om en man inte vill ligga när sin hustru kan hon fly till bergen med någon annan, som vill!

Vad skulle en predikant hos oss ha sagt om det?

Zakri ordnade ju så att Ida kunde förföra Sigfrid, så. Vad skulle han säga.

Men Gusta-Paulus han hade nog gripits av nitälskan mot en sådan quinna och kallat henne *stöfs*.

Vad han var elak mot mormor!

Jo. Men han tjuvälskade henne. Det såg jag en gång.

Tror du att alla hava ett uns *nitälskan* i sig...

En liten straffdjefvul som...

Han har supit opp halva den skog som var i min arvslott efter mamma. Vad mormor skulle ha sagt om hon hört det?

Det skulle hon ha förstått, 'a Catarinamor.

Sju mil, det var en mil för mycket som dagsresa, även om han inte körde ett snallarlass. Och inte bara för hästen Esau var det för mycket; han var nervös – om det berodde på bjällerkragen som Efraim, utan samråd, hade spänt på honom – eller på att Esau kände på sig vad dem skulle göra utanför stallporten idag.

Didrik hade sovit så dåligt att han ibland försökte slumra till under vägen och ursäktade sig inför Lellstedt med att dem skulle taga bort en gammelhäst hemma i Månliden och att "det kändes".

Lellstedt däremot hade sovit utmärkt; sufflén hade legat som vadd kring hjärtat, så att säga, och inga hetsande drycker! natten i Månliden hade sannerligen stärkt honom för resan oppåt marka där de verkliga strapatserna skulle börja. Men där också de verkliga tillgångarna voro mer uppenbara! Skogarna tätnade. Byarna blev allt färre. Skog och skog och snö och snö. En renhjord. Timmar utan ett möte med häst och karl.

– Vilka rikedomar! Våra uppköpare på kontinenten skulle bara se! Jag hörde att Domänstyrelsen beslutat auktionera ut en post om en miljon tre hundra tretton tusen och sexton träd inom Lappträskvattnet. Att avverkas inom sju år.

Lellstedt lät siffrorna sjunka in. Även om Didrik inte riktigt förstod vad en miljon var kunde han kanske ana att det flotta erbjudandet om tre à fyra tusen från Grenhultaskogen var något mindre, så att säga.

Timmer och uppköpare på kontinenten det var vad

Lellstedt besegrade från flinten och ned till fötterna. Mellan benen hade han ett sågverk. Bara en byidiot skulle kunna misstänka en sådan övermakt för att behöva en levande piga om natten.

– Det verkligt dråpliga blir siffran *sexton*. Jag ger mig den på att jägmästarn här uppe satte dit den som ett skämt.

– Första gången jag åhörde en rättegång var det en Erik Andersson från Kaxliden som åtalades för tillgrepp av sexton stycken träd från Kronans skog. Och det var inte skämt.

Lellstedt visslade till:

– Men där har vi det! Att jag inte förstod det genast! Den här siffran 16 var naturligtvis en hälsning till kaxen Andersson från vilken lid han än kommer! Att dessa träd som se oräkneliga ut för storhopen – dock samtliga äro sedda, räknade och kända!

Didrik mådde sågspån.

Han kunde ha vänt i Fågelträsk, ett skjutshåll halvvägs till Lappträskvattnet, men han fortsatte. Han ville inte komma hem så utskämd som han kände sig. Han ville hämta igen en natts sömn, bliva återställd. Han ville vara säker på att dem hunnit skotta bort blodspåren efter Häst'n hemma på gården.

Han gruvade sig för att de skulle ta in på samma skjutshåll i Lappträskvattnet, i värsta fall erbjudas att sova i samma kammare. Men Lellstedt sa att han skulle ta in hos länsman, ”en vän från ungdomstiden”, s'att.

En mindre försmädlighet inträffade. Didrik upptäckte att han glömt taga penningar med sig. Och Lellstedt låtsade inte om att skjutsen kostade något, eller nattlogiet i Månliden. Och fastän Didrik gillade att bli behandlad som en ”affärsbekant” och inte som en skjutsbonde. Han fick välja mellan att låna av Lellstedt eller be skjutshållet om kredit; han valde det senare; och dem skrattade och sa att det kunde jämna ut sig: någon gång skulle en skjuts fara ända till Skjellet! Och då kunde man sova över i Månliden?

De bjöd på torkad ren och salt kaffe och norrsken.

Han fick sova i samma kammare och säng som drängen, som skulle ta vid skjutsningen av Lellstedt till Avaviken nästa morgon.

Didrik somnade genast. Men han drömde att Efraim, Assar och Manne möksade ned Häst'n i kallkällan på Flarkmyran. De släppte ned bakändan först men när bara huvudet syntes började Häst'n leva och kämpa för att taga sig upp.

Didrik vaknade med ett stön.

Kunde pappaMårten ha tillåtit att Häst'n inte blev avlivad i ordning? Kunde dem vara så obetänksamma som att begrava honom i Hästätarflarken där så många vanliga hästar gått åt genom åren. Hade dem ingen känsla för att Häst'n borde begravas enskilt, på ett hemligt ställe, långt från storhopens. Fast å andra sidan, med denna djupa tjäle. Begrava honom i snön? Vänta till våren? Strida med räv och korp och blidväder tills hästliket skulle vara skändat på tusen sätt innan det bleve jordat. Ho vet om inte Nicke skulle kunna gå och skära sig någon bit ur det som agn till sina giller? Nicke som aldrig haft en häst kan inte skilja på två sorter!

Men hur kunde dem gå till Flarkmyran? Har Didrik inte sagt det till Efraim någon gång att den är upptagen från och med Jernbanestationens anläggande? Men kanske inte. Sockenstämman måste först godkänna. Kunde man inte bygga stationen nån annanstans? Nej Tranan och Storsonen ville hava den där! Så det löftet och beslutet kan inte ändras!

Han somnade bara för att snärjas av en annan kuslig

dröm. Han stod på farstubron, och Otto var där och "få känna hur tung en sådan karlaparvel kan vara"... och han satte händerna runt pojkens huvud och lyfte, det knakade lätt i någon kota, och pojken log, men inte bara fällde han ögonlocken, utan ögonen försvann helt och hållet, och öronen och håret; medan leendet fortsatte förvandlades hela pojken till sten och blev tung och gled nedåt och nedåt; hur Didrik än kämpade för att hålla honom uppe och få honom över kanten så sjönk han till dikets botten. Och ändå var leendet kvar, oföränderligt.

Han låg vaken och såg ut i mörkret, och såg det för sig: hur Nabot kommit på en sten när han dikade. Och gjort en krök förbi stenen "för vattnet har inte ont i ryggen". Och hur han sedan, om kvällarna, i hemlighet hade gått ned i diket och försökt lyfta upp stenen. Hur nära han varit ett par gånger? Hur han med all sannolikhet skulle ha lyckats en gång? och hur stenen skulle ha legat där en morgon uppe på dikesrenen? och vilken uppståndelse den skulle ha väckt! Vad pappaMårten skulle ha berömt den här fosterpojken som är styvare än de hemgjorda pojkarna, "oppfostringspajken jenna som jer stivare än hamgjort pajka".

Och hur Didrik på skämt hade lyft upp stenen. En kota i nacken mådde illa av det åratal senare. Att han låtit Nabot och några andra ynglingar se på lyftet. Hur han gått emellan Nabot och hans sten...

Men Herre Herre, Nabot kunde väl ha sett ut en annan sten... en annan gång.... den var väl inte OERSÄTTLIG... Varför vara till den grad stingslig att man måste fara utrikes – efter att ha vräkt omkull stenen igen... och en piga därtill... om det nu var Nabot... som var far till Otto...

Vari bestod Didriks skuld, egentligen?

Som om inte alla pojkars uppväxt vore full av sådana kraftmätningar, nederlag och triumfer! Som om inte rentjurar, hästar och baggar höll på med sina klövar, hovar, och horn tills det var avgjort vem som var starkast!

Som om Didrik inte hade tålt att Nabot hade något betydelsefullt för sig...

Tvärtom! det var Nabot som ingenting tålde utan nitade fast Didrik i ett skämt! Blåste upp ett *hyss* till en *kränkning!* Började förfölja Didrik! Det skulle sannerligen bli intressant höra på domens dag hur den här stenlyftningen skulle värderas. Om Den Högste skulle vara till den grad småaktig och långsint. Se på fåglarna hur de dansa, som prästfrun brukade säga. Och det som vi uppfatta som dans är inte ett skämt mellan tupparna. Utom tranan och hennes ädla tupp! Dem dansa verkeligen för varandra!

Allt för långt mellan människor! Inget annat fel i dessa trakter än brist på människor! Så att varje mänsklig handling blir övertung, överlastad med följder.

Bara Jernbanan kommer blir det massor av sten som måste vräkas i myrarna s'att dem kunna bära räls och tåg – då skall en sten som Nabots få så mycket sällskap att den aldrig kan misstagas för ett pojkhuvud.

Medan han låg vaken och lugnade sig hörde han det tassa i stugan. Eller om det bara var norrskenet som hasade och schasade där ute. Hur hade han inte misstolkat steg föregående natt när det sedan visat sig att den misstänkte sovit som en stock, ha ha.

Men vem vaktade henne i natt?

Var sov en broder som Per i natt?

Var sov han i vanliga fall?

Nere i köket. Ibland i rummet bakom handelsboden. Sommartid varsomhelst utomhus, så som unga ogifta människor alltid sökte sig ut då. Någon gång hade han sovit uppe i *kontoret* om Didrik bett honom, och som nu igår... s'att Per måhända hade fått smak för övervåningen. Ville ha en *egen kammare* att bli behandlad som en *bokhållare* hos en verklig... vadå – skulle det räknas som en mindre myndighet att vara Olförar i en fattig socken än i en rik!

Sannerligen var det inte alls ohemult begärt av Per: en egen kammare.

Men att passa på och slå sig ned där i Didriks bortovaro! Och när Anna-Stava var så lite frisk, såväl på grund av nyligen timad barnsbörd, som på grund av svår tandvärk – det var sannerligen... påpassligt! Didrik hade inte så mycket som tänkt på att varna sin lillebror, så självklart hade det varit för honom att denna, denna hårt prövade... skulle visas all den respekt som hon dittills icke fått av en oförstående omvärld... ja mera respekt och höviskhet än hon måhända alltid visat sig själv... för att Månliden skulle bidraga till att återställa det förtroende för omvärlden som olyckliga omständigheter måhända rubbat; allt detta hade ju varit för självklart att uttala. Men vad hade Per fattat av den självklarheten? Pröva sig fram? Som en lösdrivare tänker? Att en som redan blivit *skämd* inte har mycket att vara högfärdig över... kan Per vara så förslagen? Vansläktas på pappaMårten till den grad? Anna-Stava! Flickan! MammaStava! Visst har tandvärken gått över! Stig upp nån gång på natten om du hör några misstänkta ljud! Skicka ned lymmeln till köket, till snallarstugan – om han tror att han har något att skaffa i nöhl'kammarn. Gör klart för huset att *Hondenna* kan sova trygg även om huss'bonn' är borta!

Han gjorde bara ett uppehåll från Lappträskvattnet och till sockengränsen. Han visste inte hur fort han skulle kunna komma hem. Långa utförslöpor. Och om han var hänsynslös mot Esau så var det i sin ordning. Ingen häst skulle få den ställning som Häst'n hade haft.

En viss tillförsikt innebar det ändå att komma inom Lillvattnets sockengräns. Om Spadar-Abdon hade varit hemma skulle han ha gjort en avstickare till Ecksträsk men Abdon var i Högklinta, öst på socknen, fällande timmer från en kron-trakt åt D. Mårtensson.

Andra byar på vägen – hur hade dem det? Han visste vilken gård i varje by som var äldst eller av andra skäl kommit att gälla som byns medelpunkt. Dit körde han och frågade hur det var med vinterförtjänsterna. Om man hade häst och karl och huggare lediga några veckor för en avverkning i Grenhulta? Lite sent på vintern! Jo. Dock inte alltför sent. Om man blev ett tillräckligt stort lag skulle man nog ändå hinna få ned timret.

Inte så angelägna om att vara i lag med andra byars karlar... Och den ena byn drog sina sneda ramsor om den andra. Hade dem icke varit så fromma skulle dem hava kallat varandra filistéer, hundturkar, eller papister*. Men mindre pikar sådana som *suckare, nådetjuvar* och *bokstavsträlar* vågade man sticka fram inför Olförarn så här på håll.

Didrik tillrättavisade dem inte direkt utan bemötte förtalet som syskongnabb. Däremot visste han berätta att det öst på socknen fanns dem som höllo på att förledas av tankar komna österifrån länet, *nea landet.* Där nere tycktes dem inte göra annat än lura på hur dem skulle kunna förbigå Lillvattnet och då särskilt dess västra delar. Som nu Jernbanan som vi behöva så långt västerut som möjligt. För att få avsättning för den träkol som vi så småningom. Den här delen av socknen är nämligen mycket mer än den östra, som gjord för träkolsframställning. Där öst på hava dem bredare åar, och längst ned tillgång till Skjelletälven. Dem kunna ju flotta sitt våldsamma timmer. Frågan är vad dem ytterst hava i sinnet där, dessa den *yttre linjens* försvarare! Inte nog med att dem hava Skjelletälven! Dem göra också anspråk på Jernbanan! Inte nog med att dem alltid få äta sig mätta! Dem vilja nödvändigt att vi skola svälta ihjäl här västerut! Sakta men säkert... likasom torka bort!

Då grepos de västliga byarna av nitälskan. Dem kunde gott tänka sig att arbeta i samma skog, att hava sina hästar i samma kojstall, att steka sitt fläsk på samma eldpall, ja dem skulle tåla *att se varandra,* och faktiskt komma ihåg den kristliga plikten att tyda allt till det bästa, till och med om det gällde grannbyns karlar!

Löftet om en högre betalning var heller inte oävet. Sannerligen. Nästan bara ett villkor ställde Olförarn opp – att dem skulle komma till sockenstämman den första februari, eftersom man ändå skulle *nea Plass'n* den dagen i och för kronoutskyldernas erläggande.

Alla hade bekymmer med utlagorna – en ville inte skicka bort så mycket smör då mamma i huset envisades med att vilja köpa varpgarn, färgbrev, fotogen, vekar, benknappar och liknande quejnsaker för smöret. En annan tänkte lämna en kohud men även den behövdes egentligen hemmavid, till seltygsremmar och skodon, s'att.

D.Mårtenssons löfte att dem orädda kunde gå in i handelsboden i Månliden och taga ut ett förskott i penningar till gäldande av utlagorna blev synnerligen berömt.

De följde honom mellan gårdar och byar; hästtjukor klämtade; gamla öknamn slungades omkring som förtorkade skor som aldrig mer skulle få orsaka skavsår. Den stora granna kohuden skulle förvandlas till flottarstövlar, som skulle gå ända upp i breset, tjärblanka och vattenavstötande. Skomakarn skulle hålla på med det och ha stövlarna färdiga till islossningen! Som sagt, denna kohud som inte längre behövde offras åt kronofogden.

– Nog för att det är en ära att få betala skatt åt Konung och fosterland. Eftersom skatten bland annat går till byggande av Jernbana. Men varför skulle vi inte få henne! om vi bekosta henne? få henne att dundra genom oss själva? som Olförarn sade när han, stående i risslan, körde bort så bjällrorna glomrade.

I något avita samtal med Den Högste, eller var det med Eva efter Storsonens födelse, hade han lovat att inte röra Anna-Stava "förrän hon så själv vill".

Och hon såg på honom som om han hade köpesaker i hemliga hörn. Men hon såg bara med kindkotorna då ögonen skulle ha varit frågande på ett sätt som. Varför skulle hon försöka avslöja sådant som han inte godkände hos sig själv? och som ändå var uppenbar.

Han brydde sig inte om tapeten i gästsalen längre. Han såg inte om den var grann eller ful eller lämplig – han såg den inte. Men den hade måst gå genom hans händer, vara ägd av honom, om än aldrig så flyktigt för att han skulle bli av med den?

När han kommit hem från Lappträskvattnet råkade han i gräl med Per. Det visade sig nämligen att det inte fanns kontanter, så mycket som skulle behövas till de förskott Didrik lovat åt dem som skulle hugga i Grenhulta. Och när Per ville gå igenom räkenskaperna blev Didrik "trött på dessa småheter" och om dem inte snart finge Jernbana skulle han bli galen av dessa småheter och denna Lellsnown som var den mest tanklösa snåljåp. Alltid lita på att D.Mårtenssons arv efter sin svärmoder i Basnäs var outtömligt; lita på att timmer skulle flyta ned till hans sågverk, men aldrig av sig själv komma med ett förskott. Alltid lita på att folk hade mjölk och kött och korn och potatis och vore försörjda s'att dem bara för att få tiden att gå åtogo sig att driva ned timmer åt honom, Lellsnown. Didrik gick an som om Per hade prackat Lellstedt på

Månliden med omnejd.

– Gå genom listan på de skattepliktiga! Lägg ihop summorna! Skriv till bröderna Lidstedt och begär det beloppet i kontanter! Det får inte fattas nu till kronouppbörden. Skriv att vi måste hava det i god tid. Påminn kunderna om den första februari. Tala om att dem inte få komma på restlängd för då förlora dem rösträtten! Skicka dem till mig om dem behöva låna.

– Men bror...

– Va har du för skråma i ansiktet! sa Didrik.

– Jag skar mig när jag rakade mig i morse, sa Per. Men vi kunna ändå icke giva oss ut i en låneverksamhet som. Det minns jag så väl att Lidstedtara brukade säga åt småhandlare: tror ni att ni är nån bank, brukade dem säga när jag var på deras kontor.

– Småhandlare, sa du! Och det skulle vara D. Mårtensson i Månliden? Här gäller det att hava de stora linjerna klara för sig! Var god håll det i minnet! Sen när har du börjat raka dig mitt i veckan?

Efraim kom in i boden och Per såg hjälpsökande på denne.

– Här far man som en spole genom socknen för att skaffa folk arbete för att vi ska få jernbana och... någon aning om en högre mening. Men allt man gör utsätts för misstankar och de mest lågsinnade beräkningar. Och lögner. Den oskyldigaste fråga får en lögn till svar, sa Didrik.

Efraim såg deltagande på Didrik och sa att alla i Månliden förstod hur detta med Häst'n hade tagit på honom. Men att han ändå måste försöka att inte *slå grämjan** på sin yngre broder som sannerligen, och så vidare.

Och så lämnade han fram ett konvolut från länsman som varit på besök.

– Vem talade om för honom att jag var borta? Eftersom han kom...

– Men det var ju för att träffa bror som han kom... Han vek upp papperen; det var blanketter som skulle fyllas i om Helsotillståndet inom Kommunen; några uppgifter var redan ifyllda, invånarantal vid årets början: *tvåtusenåttahundranittioen* personer;

Antalet lefvande födde barn under året: *etthundrafjorton*

Antal döde personer under året: *trettionio*

Antalet döde barn under *ett* års ålder

Siffran *elva* var överstruken och ersatt med *tolv*. Och lär oss så betänka. Vems var det tolfte? Hennes som blev kyrkotagen på det skamligaste efter Anna-Stava vid Storsonens dop. Eller... någon navelbunden stackare som inte varit ämnad till någon Storson?

Efraim hade något skinande över sig, något som övergick den belåtenhet som var hans natursart. Didrik kokade: jaså också äldst'brorn, den faderlige, gick bakom hans rygg? hörde folk smyga nattetid utan att ingripa när Didrik var borta, tassade själv kanske, varför log han, vad triumferade han med?

– Jaså länsman tyckte det brådskade med de här uppgifterna s'att han måste komma själv!

– Det ska ju vara inlämnat före den första februari. Men det var också ett par fattigvårdsärenden han hade velat.

Åtgärder till befordrande av
Allmänna Helsotillståndet i Afseende på

a) förekommande av källors, brunnars och vattendrags orenande:

b) aflägsnande af orenlighet från boningshus eller dess närhet här anföres huruvida befolkningen har för vana att bo tillsammans i ett rum, oaktadt tillgång finnes på flere, huruvida boskap vistas i samma rum, som menniskor använda till sofrum, med mera som kan hänföras till osnygghet.

Användas bad av äldre och yngre?
brukar man bada de späda barnen?

Och längre fram frågades om *"otillräckligt skydd mot köld. Om vana att ligga i oeldade rum. Öfverbefolkning. Luftvexling i rum. Om vaccinatörer och barnmorskor"*.

Didrik hatade Den Nådiga Helsovårdsstadgans blanketter. Att sova i hopar i samma rum hänfördes till *osnygghet*. Samtidigt misstänkte frågeställaren att *skydd mot köld* var otillräckligt i socknen. Dem voro papister där nere i Schwärje. I bibeln togs det för givet att en sängkamrat var det bästa skyddet mot köld – och där kallades det inte osnygghet.

Och vad angick *Öfverbefolkning* – minst ett tjog menniskor behövdes i varje stuga med den luftvexling som naturen ombesörjde...

Didrik hörde Efraim säga:

– Gawn uppe i Svedjebrännet sägs hava slagit sig ut ur dårkistan dem hava där på gården. Han lär hava varit våldsam nu på sistone.

– Och länsman ömmar så för en annan galning att han måste

– Men Didrik; vi vara dock en kristen socken skall det hetas. Om Mästaren hade träffat en sådan skulle han hava utdrivit de onda andar som plåga honom.

– Jag menar inte stackarn på Svedjebrännet. Jag menade inte alls honom med *Gawn*. Jag bara inte tror att länsman kan bry sig så mycket om en sådan att...

Efraim fortfor att redogöra för länsmans ärenden. Ett sockenhjon, den så kallade Isänkan, som det sista året varit inackorderad hos en bonde i Kankträsk hade avvikit därifrån och skulle det ändå vara en skam inte bara för det bondfolk, som uppburit sockenmedel för att hysa och föda henne, utan för hela kommunen om hon skulle upphittas ihjälfrusen och det skulle komma i avisen.

– Och det ska Holmgren klaga över! Om Lillvattnet blir utskämt för andra socknar i detta län! Jag har länge anat vem det är som förser Skjelletavisen med försmädligheter. S'att. Innan något är avhandlat i stämman eller nämnden nog måste Holmgren skvallra och tassa runt med sina antydningar.

Men Efraim vägrade fortfarande att bli sårad.

– Var det nå mer? Nå viktigt! som tvingade hit honom när jag var borta.

– Nå om det var så viktigt. Men mamma gillade det, 'a Eva... Mosedoter Mårtensson. Det är så att Lundmark från Tallheden anses vara för gammal. Både som nämndeman och till att sitta i taxeringsnämnden. Och då lär dem ha resonerat ihop nå gubbar att jag skulle vara lämplig att efterträda honom? Så dem tänkte föreslå stämman att...

Så det var den oskyldiga anledningen till Efraims nåderika uppsyn! Didrik med armarna om hans skuldror. Han huttrade som om han räddats upp ur en isvak, och detta var det roligaste som hänt Månliden på åratal!

– Att den där dumskallen Holmgren kunde komma med något gott förslag, den där! Ja ibland tycker jag att han är en riktig halvyllebracka! Men att. Vilken ära för hela Månliden! Inte bara för Eva men för oss alla. Har du sagt det för pappaMårten! Vilken lättnad! Vilken lättnad för honom!

Efraim småskrattade under detta utbrott. Men Per såg på Didrik och undrade vari lättnaden bestod.

De gick ut ur handelsboden och Didrik larmade om storebror, som nu också skulle bli en storkarl, och vore det inte på tiden att resa en större byggning åt "Efraim och hans hus" man kunde välja ut ur Grenhulta-skiftet de stiligaste träden. Och sätta drängarna till att bila och bereda dem; han hade lejt så mycket folk till den timmertrakten, att Oskar, Manne och Assar kunde sparas för ett sådant knog hemma på backen. Och vars ville Efraim resa sin byggning? Det bästa stället skulle ha varit där backstugan står. Men den var det väl inte värt att?

Nej sa Efraim. Det skulle pappaMårten aldrig gå med på – att rubba *'n Isak.*

– Då kunde Per övertaga den stughalva som ni sannerligen vuxit ur. Om han nu skulle gifta sig så småningom. Också. 'n Per. Han har ingen – vad tror du? Han kanske inte brås på pappaMårten lika starkt som vi, i kärlekssaken, 'n Per, sa Didrik.

Efraim tog av gradvis åt väster till sin stuga medan Didrik gick rakt upp och när deras ansikten var nästan osynliga, sa Didrik:

– Hur länge stanna 'an?

– Vem då?

– Länsman. Holmgren denna.

– Han ville som int tro att du skull sova borta utan väntade utefter kvällen. Och till slut tyckte han att det blivit för mörkt. Så han sov över. Sörkammarn var ju ledig. Och liks oppvärmd.

Didrik svarade inte. Han gick öster om huset. Tog av sig handskarna. Körde ned de brännheta händerna i drivan bredvid tallen, höll dem länge innan någon svalka. Han tog snö och gned sitt ansikte, det kändes svullet, brusande. Detta tassande! Var hade Per sovit? Om åtminstone han fått se en sådan skråma på Holmgrens kind!

Men inne i köket grät sonen, den ende. Sofia höll honom och sjöng *led milda ljus* och *tusse lulla* om vartannat och det hjälpte inte, och Didrik skyndade fram och den otäcka svullnaden lämnade hans kropp.

Så snart han tog barnet i famn förhärligades de båda; gråt och skam upphörde; det gjorde ingenting att andra småbarn kinkade och gnällde djupt nere på golvet bland pottor och skohö, att storhyllan var full av barntrasor som hängde på tork; det var bara Fader och Son som riktigt förstod vad allt handlade om och som måste skratta av förvåning. Hur förtvivlade hade dem inte nyss varit! Och vilka dumheter hade dem inte skyllt på i sitt raseri! när det bara var varandra de längtat efter sedan urminnes tid.

Så absolut OERSÄTTLIGA att.

Det kom ovanligt mycket folk till kommunalstämman den första februari och raden av fattigärenden var tämligen, så att det suckades mycket, och Didrik försäkrade att Jernbanan inom några få år skulle avskaffa all brist. Lillvattnet skulle få råd att köpa kamin till kyrkan, råd att bygga skola i varje by, råd att bygga fattiggård så att hjonen inte längre skulle behöva frysa på vägarna eller tränga ut det egna husfolket i stugorna.

Sen berättade han om Malmfälten; att man hittills i Skjellet-avisen tyvärr haft så mycket småaktigt nedsättande att meddela om folket där uppe, som om dem inte gjorde annat än söpo och slogos, när dem i själva verket givit sig ut i ett krig som rätt besett fordrade det största hjältemod: kriget mot fattigdomen. Hurusom malmfälten voro fulla av järn som skulle komma hela landet tillgodo. Huru Lillvattnets socken ägde en tillgång som här kunde förädlas – nämligen skog lämplig för kolning, hur dessa kol behövdes till förädlingen av järnet; hur vissa uppgifter tydde på att Lillvattnet i sinom tid skulle kunna hålla jämna steg med Malmfälten – vilken ädel tävlan som skulle följa! Och vilken glädje för Lillvattnet att allt det arbete man skulle utföra inom socknen – skulle bli till fromma för hela Fäderneslandet. Kolningen skulle kunna jämföras med sågverksindustrin. De små sågar som funnos – Moses i Basnäs och Lundmarkara i Tallheden voro ju beundransvärda, men någon sågindustri jämförbar med de anläggningar som funnos vid kusten kunde en inlandssocken som Lillvattnet med sina smala vattudrag icke hoppas på.

Men kolet! Men fraktmöjligheterna? Alltså Jernbanan! Var skulle hon gå? Österut där dem redan hade breda älvar, bördiga åkrar, feta sågverk?

Eller västerut? mitt genom Lillvattnet? mitt genom det land som var magert på allt utom växande kolved?

Bergström från Eckstäsk reste sig och talade om moralen. Att Olförarn underskattade oväsendet i Gällivara trakter, att detsamma hade börjat i och med järnbanebyggandet. Att detta bygge i Västerbotten därför borde förläggas åtmed kusten s'att ordningens väktare kunde kasta busarna i sjön för att svalka dem. Att fädernas bygd måtte skonas från denna åverkan och besmittelse.

Och Didrik sa att vad fäder brukade önska var liv – "och övernog" – la han till. Att helige män i den heliga skrift visserligen ibland gingo ut i öknen för att undkomma werldens besmittelse. Men dem brukade stanna högst fyrtio dagar. Sen återvände dem till bebyggelse, tvättade fötterna, smorde sig, profeterade, voro glada och ursinniga. Kort sagt dem förstodo att det gällde att leva medan dem höllo på.

– Det finns enstakaställen i denna socken där dem levat såsom i öknen i fyrtio år. Ändå hava tillfällen till synd icke uteblivit. Man bör icke underskatta djefvulens makt som den store doktor Luther själv säger. Vad jag menar är att dem som leva ytterst i snön hava det tungt genom det motstånd dem tvingas göra mot tomma intet. Det vill säga den stora folkbristen. Det är inte meningen att jernbanan skall göra oss till slavar under henne. Att hon skall tyrannisera oss som det stora vilddjuret varom Uppenbarelseboken talar. Utan tvärtom att hon skall bliva vår ödmjuka tjänarinna. Det är vi som skola styra hennes sträckning – lägga ut henne där det passar oss – samt bestämma vilka bördor hon skall bära.

– Låt dem draga jernbaneeländet åtmed kusten, säger jag, sade Bergström. Och han upprepade Lundmarks varningar som alla kände till; Lundmark själv var icke närvarande.

Bergström var inte så hög men bred, med långa armar och en skäggväxt så framfusig att allt inte hann förmänskligas, både ragg och ogräs tycktes trängas med de vanliga stråna runt hans mun och öron. Han varnade för att draga *främlingar, fiender* och *sodomiter,* genom det allvarligt sinnade inlandet. Utbölingar från landskap vars namn man aldrig hört, talande språk som liknade hetitiska eller romerska och som hade ett *utvärtes* så kusligt att någon *inre människa* icke kunde anas i dem; dem vore jord och värld från hufvud till fot. Man borde ej beblanda sig med dem utan gå in i sin kammare och låta jernbanan draga fram åtmed kusten, där synden redan stod bolmande tjock! man hade väl hört talas om Björnviken!

Och Didrik svarade lekfullt att hur må vi inte ha tett oss själva när vi kommo som främlingar för en knapp mansålder sedan, från kusten och ända hit till Lillvattnet? Hur förfärade måste inte traktens flickor och fäder, ja kanske till och med riporna ha blivit, mörkhåriga som vi voro – en del av oss. Men efter en tid godkände dem oss såsom komna i goda avsikter.

Med den unga panna som Olförarn kunde stråla med blev skillnaden i ”mörkhårighet” mellan honom och föregående talare så avgörande att sockenborna måste skratta, nästan som ripor, så att Didrik måste säga ett belevat ”skämt åsido” innan han kunde fortsätta.

– Det är inte rallarna som hava fientliga avsikter. Dem vara bondpojkar och torparsöner som vi. Och dem hava en kärlek till fosterlandet som förbjuder dem att fara till Amerika och lämna oförsörjda barn efter sig. Hellre draga dem jernbanan upp genom vårt eget land! Och under vilka umbäranden! Sannerligen dem förtjäna ett bättre mottagande än att bliva kallade hedningar och fiender. Detta så mycket mer som vi hava en verklig fiende. Där lurar han på andra sidan Quarken. Vad väntar han på? Jo att jernbanan skall byggas åtmed kusten! Att allt folk från det inre av Västerbotten skall lockas ned och tränga ihop sig där nere såsom en luskung. Vad händer då? Innan Fienden går iland kan han från kanonbåtar beskjuta jernbana och folk med samma kulor! Stranden ligger strax öde. Det är bara för fienden att trava in. Kriget är så att säga vunnet för fienden före landstigningen. Jernbanan måste följaktligen läggas utom räckhåll för dessa kanonkulor – om vi vilja bevara vårt fädernesland fritt från de främlingar, de sodomiter och hedningar som Bergström från Eckträsk så övertygande varnat för.

Inte bara vore det hjärtlöst att med *den yttre linjen* utlämna kustborna till ett sådant öde. Vore det inte också landsförräderi? *Den inre linjen* däremot, jernbana genom det inre av Lillvattnet socken –

...hur smög sig icke *den inre linjen* fram som ett andligt spår. Inte olikt den där farleden som Moses öppnade tvärs över Röda Hafvet s'att folk kunde taga sig hem till Kanaan, det inre hemlandet, mer torrskodda än om dem gått på en spångad myra eller över en kavelbro.*

Gubbarna log och tog tid på sig med sina invändningar; han måste få rum för sina krumsprång, Olförarn.

En liten gubbe Ture-Tussn steg närmare bordet, han ordnade med en hötapp under ena armen; stoppade och klämde fast. Och alla log och viskade hur det var fatt. Han hade tagit hö-givan för att stilla hästen och glömt det. Ibland kom han in i kyrkan med en sådan hösudd. Och om inte hans kvinnfolk hjälpte honom klä sig skulle han ha byxorna bakfram och så vidare. Han var bonde på Platsen, men hade *satt ifrån sig,* och sa att han också for efter det som ofvan efter är. Och att han hade uppfattat Jernbanan som hörande till de jordiska angelägenheter som också måste skötas enligt doktor Mårten Luther, på ett verldsligt vis. Men han hade både jordiska och hinsides skäl emot Den Inre Linjen. Så mycket som han dikat och odlat. Och över det skulle banan gå? Fader och farfader vilade nu på gravgården. Om nätterna besökte dem odlingarna med sin välsignelse, det kände han. Det var förfäderna som med en stilla bris höll luften i rörelse omkring *'a kall'Lovisa*

det är den tjugofemte augusti när kornet hotas med förfrysning av det stränga quejnfolket.

Jag har smått sett framemot min hädanfärd just för att få vara med i den striden, om kornets mognad, med detta kalla fruntimmer, 'a Lovisa

men kommer jernbanan då kommer jag intet att töras.

Någon sa att om den skulle dundra så vådligt som det nu hördes skulle därav uppstå ett luftdrag som också kunde hålla 'a kall'Lovisa i skinnet. Men det skämtet uppskattades inte: man fick inte nämna förfädernas andedräkt på samma dag som något maskinellt.

Didrik tog den vithårige Ture på mjukaste allvar: att ingen drömde om att skända hans och fädernas odlingar. Och allt vad det kostat att spada opp. Att få dén stenen och dén och dén över kanten – vilka minnen i armar och kotor hade inte socknens alla män från tidiga pojkår när ingen sparat sin kropp. De härliga tegar och åkrar som sålunda uppkommit – skulle dem vanhelgas? Bort det! Men hade dem då icke alla med *den inre linjen* avsett den västra sträckningen? den som gick över Flarkmyran? Där skulle man nu få en myra utdikad som hittills ingen vågat sig på. Mindre frostlänt skulle det bli. Den klena skogen i grannskapet skulle få ny växtkraft. Och som sagt socknens hästar skulle undgå den stående fara som varje sommar; och som givit Flarkmyran öknamnet Häst-ätar-flarken.

Nu sa en östsocknes att han uppfattat det så att *den yttre linjen* betydde jernbana åtmed kusten

och *den inre linjen* jernbana över Lillvattnet.

Då ingrep Efraim; att man för så länge sedan i överläggningarna hade förkastat tanken på en kustbana att! Det förvånade honom att någon enda fortsatte att räkna med den såsom nämnvärd, ja tänkbar! Den senaste talaren hade då inte den avsky för fienden i öster som?

– Jämnt åttio år har gått i år sedan min farfar som femtonårig gosse återerövrade en häst som fienden stulit när han härjade och brände nere vid kusten. De flesta här hava sådana släktminnen. Men fingo vi en fristad i det inre av Västerbotten för att förorda att en språngbräda lägges åtmed kusten för Fienden att hoppa in i vårt fädernesland på?

Bonden från Kankträsk såg ganska ertappad och skyldig ut. Han försökte säga att han bara ville ha det utrett vars de där linjerna gingo, för han hade också läst Skjelletavisen och han var inte emot jernbanan som sådan men...

– ... om den bygges åt arvfienden eller för brödrafolkens väl det skulle göra dig allt lika! sa Spadar-Abdon.

Nu var Kankträskaren så illa ute att han teg. Bara att säga att han inte planerade landsförräderi gjorde honom misstänkt. Han kanske underskattade fiendens avsikter! Han kanske inte hatade Fienden natt och dag! Det kanske gick dagar när han tänkte på annat! Just sådana landsmän var det som i ett kommande krig blevo de tuvor på vilka fienden kunde hoppa in! Man skulle lägga den mannens namn och utseende på minnet. Man skulle minnas hans ”oskyldiga” fråga. Man skulle slå honom med den svekfulla avsikt han hyst och som han av feghet försökt dölja.

Didrik sa ingenting medan socknen tuktade Kankbergaren tills Fienden i Öster närapå betydde Lillvattnets östliga byar lika mycket som barbarerna öster om Quarken.

Didrik måste till slut försvara Kankbergaren med att betydelsen *kustbana* för *den yttre linjen* nu hängt med så länge även i riksdagen. Och att dem där nere i Stockholm inte haft Fienden så tätt inpå sig och därför lättare kunnat leka med tanken på en sådan bansträckning för Västerbottens del. Men att anföra Riksdagens språkbruk här fick ju inte omtolkas till ett tecken på samma lättsinne här – som där. Och att folk i Kankträsk voro lika trogna sitt fosterland som vad Eckssträskarna voro det kunde D.Mårtensson sätta sitt huvud i pant på såsom levande mitt emellan dessa tvenne härliga byar.

Detta rentvådde Kankträskaren, någorlunda, men *den yttre linjen* var för resten av stämman utskämd. Trots att den alltså nu betydde den sträckning som gick strax öster om Plass'n.

Valberg frågade om sockenborna tänkt på Kyrkan som hittills varit Lillvattnets självklara medelpunkt.

En järnbanestation hade benägenheten att draga till sig folk och verksamheter av skilda slag, sa han. Hittills hade människor samordnat jordfästningar, barndop, betalandet av utlagor och så vidare, med proviantering. Kyrkbyn hade varit det ställe där man fick näring för både kropp och själ. Och kyrkstugorna! Dem skulle man ju inte kunna utnyttja lika mycket som förut "om järnbanestationen läggs på Hästätarflarken."

Märkvärdigt att höra Valberg ömma för folkets själaspis, han som aldrig går i kyrkan!

Är det inte snarare oron att dem som bygga banan ska proviantera näst D.Mårtensson i Månliden eftersom det ligger närmare?

Han skull int oroa sig Valbergen! Han som säljer medixin!

Men vi som hata brännvinet borde just häri se ett skäl för *den inre linjen* – rallarna få för långt till Plass'n där dem kunna skaffa brännvin!

Återigen ryckte Didrik ut till försvar för en illa tilltygad motståndare. Hans ärade sockenbor underskattade Lillvattnets framtid. Hittills hade det varit så att två handelsbodar vissa dagar tyckts vara en för mycket. Men i och med jernbanan skulle ju en handelsbod i varje by komma att behövas! Hela socknen skulle ju gå en sådan utveckling tillmötes! Inte ens tre tusen personer på en yta av sjutton kvadratmil – men kära vänner det är det som allt handlar om med Jernbanan, med *den inre linjen:* vi ska gå en stor framtid tillmötes. Jag kanske inte alls sysslar med handel längre fram. I varje fall ska Valberg inte tro att jag vill släcka ut folklivet här på Plass'n, när jag förordar att Jernbanan skall gå några kilometer västerut. När befolkningen inom kort fördubblas! För att vid sekelskiftet kunna betecknas som "folkrik bygd"!

Man gled över till frågan vad socknens järnbanestation skulle få för namn, som om frågan om läge vore avgjord.

Valberg hämnades med att föreslå *Hästätarflarken* "så förfäderna bli ihågkomna redan i namnet".

Spadar-Abdon föreslog *Lillvattnet* – där uppe i Eckssträsk hade man länge velat ha socknens hjärta närmare sig.

Didrik sa att han inte förrän nu kunde tyda den titel han fått sig ingiven en försommarafton förra året. Han hade stått vid Flarkmyran som haft en blank vattenspegel över sig. Samt hade en trana stått i luften så utnämnande och fin. Nu förstod han att stationen måste ligga där och heta *Vattnet.*

Men myran skulle ju dikas ut, och bli avrunnen och torr, sa Valberg, och saknade stil som vanligt.

Lundmark var borta men hans äldste son var tillstädes och tog till orda. Skulle bataljen nu börja? Den verkliga? Men helt oväntat sa Algot Lundmark att han varit tveksam före stämman om vilken linje som. Men att han nu vore övertygad om den inre linjens alla fördelar. Att dessutom *Vattnet* vore en utmärkt titel. Att man inte skulle ta den på det andefattiga sätt som *bokstavsträlar* tyda varje ord. *Lill-* som föregick det nuvarande sockennamnet hade hittills varit bra med hänsyn till folkbrist, försakelser och kyla varav nybyggarnas liv varit så bemängt. *Lill* var ju kärleksordet i dessa trakter; *Lill-vän* sade mannen i hemlighet till hustru och häst. På det sättet hade Lillvattnet klingat trösterikt när karlen var färdig att uppgivas i skogen eller på myran. Lillvattnet var således ett utmärkt namn för invärtes bruk – om stämman ursäktade ordleken. Men nu när Socknens Jernbanestation skulle bliva omtalad i hela fäderneslandet – från Ystad till Haparanda – där man inte fattade att *Lill* betydde *kära* utan trodde att det stod för *småaktig*. Där var ett namn som Vattnet något annat. Starkt och enkelt och rent.

– Men det stämmer ju inte, envisades Valberg. *Flarken* vore då bättre.

– Det namnet är redan upptaget av en annan by nea landet.

– *Myran* då?

– Söderut säger man *en myr, den myren*. Säger du *myran* åt en schwensk tror han att du menar en viss pissmyra.

– Dessutom har *Vattnet* fördelen att påminna om *Lillvattnet* utan att därför beröva den gamla kyrkbyn dess namn. Den får ju behålla allt sitt...

Saken skulle nu avhandlas vidare bland menigheten och den som hade synpunkter kunde inlämna dem till Olförar'n, D. Mårtensson, som på nästa möte i Kommunalnämnden skulle inhämta det kommunens beslut både vad gällde sträckning som namn, som skulle tillställas Länets Jernbanekommitté.

– Och det ska ni veta gubbar, Regering och Riksdag såväl som Hans Majestät Konungen fästa avseende vid vad vi tänka här. Så att: känn ansvar för vilka svar vi sända dem där i hufvudstaden!

Återstod ännu en fråga: val av nämndeman sedan mandattiden utgått för P O Lundmark, Tallheden. På förslag funnos omval av nyss nämnde samt Efraim Mårtensson, Månliden.

Reste sig Algot Lundmark, och hälsade från sin fader att denne av åldersskäl ville frånsäga sig alla uppdrag samt tackade han för visat förtroende under år som gått. Och ville han själv tillstyrka valet av Efraim Mårtensson såsom synnerligen gott.

Stämman hade varit så segerrik att Didrik helt glömt länsman, ja alla tänkbara försmädligheter. Han hade det bra och önskade hela världen samma goda. Efraim stod i farstun och hördes ta emot skämtsamma lyckönskningar.

– Om nu nån Lillvattensbo ertappas med baggande å Kronans skog och kommer inför tinget, visst frikänner du 'an då?

Och Efraim försökte svälja drygheten och sa att vi ska ju bli så rika nu allihop, om vi få tro bror min, s'att vi varken ska behöva hålla på med baggande eller lita till mannamån.

Didrik hade velat ha lite beröm av länsman, som förr i världen, men det kom inget självmant så Didrik frågade vad Holmgren tänkte om järnbanans sträckning.

– Som ämbetsman bör jag inte uttala åsikter i en sådan sak.

– Men det här är ju utanför protokollet...

– Som sagt, och han petade naglarna med en avbiten tändsticka.

– Uppriktigt sagt. Om du vill veta min åsikt: det gör skit detsamma var järnvägen går.

– För Holmgren eller för socknen?

– För socknen och för Holmgren. Skit vare piss! Den ende som det här får en väldig betydelse för – om västerlinjen går igenom – är Algot Lundmark samt dennes broder Ludvig. Och de andra två, som är i ordning, där i Tallheden.

– Varför särskilt för dem?

– Flarkmyran ligger på deras skiften. Det nya samhället *Vattnet* som du vill ge dem kommer att ligga på deras mark. Tomtpriserna blir ju... hur ska vi säga... *uppåtsträ-*

vande på området i fråga.

Han lämnade naglarna och övergick till att peta sig i öronen, fick ut lite vax, slet av några hårstrån och började knåda ihop en kula av det.

– Jag får inte för madam, min gemål och kristallskål. Hon säger att om hon en enda gång kommer på mig med att rulla harskit bland fint folk så ska hon! Ja det ska hon... Men här i Sockenstugan bland vanligt groft folk kan man väl få vara som folk? Åtminstone. Vasa?

– Jag har aldrig tänkt på vilka som äger vad, när det gäller Jernbanans sträckning. Det är klart att det hade varit nog så bra om en mindre bemedlad karl hade rått om Flarkmyran. Men huvudsaken är väl att hela socknen kommer att blomstra.

– För D.Mårtenssons ädelhet finns det då inga gränser! Men det var ju roligt höra de demagogiska triumfer du firade. Och en sak var superb: det där du sa om karlar som far till Amerika och lämnar oförsörjda barn efter sig! Det var jävligt roligt!

Hur många gånger hade Didrik inte tänkt föra det där brevet på tal som han hittat en gång i ''Socknens soplår''.

Från Nabot på väg till Amerika

Till Hagar, piga näst Länsman i Lillvattnet.

Men först hade Didrik inte kunnat för den där stenens skull.

Och sen inte eftersom adressatens namn blivit så outsägligt.

Och hur många brev hade sänts till henne?

Kanske Biljetten! Som Länsman undanhållit henne?

Men nu som Didrik segrade i allt skulle också Nabot äntligen få sin rätt! Så Didrik sa det, att han för tio år sen läst ett sådant brev från en som lämnat en havande kvinna efter sig. Men inte för att komma ifrån henne utan för att skapa en större framtid åt henne och åt sig själv i Amerika.

– Det var verkligen allt annat än sopor i den där låren.

– Såå? I de låren? Tänka sig! ha ha.

– Lämnade ni fram det till henne? Eller lät ni henne tro att han var spårlöst försvunnen?

Du-skapet mellan dem var villkorligt. De kunde närsomhelst börja nia och titulera varandra.

– Sa jag soplår så menade jag soplår. Att pigorna också kastade kärleksbrev i den, genom åren, det får vi ta för givet. Kära bror. Vilken skulle det här ha varit?

Didrik kände käkarna låsa sig som om de gått ur led.

– Men du måste väl veta vad hon heter? Den som skulle ha haft det där brevet? Den som du tänker på.

Som om detta namn inte kunde has i munnen. Och inte spottas ut. Som den isbrännande släggan i gapet på Häst'n.

Efraim var på så gott humör på hemvägen att han inte märkte Didriks tystnad. Dessbättre var det också en rad risslor efter varandra och med tjukor och rop och bjällrorna. Och så småningom släppte våndan i käkarna. Holmgren hade tassat och försökt allting med Hagar i Hussbonn's frånvaro härom veckan! Men hon hade gjort narr av honom! Han hade ingenting fått! Hon hade lagt på haken i nöhl'kammarn – både den som gick mot farstun och den mot *gästsalen!* Hon hade sagt: Försvinn! eller: jag talar om för Olförarn vilket svin till länsman som den här socknen har! Hade hon.

Och Didrik skulle äntligen skriva det där brevet. Till Abdons söner i Amerika, han hade ju adressen; och fråga vem den där karlen från Lillvattnet socken var, och be denne höra av sig till Olförarn som kunde förmedla... till anhöriga... till närstående...

Förresten det vore att spilla tid! Han kunde lugnt utgå ifrån att det var Nabot! Han kunde skriva till Nabot och be Abdons söner lämna fram det! Att Nabot omedelbart måste höra av sig!

Naturligtvis brydde sig Hagar inte längre om... vad man nu skulle kalla honom...

men hon borde åtminstone få veta att Nabot inte hade rymt... att en helt annan var den skyldige...

nej nej det var inte för att skämma ut Holmgren som detta brev måste skrivas

utan av enkel anständighet

Genast. Så fort han kom hem.

Jägmästarn hade sovit över ett par nätter och kronjägarn och hans biträden en hel vecka och Hagar hade farit fram ”som en värdshusmatrona” sa Laurentia, och ”gjort skillnad på folk”, sa Sofia och ”det ska ni säga!” sa Matilda som var van att känna sig utsorterad.

I den mån Anna-Stava varken hade barnsängsklenhet eller tandvärk att skylla på för sin undfallenhet började Didriks systrar se på henne med ogillande. Anna-Stava försvarade inte sitt husfolk mot Hondenna. Och det var som i barndomen där alla väntade sig att Anna-Stava skulle upprätta den som 'a Catarina-mor hade förfördelat.

Där var Moseböckernas absoluta: *för ett grått hufvud skall du stå upp och ära de gamla.*

Där var Ordspråksbokens löfte: *ett mjukt svar stillar vrede men ett hårt ord kommer harm åstad.*

Men hur snabb Anna-Stava än varit att linda in mormors harm, att försöka stoppa in den bland de grå håren under hilkan, var mormor ändå snabbare när det gällde att se en ömtålighet i omgivningen som behövde skavas. ”Stå inte så där som ett får!” kunde hon ryta åt dottern Eva-Lisa. Tills Anna-Stava en dag var framme vid den rättighet som Paulus skrev ut åt sin unge lärjunge Titum: *låt ingen förakta dig* (alltså inte heller en gråhårig?!) så hon sa:

”Mormor låt oss ändå leva!”

”Och jag hindrar er från det?” sa den gamla.

”Ja.”

”Tänk att om ni inte tål så pass här i huset då tycker jag ni ska krypa av.”

Och för en gångs skull var 'a Catarina-mor inte hånfull utan enkelt redogörande.

"Här klagar ni över att jag kastar ut några sandkorn av det berg som jag har här inne", och hon slog sig för bröstet. "Några sandkorn. Ni är förnärmade. Alla era böner handlar om kraft att uthärda dagens sandkorn som den elaka mormor strött i er väg. Men jag får bära berget! Vad vet ni om vad jag behärskar och håller inne – när jag sagt något som för er låter lössläppt? Vill ni byta sinnelag med mig. En dag? Du Anna-Stava som älskar andras bördor! Byt med mig en stund – ska du få veta något."

Anna-Stava hade glömt det där berget som mormor bar – ända tills nu när Hagar. En av skillnaderna var att mormor hade uppsökt alla med sin vrede, medan Hagar gömde sig med sin. Och ändå kände sig alla lika förfördelade.

Eller var det så att flickorna i detta hus kände sig kuvade av Anna-Stavas mildhet men "förbjudna" att klaga över det? så att de tog ut den maktlösheten med Hagar som slagträ?

En morgon var hon mera öppet rasande. Hon gick ned till boden och hämtade ett pund såpa, skickade Konrad efter vatten, tog ett ämbare ur fähusporten, rev itu en gammal kjol "som kunde hava sömmats om till en barnklädning" och började skura *gästsalen.*

Nere i köket upphörde all verksamhet. Anna-Stava satt med Isak Mårten i knä och försökte bekanta sig. Han log mot henne och tycktes förstå mer än hon; detta barn godkände hela världen; till och med sin mor; men han klängde inte efter henne. Alma, Hanna och Siri som också alltid mött kvinnovärme vart de vänt sig hade ändå alltid haft en särskild dragning till Anna-Stava. Mamman.

Som han granskade henne! Det här var inte ett dibarn utan en liten gossekarl – vars hjälplöshet botades på annat håll – han var fri att uppvakta henne, retas med henne, utröna henne. Anna-Stava försökte ge honom lite välling; och ibland tog han emot en skedfyll med överseende min.

Flickorna med matlagning, sömnad och vävstol sneglade mot taket. Var det möjligt att människan oppa bott'n ämnade till att skura!

I mars månad!

Som om skurning inte vore för sommarn allenast!

Och särskilt oppa bott'n där ingen går med fähus-skor!

Som om det inte skulle räcka med att strö snö över golvet och sopa!

Som hon slösar med vatten denna människa!

Och på sig själv!

Ändå finns det då ingen som luktar armsvett som Hondenna!

Tala om *täv* men...

Att man skulle skämmas om man vore en sådan *stod av rökelse*

Sch! tänk på Efraim och Konrad som snart vara halvkönlingar...

Varför vara ni int ute och trampa snö! Eller låta farfar sätta er i arbete! Pajkrackara?

Dem hava ju fullt schå att springa med ved och vatten åt Hondenna.

Och medan de gormade på detta sätt, ungefär så högt att Anna-Stava skulle kunna höra det och ungefär så lågt att hon kunde låta bli

och medan hon lät undran över Sonen skydda henne ännu en stund mot andra beslut

började det sjunga oppa bott'n. Men vilken sång! Det liknade ringleken

Varför gå ni här på golvet med edra ben så vita

Skurandet gick våldsamt till, ämbaret slampades omkring. En dörr smälldes igen. Hon skrek åt Otto. Hon började sjunga igen. *Vem skall eder hava och vem skall eder svika.* För varje omtagning gjorde hon nya avsteg från melodin tills den kom i sken, rytmen brast och tjuten skelade åt alla håll.

Småflickorna började gråta. Spädbarnets ansikte förvreds och hans hjärta bultade. Hela hans lilla kropp tycktes arbeta för en rätt tydning av detta larm; vissa ögonblick tvekade han med rynkad panna och neddragna mungipor; men plötsligt fann han sin tolkning: runt om och inuti detta oväsen fanns något osvikligt, sveklöst gott – och han började skratta

och skulle inte gifta sig förrän han träffade en kvinna som skrek så som Hagar när hon sjöng? Och ingen skulle ana den himmelska lenhet som tvingade honom i den oläten?

Anna-Stava lade ifrån sig barnet och gick uppför trappan, men innan hon var uppe hörde hon Hagar försvinna in på sin kammare och lägga på hakarna. Otto stod utanför och bultade på dörren för att få komma in – men vände sig om när han hörde Anna-Stava och stod nu som om han hade i uppdrag att vakta dörren mot intränglingar. Hans ögon var oerhörda.

Anna-Stava gick in i *Gästsalen.* Golvet var skurat till hälften; vårdslöst – träet reste ragg. Tapeten. De främmande lukterna här uppe. Jägmästarns cigarr, eller länsmans, och Hagars armsvett som var en sannskyldig rökelse. Hon gick till Hagars dörr och knackade på den. Mådde Hagar inte bra? Hade hon kramp? Ville hon ha ett varmt lock i en schal att lägga på magen? Ville hon hava kaffe?

Hagar tystnade och teg så länge Anna-Stava stod där; när hon gick därifrån började jämmern yla igen, som ett träd under sågklingan.

Anna-Stava skulle återställa brännvinsflaskan; kom ihåg att Hagar skulle kunna se att Anna-Stava inte tagit en droppe, gick tillbaka, slog ut litet i spottkoppen och åter till dörren.

– Vill Hagar hava tillbaka medixinflaskan?

Inget svar. Anna-Stava gick runt till Otto och sa att han skulle återställa medixinen, som mamma hans varit snäll nog att låna åt en som haft en hemsk tandvärk häromdagen och tacka för lånet.

Han ryckte åt sig flaskan.

Hon stod i *Gemaket* och anfäktades; vägde fästmötidens ursinniga längtan mot uppfyllelsen.

Och ett il av gråaste kärlekslöshet drog genom henne. Luther med sitt tal om *ledan vid hustrun, den tillåtna* – och begäret efter *den förbjudna*... men ha henne då! jag ska inte stå i vägen! jag orkar inte vara så "tillåten" längre! och alla dessa skämt om länsman! men det är med den belsebubben han vill tävla! Anna-Stava är grannare än madám Holmgren! Vilken ära! Tackar ödmjukast! Denna pösande snörda med sin egyptiska håruppsättning och sitt förakt för hela denna socken! Bli änkling fort, herr D. Mårtensson, s'att Hagar kan flytta in i resten av huset och verkeligen bli jämförbar med madám Holmgren! En som kan uppskatta *imperialen* efter förtjänst! Ja ha honom som han förtjänar! Som ni förtjäna båda två! Tapetsera hela huset! Sätt bjällror på alla hästar – och korna därtill! Bara jag slipper vara med.

I dröm eller vaka föreställde han sig hur hon stod i snön vid trädet öster om huset under *kontorets* fönster. Hon skulle stå där och vänta och längta. Snallarstugan skulle vara full av kuskar som inte kunde sova därför att dem tänkte på henne. Och drängarna. Och broder Per. Alla väntade dem på ett litet tecken från hennar att. Men hon ville bara hava Didrik? Han satt och var upptagen med Socknens affärer. Han hade verkligen inte tid. Hon kastade sin mössa mot fönstret, han gick fram och såg henne där nere vid trädet. Hur hennes fruktansvärda ansikte avstod från sitt allvar. Hon log och vädjade att han skulle låta henne komma in. Han gick tillbaka till skrivbordet, han hade Socknen att tänka på. Hon var fri och skamlös att ägna sig åt kättja men han hade sitt ansvar. Ja ett av hans *uppdrag* bestod i att avvisa henne. Han straffade henne genom att åter gå till fönstret. Han låtsades inte förstå vad hon menade med att kasta vargmössan mot hans fönster. Nu log hon mera ansträngt. Hon började frysa. Snart stod allt Månlidens manfolk och förstod hur det var fatt: att denna Hagar, som höll dem alla vakna, bara ville ha Didrik.

Dessa drömmar hade ingenting med kärlek att skaffa, bara med segrar. Det var Hagars ansikte. Att kunna narra det till en glädje som tycktes fattas där, i utgångsläget, att kunna *förvåna* henne som ”redan sett allt för så länge sedan”. Vilken seger!

PappaMårtens tal om förvåningen i det gamla äktenskapet – att det fanns mer att häpna över ju längre samlivet varade – det kände han för Anna-Stava. Oh det var någonting annat! det skulle vara livet ut! och aldrig befläckas! Det var ju också för Anna-Stavas skull som han vägrade förstå den där vargmössan, ja han *offrade* Hagar, och för en vanlig karl skulle det vara ett stort offer fastän det för honom var enkelt och självklart. Men han måste gå till fönstret och se efter om hon stod kvar, och hur alltmer rörande blev inte leendet där hon vägde hopp mot förtvivlan – att han skulle öppna fönstret och säga kom in flicka lilla men du fryser ju.

Hur länge skulle han kunna hålla henne stående?

Länge förslog triumfen att en skara män med skallrande tänder undrade hur det kunde komma sig att hon vill hava honom; det måste ju bero på att han har en hemlig tillgång som vi sakna?

Efter dessa utsvävningar i avstående

kom fasans ögonblick: han gick till fönstret. Trädet var där men inte den vanliga tallen utan en björk nu. Och Hagar gick efter Nabot. Några steg. Nabot hade fått allt. Men eftersom de inte var ansikte mot ansikte

och fastän Didrik inte fick se deras ansikten

fanns det en samhörighet mellan dessa två, ett milt, dovt lysande beslut; en glädje som inte handlade om Didrik, den var varken för honom eller emot honom; den handlade om något annat. Och det var det hemska *de mindes honom inte. De väntade inte på honom. De var för sig själva.*

Han kunde inte andas. Det var oförståeligt. Det var värre än när Anna-Stava ammat. Nabots och Hagars sätt att utesluta honom. När de gick efter varandra där nere mot bron just öster om Plass'n

och där skulle jernbanan gå! Aldrig! Den skulle dragas västerut någonstans där Hagar och Nabot aldrig någonsin gått tillsammans.

Ibland kom länsman i dessa skymningar – numera hade han egen häst och rissla. Hans päls och hennes mössa som hoprivna ur samma vargflock. Vilket skumrask! Och ibland kom Valberg med stinna ögon och sitt underbett och det där gälla skrattet. Men hans fingrar var ändå det värsta. Sådana kvällar stod björken på huvud och skrevade med kluven stam i vädret. Så skamlig var Valberg!

Men när Didrik ville känna den verkliga fasan slicka i nacken måste han kalla fram Nabot, hans nacke och skuldror när han gick framför Hagar. Två tre steg och hon efter. Om och om igen. Sakta och oupphinnliga.

Till sist fanns bara en tillflykt: det äkta ståndets imperial. Och hur Anna-Stava med oanad girighet slogs om Hagars plats i hans famn.

Grenhulta hade omtalats som "onyttige rymder" när Mårten Östensson vid avvittringen* fått detta område ur Kronans mark; den egentliga hemskogen låg på Månlidens norra sida.

Någon nybyggare som försökt slå sig ned där i Grenhulta hade också bara hunnit bygga en stuga vid en kallkälla och sedan försvunnit. Därefter hade Niklas Hannasson kommit, men också varit försvunnen några år; under den tiden hade Månliden undergått avvittring och skattläggning och Grenhulta med den där övergivna stugan hade av myndigheterna tilldelats Mårten Östensson och dess hustru, Lena Mattesdoter.

Så att när Niklas Hannasson återkom med sin familj blev de skrivna som *inhyses* i Månliden på ett husförhör.

Då och då fick Mårten upp ett il att man måste ordna en avstyckning åt Nicke, att det var förnedrande för dem bägge att den ene skulle beskrivas som inhyseshjon på den andres mark. Men Nicke var inte angelägen. Inte bara kunde han inte läsa – men någonstans trodde han inte på att mark kunde ägas. "Har man bara en skog och ett vattudrag – nog tar man sig maten!" sa Nicke. Men hans *har man* betydde inte *äger man* utan ungefär *har man möjlighet att röra sig i*.

Dessutom roade det Nicke att retas med Mårten. Nicke var till skillnad från Mårten född på orten vilket utgjorde ett övertag i sig. Men vars var han född? och av vem? Åh aldrig en gång för alla, utan dagligen. Ena gången föddes han av en gädda, och den andra av en hare. Siken var hans fader. Och ljekatten hans mor. Älgen födde honom inte så ofta på senare år, men en gång oförglömligt.

Heders! Från Lillvattnet ned till Skjellet, och därifrån oppåt marka, så långt som snallare kunde fara, nog hade man hört Nickes namn. Och svaren som han gav på tinget om Den Där Älgen – dem blev allt kvickare med åren, norrskensaktiga. Vad Öfverheten fick skämmas! Det var inte utan att Mårten Östensson också skämdes; trots att; och fastän; men ändå.

Vem tänkte mer på den andre, Mårten eller Nicke?

Grenhulta hade inte varit mycket till skog när Mårten börjat odla Månliden. Men korna och fåren som gått där och hållit undan sly och skogsgräs och som gödslat marken – åtminstone tall och gran fattade vad Mårten menade med gödning.

Men dessutom anade Mårten att Nickes liv i Grenhulta hade varit av stort gagn för skogen där. Nicke tog sig vedbrand ur lövskogen; och i sin jakt på virke gallrade han lika bra som oavsiktligt; han förhindrade att skogen kvävde sig.

Och jag ger mig den på att skogsfågeln lägger ägg alltefter hur stor kull barn som Nicke och Nora hava kringom sig år från år! Dem räkna ut hur mycket ekorren ska få ta, hur mycket ljekatten, och hur mycket 'n Nicke. Det är som ett kungarike, Grenhulta, med ömsesidig beskattning, som en bonde är för dum att räkna ut.

Blandningen av respekt och förtrytelse i dessa Mårtens överväganden.

Och plötsligt var jägmästare och kronjägare med biträden inne i detta skogsrike och stämplade allt som höll över sju decimaltums genomskärning på sexton fot från roten (tjugosex centimeter i diameter på en och en halv meters höjd från roten).

Och kojor byggdes i hast och träden föll s'att det brakade. Och visserligen var Nicke trägen gäst hos alla huggare och kuskar. Och visserligen försummade de aldrig att spekulera över vad Nicke skulle kunna göra av dén krokiga tallen och av dén utväxten och dén klykan. Och man tog reda på *ämnen* i förbifarten och beställde av honom att han skulle snicka saker, t.ex. en dubbel dosa s'att man kunde ha kaffe i ena halvan och socker i den andra. Nicke beklagade sig icke; han hade nu åhörare, som kunde värdesätta hans konst att härma olika djur. En morgon hade han skjutit en tjäder. Men då det var gott om ripor som han också lurade på gick han inte genast fram till tjädern utan lät riporna lugna sig. Till sist när han kom fram stod en rip-kall på tjädern och skrattade så här

Hardudöw! jer du dö du? jer du dö du? Har du döw? Har du döw!

Och hela vintern övade sig de yngre i koj-laget att skratta som en ripkall när den med Nickes röst hånade en död kaxe: Hördu du du, är du död, du?

Men Mårten Östensson, som aldrig gick in i Grenhulta denna vinter, blev som sjuk.

Efraim sa att vi borde ha talat med farsgubben innan vi sålde den här Grenhulta-posten.

– Jo, sa Didrik, det var tanklöst. Jag tänkte inte på att han kunde ta det så. Men vi leva ju i en ny tid. Vi kunna ju inte för alltid tänka som nybyggare... att skog skulle vara ''onyttige rymder''.

Mårten höll sig utom synhåll ett par dagar. Han mockade i fähuset och i snallarstall'n men inte i hem-stall'n. Och då nu också Konrad höll sig borta från alla hästkreatur i världen förstod Didrik av tillståndet i spiltorna att han måste tala med fadern.

MammaLena satt och spann, och moder och son hälsade varandra med små retsamheter. Att det inte räckte med *en* storkarl här på liden utan att också Efraim, som annars var stadgad och mer som folk, hade narrats in på konungsliga stigar. Att nu fattas det bara Lell'n, 'n Per –

ska ni göra en fjärdingsman bortur hanom innan ni giva er?

Och Didrik sa att det var väl Mattes-släktet, socknens storstömmelras* som mammaLena härstammade ur, som bestod det hemska högmod som sönerna hennes anfäktades av.

Ett par av Efraims pojkar och mellanflickan Hanna satt vid fönstret och stakade sig fram över en bibelsida.

”*Ett land varder igenom tre ting oroligt;*
och det fjärde kan det icke fördraga:
En tjänare då han konung varder,
en dåre, då han alltför mätt är
En vanartig, då hon gift varder
och en tjänarinna, då hon sin frus arvinge varder.”

PappaMårten låg på sängen som om det varit söndag, och snarkade utan att sova.

– Han ligger och tjuvtänker, pappa, Östensson jenna.* Fast nog vet jag vad som anfäktar honom, sa mammaLena.

– Vadå? log Didrik.

Hon gjorde en rörelse om huvudet och under hakan som kom Didrik att rodna. Hans goda anständiga föräldrar vad fantiserade dem om...

Gubben satte sig upp och sa:

– Tokes int, kärling. He jer nanting anne som ligg me på levern.

Didrik sa att han förstod att det var detta med skogen. Och att han ångrade att han inte talat med fadern innan. Att han inte avsett att uppträda vanvördigt, att han bara i hastigheten glömt att...

Och fadern sa att det var en helt annan som bröderna förbrutit sig emot än gubben, ’n Mårten Östensson. Och det var Niklas Hannasson, ’n Nicke, även ljekatten kallad.

– Vad ska den karlen leva bortur när ni flå av honom skogen?

– Är den hans då, sa Didrik.

– Hans tröja och hans skafferi.

Och Didrik sa att han inte trodde att tillgången på fågel och småvilt kunde ändras, och vilken försummelse det var att det aldrig blivit rågångar dragna mellan Månliden och denna... detta...

– I Storsvagåren hjälpte han oss branog genom att komma med plockade kråkor, som han kallade ripor, för att mamma jenna skulle kunna överleva. Utan att bli förnärmad.

– Men si nu! sa mammaLena. Kall'n jenna ha vorte oregerlig! Och skäms int säga vassomhelst när småbarna höra på. Läs Gideon, läs ett guss'ol*, s'att man slipper spy av omatsligheter* som farfar galnas med.

Och Gideon fortsatte läsningen

"Fyra äro små ting på jorden
och klokare än de vise:
Myrorna, ett svagt folk;
likväl skaffa de om sommaren sin spis;
Kuniler, ett svagt folk;"

– Vad är kuniler, farmor, sa Hanna.

– Kuniler är som idisslande harar står det hos Moses, sa mammaLena.

"Likväl göra de sitt hus i bergsklipporna".

– Men är harar folk? sa Nils.

– Om Ljekatten kan snicka kan väl haren göra hus också, som folk?

Och de skrattade så de kiknade. Tills mammaLena tillsade dem att vara allvarliga annars skulle hon taga ifrån dem boken.

"Spindeln virkar med sina händer,
och är i konungapalats"

Men barnen hade kommit in i en skrattvirvel som de inte kunde behärska. MammaLena gick fram och tog ifrån dem bibeln och smällde ihop den och hotade med att de skulle få tigga länge och ödmjukt innan dem skulle få låna henne igen! S'att! Och till straff skulle dem få gammelbibla nästa gång där skriften var tät och svårläst!

– Den här nya med Fjellstedts förklaringar, som du givit oss Didrik, är så lättläst att hon narrar barna till att skratta. Och vad ska Fjellstedt tränga sig emellan hela tiden för? S'att barna flera gånger int vet om det är Herren som har ordet eller Fjellstedt. Halvylle!* Det är vad det blir ur sådan läsning.

Pojkarna stötte i varandra och kiknade. Hanna satt med en tråd mellan fingrarna. *Spindeln virkar med sina händer...*

– Kråkor eller ripor – vad det nu var som han kom med. Men som tiden går tänker jag nästan lika ofta på Nicke som på Isak. Fast jag int tål 'an. Sa pappaMårten.

– Som om vi int skull ha betalat för de arma kropparna! Vad det nu var för otyg, sa mammaLena.

– Vissa saker går inte att betala, sa pappaMårten och satte sig upp och skakade och skällde.

– Ska hetas vara en Mattes-doter, kommen ur det där släktet som kan svara emot och disputera med både präster och predikanter! Nådens ordning har hon på sina fem fingrar värre än den där spindeln i Ordspråksboken! Men att Nicke hjälpte oss överleva i Storsvagåren det tror hon sig ha betalat! Hondenna!

Det blev tyst. MammaLena trampade inte, rörde inte raden av kardade ull-töllor. Pojkarna slutade knuffas. Hanna grät tyst. Ingen hade någonsin hört pappaMårten tala till sin lilla kärling i den tonen. Hon kunde gräla på honom – för att inte storkna av hans hyllningar. Men det här. Och uttrycket *Hondenna* var det värsta.

Gubben sjönk ned på kudden nästan avsvimmad.

Och Didrik förstod att pappaMårten var utom sig; att han såg en förbrytelse begås i och med den där skogsavverkningen; att han var rasande på Didrik och ändå inte förmådde gå på honom direkt utan slog grämjan på mammaLena.

– Men vi hugga bara det som håller över sju decimaltum i brösthöjd. Allt som är mindre får stå kvar, på tillväxt. Skogen växer fort upp igen, sa Didrik.

PappaMårten och Anna-Stava hade var sitt skäl för att vilja gömma sig för Didrik dessa dagar.

I vindstilla hördes hästtjukorna från Grenhulta, när kuskarna körde ned timret mot Grundmyrån. Om det blåste västan, kunde man i Månliden till och med höra träden braka ned som de föll för yxa och såg.

Och Mårten kunde se för sig Nicke gå omkring och visa på dét trädet och på dét som han förberett för kommande snickerier. "Det där är färdigt om ett år... det där om tie..." En snedvuxen björk som han gett ett sår – en tum brett, en aln långt. Hur trädet i ansträngningen att läka sig åstadkom två alnslånga hårda valkar. Efter fyra fem år kunde Nicke lossa dessa höga ärr från trädet och hade då två fullkomliga yxskaft. De behövde knappt något efterarbete. Den inre buktningen i skaftet kom det att ligga välvilligt i händerna och samtidigt innehålla en ruvande spänst som frigjorde sig i hugget. När Mårten skulle lära pojkar hugga ved var han noga med att de skulle ha ett Nickeskaft, ett sådant där som svingade sig, så att pojken fick känna sig starkare än han var. Skaftet är lika viktigt som yxeggen – kanske mer!

och hur det bara handlade om träd som på grund av medfödd vindhet eller knölighet inte stämplats, inte hade något värde som sågtimmer. Men om allt det rakvuxna nu togs bort skulle också Nickes krumbukter förtvina?!

Stödskog.

För bonden var skogen stöd för annan näring.

Men för Nicke var skogen det hela: fähus, kärlskåp, klädskrubb, altarring:

Oh Guds älg och vilda fågel

Allt vad Mårten kunnat använda Nicke till – och inte minst i sin fostran av barnen. Hava ni tänkt bliva som folk ni! Eller vilja ni bo i en håla i skogen som 'n Nicke! Taga dagen som den kommer? Som 'n Nicke! Eller stiga opp om morgonen?

Hur Mårten hade vunnit! Ingen av hans barn hade velat bliva såsom Nicke eller hava det som Nora! Och inte bara hade han vunnit de egna barnen! Även Nickes barn kommo så småningom som drängar och pigor så fort dem började kunna välja. Han hade sannerligen aldrig behövt gå och leja dem – dem hade kommit självmant "och kännt skillnaden". Utom Kimme. Toppen. Som var Nickes *Storson.* Och sanne arvtagare.

De hade kommit för mjölkens skull. Och för paltens. Och för fällarnas. Och fårfetans.

Men Mårten kunde dåligt sova dessa veckor.

Stugan som han och mammaLena byggt var nu i mitten – åt norr tillbyggd med Efraims stuga, åt söder med det som varit Didriks och som nu var drängstuga.

Storsängen stod mot norr, med huvudändan mot väster. Och det var just denna vistervägg som höll Mårten vaken. När han skulle somna tyckte han att västerväggen försvann. Och denna västervägg var än Grenhulta-skogen, än Nicke själv. *Du må då hava det! Bondjävel!* Hörde han Nicke viska där, i sin frånvaro, som aldrig i verkligheten.

Denna Nicke som Mårten inte tålde – hur skulle han kunna leva utan honom! Utan denna vägg mot det vilda.

Han letade sig allt oftare upp till *Isak,* stugan som fått behålla namnet efter byggaren, som nästan bara hunnit timra den mot backen, innan han gatt återvända öst på socknen. Men så att Mårten haft en murpipa att hugga sig fast vid när en storm hållit på att blåsa ut honom från jordens yta, där han kommit med en kälke nedifrån landet.

Mårten hölls där utefter kvällarna och barn satt runt omkring i klasar och han berättade om Isak, som han aldrig sett, tills Isak blev mer och mer lik 'n Nicke som dem alla kände. Men eftersom Isak var död var det så lätt att vänslas med honom; ljuga på honom och förbättra honom – allt efter behov. Nicke var ju i jämförelse ohanterlig, eljest och egen och levande som han var, 'n Nicke.

Mårten gjorde tunnor trots att sönerna nu inte brydde sig om tjärbränningen. Men han måste göra en tjärdal om året. Och drängarna skulle inte gå och dra benen efter sig mellan vårbruket och slåttern. Och ur vad skulle dränglönen tagas, för övrigt!

Och han ville vara för sig själv och snicka och tänka med tacksamhet på Isak. Han hade ett par fällar där på laven och ibland sov han över i stugan och drömde om den första tiden, före mammaLena. Ibland drömde han att Isak öppnade dörren och var då så välkommen att.

En kväll när han tagit emot en hop karlar och hästar och rustat där i snallarstallet och gården hade varit full av folk och han nästan godkände den nya tiden – detta befolkande var dock underbart – han skulle gå in till mamma-Lena och berätta för henne om Storsonen dem hade, Olförarn, 'n Didrik och hans tankar som dock. Men han måste gå och hälsa på 'n Isak i alla fall och se till glöden.

Och när han kom dit satt skuggan av en människa där, s'att Mårten tänkte är det döden som väntar på mig, eller är det 'n Isak, och det var mindre tacknämligt än när han drömde. Dock bemannade han sig, lade på ved och blåste upp elden och när det blev helt ljust gick han fram till skuggan och sade:

– Svara mig om du är en människa, *schwåra me om du jer 'n männisch!*

Och hon talade och sade gudafton och att hon bara kommit för att dö, så att hussbonn gärna fick kasta ut henne i drivan om han ville. Hon hostade mycket och spottade konstfärdigt in i elden.

– Renvåmmen är kvar, ser jag, sa hon och såg mot öster som hade en hinna i stället för glas i fönstergluggen.

– Men det där har kommit hit efter min tid! Och hon pekade mot fönstret i söderväggen.

– Kan detta vara Isaks hustru? sa Mårten.

Hon nickade att joodå. Isänkan. När mannen dog förlorade hon både hans namn och sitt eget och kallades Isänkan som ju gick fortare att uttala, inte sant, och som var en muntration också? I en from socken som inte hade mycket att skratta åt?!

– Håller brunnen vattnet ännu? fortsatte hon.

– Jo den är ju Månlidens underverk. Den sinar inte ens på senvintern.

– Det var jag som synade ut den med en rönnklyka. Sen hjälptes vi åt att gräva.

Hon hade stått allt djupare och öst sten och jord i korgen som Isak hissade upp och ned. En gång blev han borta så länge att hon tänkte nu dog han! nu kom en björn och slog 'an! Från morgonen till sena aftonen stod hon där nere i brunnen och frös och skrek. Barnen var instängda i stugan. Men någon gång hörde hon också svaga skrik från det hållet.

– Vars höll han hus då, karln, sa Mårten.

– Han hade glömt att jag satt där, sa 'an.

– Hur gick det sen då?

– Med brunnen? En karl som hette Nicke hjälpte nån gång. Själv blev jag mindre hjälpsam sen jag väl fått komma opp.

Mårten sa att hon skulle känna sig välkommen, fastän det var ansträngande att säga. Hon såg ut som ett rotehjon. Hon betedde sig som om hon kommit hem från en lång resa. Och Mårten godkände hennes rättigheter såsom vida överträffande en vanlig tiggares. Men naturligtvis om 'n Isak själv hade kommit – det skulle ha varit en annan uppfyllelse, tänkte han. Skulle gå till kärlingen sin och hämta mat, sa han.

Men de var inte riktigt sams än, Mårtensfolket, efter de där kråkorna. Eva skulle komma med mat om endast han talade med henne, men vara butter och knapphändig. Om han skulle tala med Didrik, så skulle det kunna bli ett larm om hjonet såsom hörande till socknens östra fattigdistrikt. Eller också skulle han hålla ett tal inför snallarna, om tiggerskan såsom det yttersta skälet till att jernbana måste byggas – och längs den Inre Linjen!

Men det värsta med Didrik var avverkningen i Grenhulta; så Mårten ville inte se honom.

Så han tillkallade Anna-Stava.

Och sen turades dem om att passa upp Isänkan med ved och mat.

Det var som Dolsedumpan.

Som vitterkärlingen under jorden som får komma upp en timme i skymningen.

Eller åtminstone brunns-Kusens levande bevis. ''Vakta dig för brunns-Kusen du! Om du leker på brunns-veden kan Kusen snappa ned dig och hålla dig där nere s'att. Och ingen letar dig för alla har glömt dig en sådan dag! Tänk på hur det gick för Isänkan!''

Det var förstås så att Isak hade fått hjälp av en vitterkärling när han lyfte upp den där jordkorgen. Och hon drog honom åt sidan, norr om Månliden och fick honom att glömma hustrun som satt på bottnen av brunnen. Och sen när Nicke och Nora av en händelse kom förbi och påminde honom om tiden – s'att han kom ihåg hustrun

då inträdde den förväxlingen att hustrun blev hållen för en vitterkärling – eller dess like – eftersom, och så vidare.

Det är farligt att bli bortglömd
på bottnen av en brunn
en hel dag;
innan kvällen
kan man bli den
som vållat glömskan.

Isänkan berättade sitt liv, den ena hemskheten efter den andra. Men flera gånger om dagen återkom hon till brunnen, hur Isak försvann med korgen och blev borta över dagen, ovan jord.

Och Anna-Stava tänkte på Konrad; om hennes misstanke – som ju knappt varit uttalad en gång – i efterhand vållade att han dessförinnan hade skadat Hästmulen?

Kort tid efter det att brunnen var färdigbyggd hade Isak blivit sjuk, och han hade velat "dö hemma" och dem hade gått med småbarn och getter tillbaka till farfar, som var slut; öst på socknen; till brodern som var utarbetad; och dess hustru. Där dog Isak. Och Socknen tog barnen och spred dem till hem där brunns-Kusen gick på torra land. Och änkan blev pigan som hustrun hatade i alla gårdar och som husbönder och söner älskade med sin ondaste kärlek.

Mårten förvånades inte, sa han, att sådant uppsåt kunde finnas. Redan i gamla testamentet foro dem fram på det viset med pigorna allomstans i det heliga landet. Men varför arbetade dem inte av sig odygden här i socknen! Och hur skulle det gå om Jernbanan skulle bliva verklighet s'att lådor med amerikanskt fläsk och hwitmjölssäckar skulle börja komma av sig själva, lassvis, tills karlarna inte skulle bry sig om att dika eller odla mer.

– Allt skall ju bliva som gratis efter vad det hörs! Detta kommer endast att förgrymma karlarna, göra dem onda mot hästar och qwinnor!?

PappaMårten såg rådvill på Anna-Stava.

Men så födde Isänkan ett barn som hon lyckades behålla. Till och med Storsvagåren levde dem igenom tack vare det flickebarnet. Det kom tider när hon nästan kunde välja pigplats tack vare det lillbarnet. Ända tills detta var grant på ett sådant sätt att.

– Hon luktade så gott att. Hon var mitt enda barn. Mitt endaste. Och Isak hade då ingenting med det att skaffa! Han och hans vitterkärling! sa änkan och spottade hans namn i elden. Hon hostade som för att tömma benstommen på de sista resterna av märg.

Ett tag fingo dem leva hos fromma och rika. Modern gatt vara fähuspiga som vanligt. Men flickan fick lära sig läsa och laga mat och sömma. Näst socknens alla storkarlar. Näst 'n Zakri. Näst 'n Moses. I Tallheden näst Lund markkara. Nån vinter tills moran i gården inte tålde flickan längre. Att hon var så grann. Att hon luktade så gott. Särskilt det. Att hon hade så olickligt god täv. S'att jag måste försöka få in en fot hos någon änkling. S'att vi hamnade näst en karl i Blankvattnet som. Där voro vi en vinter.

Anna-Stava behövde inte fråga om det var Morgonplågan som varit deras husbonde. Eller om det var Hagar som. Nej det behövde hon inte fråga om.

Till slut rymde de. Vi hava dock en överhet, sade flickan. Vi gå till länsman vår, sa 'on. Han var ganska ny då här i socknen. Holmgren. Och dem togo henne genast till piga. Men eftersom ingen längre ville hava modern fick hon taga Dolsedumpans plats. I kyrkstallarna. Hos Gammeln. Och varsomhelst.

Int för att jag tror länsman är något bättre, *nå veiller,* till karl än den onde i Blankvattnet. Men det var ändå där, hos Morgonplågan, som jag förlorade henne.

Isänkan skulle ha gråtit, men hostan tillät inte sådana utsvävningar.

Anna-Stava tänkte på sin barndom. Hur litet hon anat om vad någon fattigflicka haft att utstå där som hon skymtat hos morbror Moses; tillfälliga backstuflickor, som det fromma Basnäs skulle hålla från svältdöden och annars inte komma för nära. Hur upptagen hon varit av mormoderns raseri, och tänkt att värre inte fanns. Värre fanns. Uppenbarligen. Men hade samma rot?

Anna-Stava satt på laven bredvid Isänkan och förstod nästan en mening hos *Arndt,* i hans betraktelsebok

Alla människor skola hålla sig inbördes för en människa.

Isänkan fordrade två saker: någon skulle sova hos henne om natten, och helst då Hagar. ''För jag vet ju att det är här hon är!''

– För vaktar ni mig inte så masar jag ut. Om jag så ska ta hjälp av Den Andre. Och tar tillbaka brunnen. Som det här Mårtensfolket har fått av mig. Och av Isak. Men mest av mig. Så vill jag göra den till min grav är jag i min fulla rätt. Det säger jag bara.

Anna-Stava hyllade den sjuka med omvårdnad och tackade henne för brunnsbyggandet på ungefär samma sätt som 'n Mårten gått och lovordat Isak genom åren för stugbygget. Och hon sov hos henne; och det var inte svårt att ömma för denna bräcklighet. Men med avigsidan av sin kärlek var hon tacksam över gummans tvång och hotelser så att Anna-Stava hade dem att skylla på inför Didrik.

– Är det för mycket begärt om jag sköter Hagars mor och tröstar henne inför döden, när Hagar ammar vår son och tröstar honom för livet.

– Men natt efter natt på detta sätt! Du blir ju helt utmattad! sa Didrik.

– Helst vill hon ju hava sin dotter hos sig. Men.

– Varför kan inte nån i denna pighop, nån av Nickestöfsen, Matilda eller vem som helst sköta ut stackarn.

– De uthärda redan sin del av dagens tunga och hetta. Särskilt Matilda. Men också Maximiliana.

– Du bär dig åt som om du vore den som haft mest glädje av Månlid-brunnen. Och vore mest skyldig.

– Nej svärfar, pappaMårten, tänker mest på brunnens värde, här i Månliden.

Hon anade att Didrik ville bli vaktad nu om nätterna ”för att inte krypa ut och störta sig på huvud i någon brunn”

och hon tänkte okristligt och utan medlidande att ”han må då hava det... alla sina tapeter...”

Svårare var det med Hagar. Anna-Stava gjorde några försök att få henne att besöka modern. Hagar svarade att hon inte tänkt draga någon smitta på lillbarnet, Isak Mårten. Och Anna-Stava sa att det dock var hennes mor som inte kunde ha långt kvar... att man dock var skyldig dotterlig vördnad till den som skänkt en livet... att det dock nu gällde en yttersta vilja som man inte kunde trotsa utan att senare måhända bliva straffad med svår ånger och dock... och så vidare.

– Jag har vaktat den där kärlingen och övertagit henne några drygare nätter än madám. Så det räcker för min del, sa Hagar.

Anna-Stava kom och hämtade mat i vinterköket. Hon lade ned i en korg åt den sjuka – och åt sig själv.

Om Didrik var inne överflödade han av ömma förebråelser; hur hon slet ut sig; hur någon annan måste avlösa henne och så vidare.

Och när hon gått fanns det kvar en svag doft av något stingande, som skulle ha blivit olidligt om hon inte så snart gått ut. Dödslukt från Isänkan?

Någon gång hände det att Hagar kom samtidigt – med en bricka för att hämta mat åt sig och Otto. Hur qwinnorna då taktfullt och tyst öste upp i sina skålar; klev upp på stol, hämtade hålkaka från brödstång i tak.

Och när Anna-Stava ett ögonblick lutade sig över vaggan förvreds ansiktet – som om doften var omedelbart avskyvärd för barnet

medan det för de vuxna tog en stund innan de kunde härleda dess udd

och när Hagar

på samma sätt inte kunde lämna köket utan att göra en sväng förbi vaggan

och hur barnets ansikte sken upp i gurglande glädje

medan husfolket kunde fastslå att i de där kjolarna fanns den verkliga faran!

Och när de båda gått ut

denna strid mellan lukter – livets fjuniga taggar mot dödens spjut

Didrik gick ned till handelsboden och plågade Per.

Lellstedt hade frågat i ett brev varför dem beställt tio

tunnor rödfärg och hundra tandborstar – däremot ej en enda rödfärgsborste, och hur skulle Bolaget tyda detta?
Lidstedt tog sig därför friheten att medsända tio rödfärgsborstar till ett pris av en krona och åttiofem öre stycket och att halvera antalet tandborstar à tjugofyra öre.
Och ju längre han skällde dess mer blev det Pers fel att Lellsnown var en näsvis hale*, som la sig i allt han inte hade att skaffa med. Didrik frågade om smått och stort; en ny fråga kom mitt i svaret på den föregående. Och mitt i handelsfrågor förslag om var Per skulle sova på natten. Varför han sov här nere i handelsboden! ville han inte sova uppe i kontoret!
Och när Per sovit där ett par nätter undrade Didrik om det inte var säkrast att han sov i handelsboden så mycket folk som var i farten.
Till sist sa Per med ett lätt avstånd att han behövde sin nattsömn och inte orkade sköta någon vakthållning nattetid; att han därför på eget bevåg hade beställt lås av smeds-Ante för handelsboden; och att han tänkte sova hos pappaMårten och mammaLena "tills vidare så bror kan känna sig lugn".
Vad menade han med *tills vidare?* med *bror?* Vad trodde han hindrade Didrik från att *känna sig lugn.* Vad visste han om känslor över huvud taget? Den där lilla sifferträlen!
Hur Per flydde från honom! Som Anna-Stava.
Han gick upp till backstugan. Där satt Anna-Stava på kanten av laven och höll gumman i hand – som om hon inte hade fyra egna barn. För att straffa Didrik! För ingenting annat! Av högmod! För att hon inte ville vara tjenstequinna åt sin herre och man! För att retas! För att sätta honom på prov! För att få gästsalens tapeter att riva sig ned över honom med ett ratschande så våldsamt att timmerväggarna skulle följa efter och slå ihjäl honom
Alla trodde att Didrik inte visste hur folk hade det, i kropp och själ.

Men när han legat på Kjörran i Skjellet och drömt att han trängdes med stockar i en flottningsränna s'att han hållit på att kvävas och det samma dygn som mammaStava fött Storsonen med sådan smärta

s'att så okunnig var han inte om sina närmaste även om han inte hade tid mala minsta tankekorn lika länge som dem

då han hade Socknens affärer att

jemte Jernbanan

Det var inte alls snällt av Anna-Stava att hålla sig borta på detta sätt!

Man kunde ju lägga en sten på brunnslocket så pass tung att gumman inte orkade rubba den? Sådana stenar finnas ju. Överallt.

Några nätter blev han tvungen gå ned i köket, stå med händerna över vaggans balkar, lyfta locket av utdragssoffan vid dörren, därefter flytta vaggan med barn och allt dit mot soffan, trä mot trä, så att han när han lagt sig kände barnets närvaro nästan lika starkt som om han hållit det i famnen. Och en psalmvers singlade, samma om och om igen

...att han sin Son av himmelsk höjd, har sändt...

När han då vaknade, utsövd, återställd – Storkarl med en Storson

och himlarna mellan mars och april, löftesrika, friska.

Hur de kunde se på varandra, fader och son, i dessa soluppgångar.

Men en dag kom Vikman, före detta skrivare hos Lidstedtara, numera deras faktor i Avaviken.

Månlidkarlarna kände honom från besök i Skjellet; han var en av dem som lärt opp Per i bokföring. Men han hade inte tidigare sovit över i Månliden. Och nu var det som om han inte hade annat ärende med sig än att övernatta.

Didrik hade svårt att tåla gäster som inrättade en herrkarlsvrå åt sig i någon del av huset. Egentligen ville han inte att nattlogi skulle kosta något, alla som sov över skulle vara en del av ett husfolk som kände vem som var Olförar, inte bara i socknen utan i stugan, och skicka sig därefter.

Den här Vikman inrättade sig i söderkammarn och ville få kvällsmaten serverad där, något som Laurentia och Sofia gärna hade kappats om att verkställa

men deras svängrum hölls av Hagar

så att Didrik måste stänga in sig på *kontoret* som låg vägg i vägg med söderkammarn

för att äntligen skriva till Nabot genom Abdons söner

men när nu andra göromål för en enda gångs skull gav honom andrum till detta lifsviktiga brev

då skulle hon störa honom med att visa sig ovärdig hans besvär?

ovärdig något brev över huvud taget?

Långa stunder var Otto hans enda hållhake.

För då och då sa Vikman att kan int pojken gå och köpa bröstkarameller åt sig. Varpå Otto svarade att han sket i såna barnsligheter. Och när Vikman ville att han skulle gå och köpa en cigarr sa Otto först att han inte rökte, och när

Vikman sa att det var han själv som ville ha cigarren sa Otto att han inte var någon dräng.

Skrattade Hagar? Herre Herre gör så att hon uppskattade denna fräckhet! Gör så att den där slyngeln retar Vikman från vettet!

Men varför behövde Hagar vara så länge där i söderkammarn? Varför behövde hon gå tillbaka dit sedan hon ammat barnet för natten? Storsonen!

Didrik fick ingen kvällsmat överhuvudtaget. Han kunde inte gå ner i köket medan Hagar ammade där och inte gå ned därefter då Hagar kanske tänkte passa upp *resenären* under tiden. Och då Månliden i alla fall hade ett visst ansvar för denna... denna... Ja kalla det vad du vill. Men.

Ibland lät det som om Vikman bekantade sig. Ibland misstänkte Didrik att dem redan voro bekanta. I högsta grad! Men hur då? När då? När han rest mellan Skjellet och Avaviken förr om åren hur länge det nu var? hade han tagit in hos Valbergs nea Plass'n? och blivit uppassad?

av bäst'pigan?

och medan Didrik undrade om kvävningsdöden skulle bli hans öde vid tanke på de skamligheter som sannolikt försiggingo på Gästis nea Plass'n

där ingen hade skyddat henne, ingen hade tänkt på hennes bästa, eller rykte!

Länsman hade nog inte fått – vilket åtminstone var en lättnad. Och inte Valbergen – lika stor lättnad.

Men vad hjälpte det om en som Vikman i alla fall? Hur skulle en människa som Hagar överhuvudtaget kunna skyddas!

Hur sutto dem nu då? Inte i knä på varandra! Det fingo dem intet för Otto!

Didrik stod som en bräda uppefter väggen och lyssnade.

Vikmans steg

Han travade fram och åter så det knarrade och berättade om Avaviken och om *Lellsnown*. Och hur det gått ett par år innan han fattat vad hans uppgift bestod i. Köpa avverkningsrätter för några hundralappar på femtio år, till skogar som är värda millioner när dem spridas på kontinenten som bräder och plank och papper. Fast från och med i år blir det avverkningsrätter på bara tjugo år. Då tar man först allt som håller över sju tum i brösthöjd. Och sen avverkar man en gång till på nittonde året.

– Karlen som sålt erbjuds arbete med att hugga och forsla ned rikedomen. Kan hålla sig en dagspenning på två tre kronor för huggare och fyra till fem för häst och karl. De veckor mitt på vintern när huggningen varar. Sen flottning på sommarn. När han skulle sköta jordbruket! Och gud nåde karlen om han under dessa tjugo år skulle ta någon stock från skiftet som inte kan kallas vedbrand eller hässje-virke! Då blir det stämning för "tillgrepp av tjugo träd till ett värde av förtio kronor" och så blir det böter som han inte kan betala! Men tänk dig en karl som sålt en avverkningsrätt för femhundra kronor. Och så tar Lidstedtara ut tio tusen träd första året. Då kan nybyggaren med hjälp av taxeringen i tinget på hans eget tillgrepp räkna ut att de tio tusen träden var värda tjugo tusen på rot; och om tjugo år tar bolaget ut en skörd till – lika stor – och ger sig av utan att plantera en kotte

han förstår att han sålt något för fem hundra kronor som var värt förtio tusen minst.

Eftersom de inte är läsare där uppe som här i myrlandet. Jag behöver inte beställa lådor med öl och brännvin. Lellsnown super inte själv. Men de där lappkalvarna kan väl behöva litet i det där lapphelvetet! det ska man inte missunna dem! man ska väl inte vara förmyndare åt dem! nån frihet får man unna dem! särskilt innan dem ska skriva på!

– Det finns ett annat sätt. Handelsboden. Jag beställer inte varor. Lellsnown bestämmer vad som måste behövas! Åt lappkalvar! Tapeter! Såna där...

Didrik föreställde sig en hånfull nick åt Gästsalen till.

... blommiga tyger, bleckskedar, resårskor. Ja inte bara bjäfs. Nyttigheter också. Liknande nyttigheter som dem redan hava – men annorlunda! Helst något som varit på andra sidan jorden! Jag menar inte att allt är lika löjligt som vissa tapeter

men skulle dem inte kunna få nosa på det utan att bli skinnade inpå benen? Kan få på kredit! Kan betala med timmerkörning åt vintern! Men när våren kommer har hela förtjänsten gått åt till havre, råg och amerikanskt fläsk! De där extra blommigheterna "kan stå över till ett annat år!" Och barnhopen växer och snart vill dem hava fläsk i stugan också, inte bara i timmerkojan, och måla stolarna med guldockra!

Tänk dig att måla soffor och stolar med något som kallas för guldockra! att inte behöva vänta tills man dör för att få säga ordet guld – i något sammanhang.

Och rätt som det är står skulden på två hundra femtio kronor. Lellsnown vet allt. Men allt! Han har snokat fram några småskulder till; köper upp de reverserna! Skuld sammanlagt fem hundra kronor. Sälj en avverkningsrätt! Så betalar jag skulden! säger Lellsnown. Om tjugo år har du tillbaka förfoganderätten till det skiftet! Nej säger bonden, jag vill kunna göra med skogen som jag vill! Men visst ska var och en göra som han vill! vara sin egen herre! Inte ska man vara förmyndare åt folk, säger Lellsnown – och söker karlen i konkurs.

Finge han bara sälja två hundra femtio träd åt någon! Men finns *ingen* på sju mils håll som behöver två hundra femtio träd – till två kronor stycket som är det genomsnittliga priset däruppe. Allra minst Lidstedtara behöva en så liten skogspost! Och på så kort frist! Så det exekutiva måste hava sin gång! Hemman med skog och utängar, med potatisland och kornåker, med stuga fähus och lador, tre kor, fyra getter, hund, pelargonia och katta. Åbyggnaderna skraltiga – så alltihop går för fem hundra kronor. Köpare bröderna Lidstedt.

Nu står karlen *uta sjetta* (på "det släta", på skaren där blåsten kan få hög fart) Hustrun till att tjuta och skråla. Men far hem och tänk på saken! säger Lidstedts ombud. Hem! Vi hava ju inte någe hem längre!

Men inte är Lidstedtara så grymma. Ni kan få köpa ett litet ställe. Med stuga, fähus och lador, tre kor, fyra getter, hund, pelargonia och katta, potatisland och kornåker, gott om utängar. *Av skog finnes till vedbrand, samt hässjevirke.* Pris endast fem hundra kronor med en årlig amortering på femtio kronor och 6 procents ränta.

Hade du sålt avverkningsrätten på tjugo år så hade vi varit skuldfria nu och pojkarna hade haft skogen kvar – eller åtminstone skogsmarken – efter oss, säger hustrun.

Men faktum är att om bolaget vill hava en skog så är det bara att taga den.

Det finns ett tredje sätt. Bolaget kan avtala med en ripjägare. Han ska få hundra kronor om året i fem år för det lilla arbetet att smälla opp en liten kåk av torrfuror och ett par kojor som kallas fähus och lada. Han kan bo där om sommarn och slå utängar och leva på fiske och sälja det där starrfodret åt länsman om han vill. Nybruk kallas det. Och ripjägarn som helst inte bör kunna läsa "får hjälp med att söka immission" det vill säga han ska få det här stället av Kronan eftersom Kronan ju vill hava folk boende och odlande litet varstans i hela riket. Och stödskog ska han få, mycket stödskog! Eftersom han anses vara ett så lovande ämne till en bonde "enligt intyg utfärdat av länsman" kan han få ett verkligt ordentligt skifte i samband med lagfart och skattläggning. Och så snart lagfarten är ordnad – och utlöst av Bolaget – är karlavarelsen berättigad att sälja alltihop – till Bolaget som behöver skogen. De hundra kronor per år som han fått i fem år har varit förskott på hemmansköpet! Mycket betalt för en namnteckning eller ett bomärke! Och ripor har han ju kunnat snara under hela denna tid?

Och vem skall sköta såna här affärer åt bolagen. Narra nybyggare till att bli Kronans Egendomsfolk – och strax därefter bliva bolagstorpare och avverka åt bolaget – det som nyss i lagens namn var deras egen skog!

Jo det är faktorn som ska sköta det här! Det är han som ska skuldsätta folket med sagogryn och guldockra och tapeter

han som ska muta en ripjägare med hundra kronor om året till att låta skattskriva sig som skogsägande bonde.

Tänk att det tar fem år innan ripjägaren fattar vad bolaget vill ha honom till!

Men tänk att det tagit Vikman ännu längre innan han fattat vad Lidstedtara skall hava honom till! sa Vikman.

Didrik visste inte vad som var värst: att Vikman tog ifrån honom Konsul Lidstedt

eller att han samtalade med Hagar, ja samtalade. Han berättade det som om han äntligen upptäckt något som hon hade vetat länge? Hos länsman och hos Valberg där hade hon blivit invigd?

Hon talade så lågt att han inte kunde höra hennes svar när Vikman försäkrade att han skulle ändra sitt liv. Han skulle starta en andelssåg där uppe. Han skulle gå ihop med några som ännu inte gett bort sina skogar. De skulle avverka och såga varje år och jämnt fördelat så att de skulle ha inkomster varje år. Handelsbutiken skulle också kunna göras till en andelsförening.

Men allt under förutsättning att Hagar och pojken kom upp till honom.

De skulle starta ett helt nytt liv där uppe! Vad han lärt sig om konsten att klå folk skulle han utnyttja i motsatt riktning: han skulle bygga upp något tillsammans med detta folk. Och det skulle innebära fiendskap med Lidstedtara. Och han skulle klara det! Om bara Hagar kom upp till honom! Om de bara tillsammans! Då skulle de utplåna de år som de levat som "herrskapshjon".

– Och tänk ändå på pojken, på hans framtid, om du inte tänker på mig.

Didrik hasade ned från väggen, som en sten till dikets botten.

Det var inte Nabot som? Det var inte Hagar som gått efter Nabot den där sommarnatten? Otto var inte Nabots son? Det var inte till denna Hagar utan till någon av de vanliga länsmanspigorna som Nabot skrivit sitt kärleksbrev på väg till Amerika.

Didrik låg raklång utefter golvet och tyckte sig höra ett skratt och "är det tjuvlyssnare på andra sidan väggen?"

... Om du narrar mig en gång till... ingen vanlig ripjägare ska du tro...

betänketid? nu igen! Till på sista föret! Du har fjorton dagar på dig! Har du inte kommit med sista slädforan så vet jag vad jag har att rätta mig efter! Men du också! För kommer inte du och är som folk s'att vi kan bli som folk bägge två! Då är det jag som går in för att bli rik! Jag vet hur man gör nu! Och om inte du visar mig den minsta tacksamhet...

Äntligen sa Hagar något och snabbt och lågmält men så klart att det hördes.

– Tacksamhet sa du! Gå till några läsarfån om du vill ha tacksamhet! Jag är ingenting skyldig! Ingen. Utom Otto. Det ska du komma ihåg.

Vikman rullade sig i avböner. Det hade bara slunkit ur honom, han hade inte menat. Han visste inte varifrån ordet kommit. Jo han visste. Det var Lellsnown, som alltid körde med det: hur tacksamma alla människor borde vara mot honom.

– Det finns ett stående raseri hos Lellsnown. Vet du vad det handlar om? Han är ursinnig på allt som inte är han!

Dem han kan förvandla till drängar ”förlåter” han, och skäller på bara lite lagom. Dem som tänka på annat för han upp på listan av svikare. Att inte vilja bli uppäten av honom det är att svika honom!

– Så om vi inte komma till dig i Avaviken hamna vi på Vikmans lista? sa Hagar. Och de skrattade.

Sen sa Vikman att han inte var någon Lellsnown. Att han hade en plan hur en hel bygd skulle kunna räddas från att bli uppäten. Men att han inte skulle våga utan henne.

Didrik tyckte sig höra henne säga ”det finns dem som äta utan kniv?”

Det började gå i dörrarna. Han tänkte sig att hon gick till nöhl'kammarn för att lägga Otto som höll på att somna. Att hon kom tillbaka... Eller att Otto somnat och lades i Vikmans säng? medan Vikman och Hagar gick till hennes rum? eller att hon lovat honom komma om en stund – varefter hon lagt hakarna på och lät honom stå utanför, besviken och ursinnig. Det var steg och hasanden. Och hastiga viskningar och skratt och små utrop och hyschanden tills övervåningen var en folkmassa i dröm? Och fastän han sov till hälften mindes han något klart: när konsul Lidstedt första gången hade bjudit honom på kaffe och köpebröd med amerikanskt fläsk; då hade Vikman och Nord suttit på var sin sida om en kontorspulpet och skrivit, raspande och fort som gräsmaskar. Och konsul Lidstedt hade talat om de Stora Linjerna, invigt Didrik i dem, visat D.Mårtensson ett förtroende som. Aldrig skulle Konsul Lidstedt ha föreslagit att jernbanan droges genom Avaviken! Till exempel. Och naturligtvis skulle han aldrig drömma om att fara fram i Lillvattnet som oppåt marka

och vad det var besudlande med dessa mellanhänder, med sådana som Lellsnown, Valberg, Holmgren och Vikman! Så andefattigt!

Ändå var denna idé med en andelssåg inte alls dum!

Sånt där som Moses skulle kunnat hitta på; men nu tvärgamlades han;

om han skulle resonera ihop med Lundmarks och Mose söner, med Ansgar, den allvarligt sinnade, med Abdon Karlsson i Ecksträsk, med Erik Andersson i Kaxliden

med alla som nyss blivit skattebönder och som gärna avverkade lite grann av hemskogen varje år men som inte ville sälja avverkningsrätter på tjugu år.

För att inte tala om Svedjebrännet – hur det kunde tillfriskna från *gadd'n* och annan galenskap!

En andelssåg

vore det hela Lillvattnets Räddning?!

Men vad skulle konsul Lidstedt säga om "unge Olförarn" så lönade hans förtroende? Skulle han svara med att taga Jernbanan från den Inre Linjen – och slänga den åt kustborna istället...

Lellsnown skulle kunna göra så – Konsuln aldrig!

Men han skulle bli besviken!

Didrik rodnade vid tanke på den besvikelsens ädla drag.

Han nästan önskade att Lellstedt hade varit den mäktigaste av Bröderna Lidstedt. Då skulle Didrik Mårtensson utan betänkligheter ha kunnat köra till Algot Lundmark i Tallheden och säga

Vi startar en andelssåg här i Lillvattnet, gubbar!

Det dröjde till slutet av mars innan Spadar-Abdon skulle få göra upp med Nord.

Men si att det stora laget skulle tillkalla honom! Dem hade själva åtskilliga klagomål. Tummarna hade varit riktiga träkrympare så att huggarna hade fått sätta bort tid på att hänga med och granska mätningen och gräla för varje tumsedel som skrevs ut. Det skulle kännas så bra om Abdon, ville skämma ut Nord inför hans medhjälpare och kronjägarn och hela hopen; få fram att Nord var en småtaska och halvyllebracka, ja hade dålig natursart helt enkelt! S'att dem skulle bilda ting där vid någon lämplig trave. Antingen nere vid Klintån där timret låg i hopar eller också uppe vid kojan. Skulle Spadar-Abdon göra allvar av sitt hot att giva Nord en handgriplig, så att säga, så skulle man inte gå emellan förrän Nord fått sig en ordentlig omgång.

Men det gick en vecka för mycket innan Nord kom. Vädret blev så fint att himlarna började galnas. Tinsnön doftade. Ljuset skar i ögonen så att karlarna ibland måste fästa en tunn näverremsa över ögonlocken med en springa just så pass att.

Och dessa gryningar. Ingen lik den andra. Men alla tillsammans med ett enda syfte: att inpränta i Abdon hur strålande den morgon varit som gått upp över den dag när 'a Stina, marra hans, 'a GammelStina rätnade på Marklunds gärdan; halvvägs från Skjellet till Ecksträsk.

Han somnade tidigt om kvällen. Men efter midnatt började han vrida sig och vakna. Efter två var det omöjligt att somna om. Klockan tre steg han upp. Kokade kaffe. Försökte väcka kojlaget. Han gick ut och sjöng oanständiga visor och andliga sånger om vartannat, och den hemska Luther-psalmen i gammelpsalmboka om påven och turken som Den Högste ombads att fördärva.

> ”Deras uppsåt du nederslå
> att de sin villa känna må
> Låt dem i den gropen falla
> som de gräva för oss alla.”

skrålade Abdon mot månen.

– Skämmen int ut oss, pappe, vädjade sönerna.

Körningen gick inte bra för honom; han brukade mera våld än skicklighet; han som tidigare varit så slög* med hävspak och lyftkrok – han kunde nu taga en stock rakt över, lyfta den med ett vrål som skrämde hästen så att lasset var förbi när han tappade stocken och en skit i brackan. Då slog han hästen och sa att det var meningslöst att köra om man inte hade en häst som var något att köra med.

I slutet på mars gjorde de långa dagar, man måste utnyttja ljuset och föret och hinna bli färdig innan snön skulle vara borta.

Men halva dagen hade inte gått förrän Abdon var utmattad och bara väntade att Stina skulle rätna för honom, sparka ut vattuämbaret över hans fötter och hugga honom över armen.

Och så här förödmjukande skulle livet fortsätta att vara ända till döddagar eller åtminstone till hösten; och det var som detsamma.

Han låg inne i kojan mitt på dagen, när ett par brotslare från det stora laget kom och bådade honom att nu hade Nord kommit; nu skulle han få se den som dräpt 'a Stina för honom. Han ville inte gå med dem först när han såg hur pojkarna bespetsade sig, lillgammalt elaka. Men tänk om det skulle hjälpa ändå. Och häst med en stötting hade dem med sig, så angelägna var de att hämta honom. Och om han skulle få ett annat mod vid åsynen av den där skrivar'rackarn? Om han I Stundens Ingivelse skulle få en sån där talekonst som Olförarn hade

s'att han bleve av med 'a Stina

s'att hon slutade stå där och dö inom honom som hon gjorde, halvårsvis.

Uppe vid kojan stod de runt en främmen'karl som Abdon inte kunde känna igen som någon skrivar' näst Lidstedtara; men det måste ju vara han, klädd som en herrkarl och utan krona i pälsmössan. Och när de såg Abdon komma makade de sig åt sidan så att det blev en ring av folk där Nord och Abdon kom att stå mitt emot varandra. Nord fortsatte att tala en stund om en extra stämpling som måste göras då något hundratal av de träd som fällts hade visat sig vara undermåliga; en extrastämpling som jägmästarn hade godkänt och att det nu gällde att raska på om man skulle hinna få ned den lilla stämplingen innan snön skulle vara borta här uppe.

– Men visst tar ni en stackare till?!

– Gör inte det karlar, sa Abdon. Det där om jägmästarn ljuger han. Den där karln vill bara dräpa hästen för folk.

– Vad ska det här betyda? Vem är det där? sa Nord.

– ''Visst tar du en stackare till?'' sa ni. Precis så föllo edra ord. När ni lade en säck blyvitt på snallarlasset mitt. S'att 'a Stina, marra min, rätnade för mig.

Och Nord fattade ingenting, sa han och ''mina arbetare'' som han haft så goda erfarenheter av hela vintern kunde väl inte stå och höra på sådana otidigheter från en ortsbo utan att ingripa och

hans käpp hade silverkrycka och började göra bågar i luften

samma som lantmätarn hade gjort för tolv år sedan i

Ecksträsk
och som hade berövat Abdon ett skifte som han spadat upp ur ris och rot
och där, i den där blixtvita manschetten
var Den Underbare Mannens hand
som tog emot sju hundra riksdaler
värdet av ett mindre hemman –
för elva år sedan
för att skaffa Spadar-Abdon rättvisa
där i Stockholm
och så den där skrivarn för åtta år sedan
på Lidstedtaras handelsgård
med sitt *visst tar du en stackare till*
Allt virvlade ihop sig till en ekorre med skrattlystna ögon och giriga morrhår
som bara väntade på Nickes tjut för att falla död ned
Abdon rusade fram och skrek *du din blywitt-säck! du din hästmördare! din halvyllebracka! nu ser jag dig! nu har jag dig!*
men medan han rusade fram växte ekorren, fetmade, och hånade som om Ahdon bara hade skrutit om en oförrätt och förminskat den med sitt prat i alla år
och nu tyckte han sig se dess verkliga ansikte och ansiktet på denna oförrätt var ohyggligare än han någonsin anat; så att i samma stund som hämnden blev verkligt nödvändig förlorade han den. Det var det där ansiktet som skulle stå snett bakom Abdons huvudgärd i hans sista stund och håna honom för att han velat leva.
Han övermannades och hölls tillbaka och allt var en virvel av pälshår, käpp och silver
och denna vårvintersnö
som upplyser till förbländning
medan den försvinner.

Abdon var bortom talan och Nord sa att han inte tänkte finna sig i att bli hotad till sin person och att det här fanns tillräckligt med vittnen och att han skulle överväga åtal och om denna socken icke skulle förvandlas till en vilddjurshåla måste den dock hava någon respekt för lag och ordning.

Då hände något som ingen trott kronjägarn om, Lidström, som man hållit för en Kronans slav och Öfverhetens träl. Han sa:

– Jag är också ett vittne. Det var blywitt i den där extra säcken som ni narrade karlen att skjutsa. Det har visserligen gått åtta år sen det hände. Men blywitt var det. Inte hwitmjöl.

Om jag bara finge tillbaka den stunden.
Bara det tillfället.
Då skulle jag handla helt annorlunda.
Då skulle jag göra det rätta.
Och allt skulle bli *i ordning*.

Och men ofta ger livet ett andra tillfälle. Fast aldrig riktigt.

Isänkan var på många sätt lik den föregående sockenhoran, Dolsedumpan, som hade bett att Anna-Stava skulle ta bort fällen som var mellan dem när hon låg och dog. Där i salen i Basnäs i rotekorgen. Och hur Anna-Stava hade somnat ifrån denna yttersta vilja.

Hur lätt skulle det inte ha varit nu att efterkomma en sådan önskan! Men Isänkan ville något annat: att Anna-Stava skulle förmå Hagar att hälsa på sin mor. Anna-Stava försökte ett par gånger med allvar och mildhet. Men att nödga henne, övertala, tvinga – det vore som att godkänna Didriks tapet. Så att. Varje gång som Anna-Stava kom in och den sjuka spärrade upp mun och ögon med frågan ”när kommer hon stejnta min, leijla min, 'a Sinai?” blev svaret ett skamset och förhärdat *inte än...*

Alma höll sig tätare omkring sin mor dessa dagar; hjälpte till med att hämta saker; att tömma potta; att läsa högt. Isänkan sa att hon inte ville ha någon läsning, att hon genomlidit nog av Lutherska husandakter, där tjenstefolk omtalades som oxar och åsninnor. Och Anna-Stava försäkrade att Den Högste var när dem, som hade en förkrossad ande, oavsett i vilket stånd man var; varpå

Isänkan svarade att hon inte kunde stå till tjänst med det heller.

– Denna socken har krossat mig. Det får räcka. Någon *förkrosselse* bjuder jag inte på.

Men Alma hade hittat något som inte alls var något luther och som flickan gillade så mycket att hon nästan kunde det utantill. En gång när Anna-Stava gått för att hämta rent linne och när inte heller farfar var där *näst 'n Isak* smög sig Alma dit med Arndts Sanna Christendom och satte sig på kanten av härden.

Den sjuka hälsade henne med beundrande anrop. Att hon ändå kommit! Att hennes doft! Att hela livets helvete varit värt att genomleva för detta enda ögonblicks skull: att hon kommit! s'att mamma fick se henne!

Hon sträckte fram en lång mager klo till hand som var så skrämmande att Alma måste välja mellan att springa sin väg och att gömma sig i texten. Hon valde texten, kröp in i boken och läste

"*Ett stort under är det, att uti ett litet frö-korn ligger en så stor växt, ja, ett stort träd fördoldt med sin rot, stubbe, qwistar, blad, frön, frukter, där hwar och en hafver en besynnerlig kraft, och gifwer människorna besynnerlig läkedom och mat: ja, att sådana frön och frukter komma igen hwart år. Det ligger allt uti fröets fördolda anda. Där ligga så mångahanda krafter, som utdela sig uti margfallig storlek, bredd, höjd och längd. Märk här vadför kraft en spiritus har.*

Se uppå huru gräs och örter som fänaden och foglarna äta, blifwa din föda, genom djurens mjölk och kött: ja, huru dina kläder och säng växa utur jorden, när djur och foglar warda med gräs och örter födde, såsom ullen på fåret, och fjädren på fogelen växer igenom grödan."

Anna-Stava kom med rent tyg och pappaMårten med en vedbörda; strax efter varandra, och de såg Isänkan ligga på sidan med ansiktet vänt mot flickan, och lyssnande som om dottern Hagar hade kommit till slut.

Nu borde någon form av samling ha ägt rum enligt Mån-lidens tro och sed. Men Anna-Stava sa till Alma att skynda sig in och sova nu för tanten ville vara ensam. Och när Mårten frågade om man inte skulle båda allt husfolk från alla stugor och be mammaLena läsa bön över den döda hade Anna-Stava en rad invändningar.

Lilla Almas läsning hade verkat som en sådan

desto bättre som barnet i sin oskuld inte förstått att den gamla dog medan hon läste

att man inte nu i mörka kvällen när alla barn kunde bli mörkrädda

att Isänkans doter så här på kvällen kunde gripas av samvetskval och måhända förtvivlan som hon lättare kunde bemästra i dagsljus

att man i morgon eller nästa dag när liket skulle skjutsas till gravgården borde göra en högtidlig utsjungning och hedra den döda med ljus och hackat granris

så att om pappaMårten icke nödvändigt ville bringa dödsbudet så föreslog Anna-Stava att man skulle kungöra dödsfallet först i gryningen.

PappaMårten ansåg sig oerfaren i trosfrågor både inför hustru och svärdotter; och Almas läsning kunde svårligen överträffas varför han godkände Anna-Stavas förslag.

Alltså trodde alla andra att husmodern sov hos Isänkan

när hon smög sig in i storhuset

in i snallarstugan

som var tom denna natt.

Hon tände inte eld eller ljus utan svepte in sig i snallar-nas bolster och fällar. De luktade halm och häst och karl och lus. Hennes kläder luktade död sedan många dagar.

Hon var säker på att om hon kunnat skicka sig rätt denna kväll mot Isänkan skulle det på något sätt ha kom-mit Hård tillgodo.

Och ändå: det som höll henne vaken varje andetag ända till vargtimmen var Didrik och Hagar och tjenstequinnan och herre och man och Hondenna och Främmenquejna och Hagar och Didrik och Hagar och Didrik och Hagar och vem hölls i vilken säng?

Hon som ansett sig inte behöva vara nyfiken då Didriks tankar var ''uppenbara'' – visste plötsligt ingenting och misstänkte allt, allt,

Och vem skall eder hava
och vem skall eder svika
Varför gå ni här på golvet
med edra ben så vita.

skulle gå ned till köket, lägga sig i soffan närmast dörren med vaggan längs sängbalken, trä mot trä,

där skulle han vara i säkerhet, i Sonens förvar, återlöst och försäkrad mot allt ont

men hur skulle han komma dit från *Gemaket?* För att nå trappan måste han gå nästan förbi hennes dörr

och han kunde svära på att hon skulle stå där strax innanför dörren, öppna den och sucka in honom som en eldstorm. Om han så hade en slägga med sig skulle han vara räddningslös.

Om det funnits en stege utanför fönstret.

Om han inte varit så huvudsvag* och om just det fönstret gått att öppna så här års

så skulle han ha tagit sig ut den vägen utför stegen och uppför bron och genom farstun in i köket till vaggan

även om ibland hennes doft smög sig också kring barnet var den maktlös där, i jämförelse med Sonens egen.

Nu som Per börjat låsa överallt. Ja draga löje över hela Månliden med sin sjukliga misstänksamhet så hade han ändå inte hunnit sätta lås på farstudörren!

det skulle också bara fattas! Om snallare eller andra vägfarande skulle försenas av oväder och komma mitt i natten måste dem åtminstone vara säkra på att Olförarns dörr stod olåst!

Så den vägen skulle han kunna komma från *Gemaket* ut och runt och in i säkerhet

om bara inte trädet hade stått där under det fönstret

just det där trädet som blivit vansinnigt och höll Nabot

vaktande där.

Frånvänd i sitt högmod

och ändå när som helst uppdykande; på vakt, med Hagar gående efter sig.

Nabot

som enligt alla rykten hade det hemska påbrået att vara son till Hård

hade naturligtvis våldfört sig på Hagar

som i alla tider hade varit värnlös.

Hur skulle Didrik inte ha försvarat henne om han vetat

men efter denne våldsverkare och niding gled hon som en bölja

men tvärtom! Det visade sig ju att hon var beredd att svika sitt barns far! Kanske tänkte hon övergiva den trogne Nabot och fara åt Avaviken, slå sig ihop med en bolagsdräng och hjälpa denne klå fattigt folk uppåt marka!

Vilket gästgiveri skulle hon inte kunna börja driva om hon finge fria tyglar där uppe!

Därtill förledd av Vikman som tillfälligt anställt sig som en folkledare och folkets försvarare – men som i grunden! Han skulle lämna det snödt och kalt efter sig! Som Egyptens gräshoppor! Didrik måste rädda henne undan en sådan hemsökelse och plåga, undan det onda rykte hon då skulle få.

Att han inte tänkt på det förut!

Att gå till henne och i all enkelhet berätta om brevet som Nabot skrivit i främmande land och som länsman hade undanhållit henne. Detta äckel till halvyllebracka och kronsvin!

Så fint som det brevet var!

Vilken omtanke det vittnade om! Han kunde det utantill, som trosbekännelsen, ja som en helig text.

Men vad skulle hända då! Om hon frågade varför han inte sagt det tidigare! Inte rivit upp himmel och jord för att hon skulle få detta brev? Vad skulle han svara då? Att han haft så mycket annat att tänka på! Att länsman ju var den som hade varit hennes hufvudman på den tiden och haft det närmaste ansvaret. Om hon då... Varför hade hon fått öknamnet *Klöskattan?* skulle hon riva honom! Varför måste han skratta ohejdbart – ehuru glädjelöst – vid tanken på att bli klöst av henne? Hon kunde ju försöka! Han skulle då vara fri att handla i självförsvar.

Men kanske skulle hon ta det på ett helt annat sätt? Kanske skulle hon börja gråta? Han vore då tvungen att trösta henne!

Förresten fanns det ett brev till som angick henne. Från Abdons söner i Amerika, låg därnere i handelsboden och väntade på att bli öppnat och där stod det vad karlen från Lillvattnet hette och Didrik var absolut berättigad att gå ned och hämta detta brev och se till att Hagar äntligen fick ett lifstecken från sitt barns fader

Vilket av dem?!

Han tjöt i kudden. Det fanns bara ett. Den mjölk som Storsonen fick kom från himlen, den hade aldrig varit ämnad åt någon annan än Isak Mårten Didriksson

för övrigt var Abdon Karlsson i Eckträsk fullkomligt ointresserad av dessa amerika-brev

för övrigt hade han ett sådant förtroende för Olförarn att han brukade be honom öppna och läsa för honom

det var sannerligen raka motsatsen till länsmans öppnande och undanhållande

Men eftersom Per hade låst handelsboden måste han vänta tills i morgon med det nya brevet

och hålla sig till det gamla. Efter alla dessa år kunde han det som Fader Vår och bekänner av allt hjärta

''*Käraste Hagar min enda vän i werlden att jag skulle vara tvungen att lämna dig så snart efter det att jag funnit dig. Men efter vad vi båda hafva sett av fattigdom. Jag kan inte tänka mig att gifva dig ett liv som det min moder hafver. Ett pjaller som Nicke vill jag icke blifva. Hubert skulle visst få ett torp på Månli-*

dens ägor men jag skulle omkomma där. Det är ett högmodsställe. Denna lid. Dem vara av storstömmelras. Därför måste jag resa. Men jag skall arbeta natt och dag. Och sådana som lönerna vara i Amerika skall det icke dröja innan en biljett varder sänd till dig. Din egen kärleksfulle Nabot."

Måste han läsa det där om *högmodsställe och storstömmelras?* En fattig drängs avundsjuka. Ingenting att fästa sig vid. Förresten som han mindes Nabot var det ingen ödmjuk karlavarelse det. Liksom inte heller Hagar. Ansgar beflitade sig om ödmjukhet. Och kunde fortsätta med det. "Han har dét han!" som pappaMårten brukade säga om folks laster, plågor och egenheter.

Förresten det där skvallret gjorde Nabots brev vardagligt äkta och förminskade inte Didrik. Hon skulle förstå att Olförarn tänkte på hennes bästa till den grad att han. Även om det gick ut över honom själv. Och hon skulle förstå att vad hon än ämnade till – men Vikman skulle hon slå ur hågen! Hon hade faktiskt andra plikter! Plikter var vad hon hade!

För att inte tala om de plikter som D.Mårtensson hade. I egenskap av husbonde. Nu hade hon kommit just så precis efter mantalsskrivning och husförhör på hösten att han inte kunnat skriva in henne i husfolket med någon titel. Skulle hon ha tagits upp såsom piga bredvid systrarna? Vem av dem skulle ha blivit mest förolämpad över att jämställas med vem – det kunde han bara skratta över. Han kunde, i egenskap av fattigvårdens högsta styresman, hava antecknat henne som... nåja inte precis som Isänkan men. Dragit hennes fall inför nämnden? Hur sjuk skulle den där människan inte ha blivit om hon mitt i den svarta oktober skulle ha försökt taga sig från skjutshåll till skjutshåll ända till Avaviken! Med de brösten! Sådana märrjuver... Om det var det hon tänkt! Så måhända hade Månliden – i all anspråkslöshet – gjort henne någon tjänst också?! Den slängbrackan. Om inte Otto? Stora pojken. I stånd att dia sin egen mor? Vissa människor vet inte vad anständighet vill säga! Ligga i samma säng som en så stor pojke! När har hon tänkt sluta med det oskicket!

Det fanns mycket han hade kunnat säga till henne, som var mindre vänligt. Och det skulle ha varit befogat. Men.

Och kanske var det inte alls så. Kanske hade hon tänkt på *Didrik* i alla dessa år. Från det hon serverade på hans bröllop. Nej ännu tidigare; från det hon så lekfullt sade ''he angå ingen'' när han varit på besök hos länsman första gången och helt enkelt frågat ''vars är du barnfödd då?''

Och sen hade hon hållit sig undan när hon förstått att han var förlorad för henne. Hade aldrig visat sig på åratal! Men tänkt på honom? Där på bröllopet när *hennes* hand hade kommit emellan Brudens fromma svarta ylleärm och hans egen naturvita ärm – kommit emellan med en skål hjortron, nyss upptinade, och ilande söta

vad hade hon tänkt då i sitt ilande svarta siden med fyra små knappar uppefter handleden

och hur hade hon kommit över den där Catarina-ståten; det gick inte att tänka på Anna-Stavas ursprung utan att stöta emot den gumman, den satkäringen, och någon gång på något sätt måste hon väl slå ut hos Anna-Stava i något obevakat skrymsle

tack och lov att han hade all tid på sig att vänta ut 'a Catarina-mor i Anna-Stava, Flickan; och allt annat som ännu återstod att upptäcka i mammaStava, min långhalsade lilla trana.

att han nu tänkte på den andra, Hondenna, den där i nöhl'kammarn innebar ingen misstänksamhet mot Hustrun, inget förskjutande av Anna-Stava, ingen fläck på hans kärlek till Den Lagvigda, Den Enastående Enda

det hade helt enkelt ingenting att skaffa med mamma-Stava

det rubbade ingenting
det bara handlade om att utröna vad *den där* hade tänkt då, när hon ställt fram hjortronskålen
och varför hon svarat med samma näbbighet som första gången han sett henne
he angå ingen.
Vars är du barnfödd då?
He angå ingen!
Han måste stå på alla fyra och bita i kudden för att inte hans skratt skulle väcka hela huset med sitt
Vars är du barnfödd då?
He angå ingen!
Och aldrig förr hade han riktigt förstått vilket rungande skämt som rymdes i denna enkla fråga, och i svaret; vilket löfte under den låtsade ilskan!
Som om det inte skulle ha funnits andra risslor att sätta sig i på skjutsstationen Valbergs, när hon måste komma ifrån det kronsvinet, nea Plass'n. Som om hon inte skulle ha kunnat fara till Skjellet! Till Tallheden!
Herregud hon skulle ju ha kunnat fara till Lundmarkara! Dem skulle hava givit henne ett stort hus om hon velat förbarma sig och ingå ett skenäktenskap
med en viss galning som gick och samlade ljus i ladorna. Hon hade inte varit utan möjligheter någonstans! Men av något skäl ville hon till Månliden, hon ville vara i närheten av D.Mårtensson, utan hopp, självklart, men hon ville vara i närheten? I tio år hade hon tänkt på honom? Och till sist kom det för henne att om hon bara en enda natt finge sova bredvid honom så skulle hon kunna försvinna sen!?
Men varför ter hon sig då så... om det inte finns ett motsvarande skäl... varför känner jag det så som jag känner det om icke...
Han hörde Hagar bekräfta Ludvigs ord, och sammanstötningen mellan dennes torra komiska glesa allvar
och hennes allvetande, fuktiga, tystlåtna aprikoser – hur hon var tvungen hålla tillgodo med en galnings ord för att

kunna tala om hur hon hade det
inom honom
nu måste han bita i fällen för att inte skrika av skratt.
Det här var sista möjligheten.
Inga gäster på övervåningen.
Isänkan kunde inte leva mer än ett dygn till kanske; då skulle madám återkomma; Per hade gömt sig i förgångsstugan; där nere sov de alla; och Otto sov så där hårt som små pojkar
ingen hörde om hon smög från nöhl'kammarn till *Gemaket* om hon kom bara för att avlägga bekännelse:
att hon tänkt på honom i tio år
och på ingen annan
att han var den ende
och hur hopplöst det än var
måste hon ändå få säga det
och trots att han inte alls tänkte på henne varken nu eller någonsin så kunde han väl ändå låta henne ligga bredvid honom
bara en stund
aldrig så liten stund
Hon stod innanför dörren ett ögonblick
och han satte sig upp i sängen
var hon så fräck skulle hon sannerligen *få skylla sig själv*
men just som han satte fötterna i golvet för att rusa fram till henne
var Häst'n i vägen
också som en spöksyn
men avgörande
han gapade och visade ännu mer än han visat den där morgonen när pappaMårten hade lett ut honom. Hela tungan var skinnflådd. Och mulens insida
vilket fasansfullt sår.
I tänderna fanns ännu ett opersonligt raseri som en dödskalles

men blicken var förödmjukad, outhärdligt mänsklig
Försvinn, sa Didrik. Eller tänkte. Försvinn. Ut härifrån.
Och de försvann båda. Först Hondenna. Och sedan Häst'n.

Hon återkom några gånger under natten. Fullt synlig innanför dörren trots att det var mörkt. Och varje gång upprepades detsamma: så snart han skulle rusa dit för att fråga vad hon menade med att komma och störa honom
eller för att trösta henne
i hennes uppenbara övergivelse
eller för att göra henne till viljes!
eftersom hon sannerligen fick skylla sig själv som bjöd ut sig på detta skamlösa
eller för att fråga ett enkelt, vänligt, husbonde-mässigt: är det något som fattas?
det skulle ha varit det lämpligaste straffet
ehuru omöjligt
men så snart han skulle göra vad som helst för att få människan bort från dörren
så var Häst'n i vägen
med sitt blödande gap
s'att han bara kunde stöna mellan sammanbitna tänder
försvinn satans Hästdjefvul
försvinn med din satans töppa

Natten före vigseln, för åtta år sen, när hon vaknat av att mormor och Gusta-Paulus dött nere i salen, hemma i Basnäs

och hur mamma, Eva-Lisa, hade hemlighållit dödsfallen några timmar över morgonen för att giftermålet skulle kunna äga rum

och hur Anna-Stava hade godkänt det.

Som om hennes väg till Didrik vore kantad av försummade döda.

Begravningsskicket var inte det strängaste i Lillvattnet, och det predikades gärna över texten *låt de döda begrava sina döda*

och en rätt begravning var inte viktigare för Anna-Stava än en rätt födsel

men lika viktig.

Många människor befattade sig inte särskilt med dessa två begivenheter – födelsen och döden. Barn var *sina egna* från början, dem hade alltid funnits; och det vore ogrannlaga, närgånget och oanständigt att väsnas med födseln!?

Att dö var en lika självklar tillfällighet; att *krypa av* var sällan ett okvädingsord utan oftare en beskrivning av bästa sättet: att smyga bort under en långkjolad gran för att ej mer visa sig.

Men eftersom *det tedde sig så* för Anna-Stava att varje människa hade rätt till en särskild ceremoni vid sin död!

och varför ter det sig då så – om det ej finnes ett motsvarande skäl – som stofilen Ludvig frågade allt, och alla.

Hans fråga kändes mindre dum med tiden.

Ett par timmar före gryningen började hon tröttna på att hennes farhågor besannades. Detta gående i dörrar kunde bara betyda en sak: det hände som hon i sin ondaste kärlek fruktade? Vad Arndt dock var barmhärtig som kunde tala om *ond kärlek*

där vanliga uppbyggelseförfattare bara räknade med *ondska* rätt och slätt.

Men om hon varit förnedrande mot Didrik på sistone var det ändå ett mindre ont än att hon försummat alla riter för Isänkan

ett mindre ont än att hon utnyttjade förtigandet om dödsfallet i sina ränker mot Didrik.

Hon steg upp och gick ut och till Isaks stuga.

Där var Hagar. Ett par tända tjärveds-trän på härden till lyse.

Den döda låg klädd i vitt siden och godkände allt.

Och Hagar uppträdde som om hon ingenting hade emot Anna-Stava.

– Jag har ingen psalmbok, sa hon. Men om du kan något utantill – av det som höves.

Så att Anna-Stava läste föreskrivna böner och sjöng om det andra hemlandet med den mässande röst som var bruklig; och alla ord var givna.

Sen satt de tysta, Hagar vid huvudgärden och Anna-Stava vid fötterna.

Och Hagar fortsatte att uppträda mänskligt, ja nästan systerligt. Hon berättade att hon fått veta om dödsfallet i drömmen. Ottos pappa hade nämligen visat sig och varit mycket blek och utan ord låtit förstå att han skulle gifta sig "uppe i backstugan i Månliden". Så att hon måste skynda sig dit med den vita sidenklädningen.

Anna-Stava hade ett svagt minne av att ha sett mormoderns högtidsklädningar någon gång – men desto oftare hade hon hört dem omtalas, med oförändrat raseri upp genom åren. Här var den ena? Borde vara.

Hagar fortsatte att dessa sidenklädningar vissa tider hade utgjort barndomens enda glädje. De hade hittat dem, i en kyrkask

– vid Fagerheden där vägen svänger mot Basnäs? sa Anna-Stava.

– Ja just där, sa Hagar, utan förvåning. Den hade säkert rullat ut ur risslan för något rikt bondfolk på väg till eller från kyrkan. Och mamma tog den där asken som ett tecken på att vi nog skulle få det bra någon gång. Och särskilt den vita. Och den som först skulle gifta sig eller dö skulle få den. Så att mamma vann! Som synes.

Och någon gång hade modern velat byta bort den svarta. För även om få kvinnor hade en sidenklädning i Lillvattnet var den inte helt otänkbar då färgen var den rätta. Men misstanken om stöld. Som vuxen hade Hagar använt den ibland

till exempel när du serverade oss på vårt bröllop, sa Anna-Stava eller tänkte.

Men den vita hade varit orimlig och följt med som ett löfte genom åren, en hemlig rättighet.

– Så länge jag hade den kunde jag hoppas på en Amerika-biljett, kändes det som. Ganska länge. Men.

Och Ottos far hade ämnat sig till Amerika men sedan aldrig avhörts. Och att hon hatat honom bortom allt vett. Men att hon genom drömmen förstått att han var död nu.

– Och heter det inte i dina postillor att *den som är död är utan synd* Eller något åt det hållet? Så jag får väl ge mig nu.

Silket blänkte som om någon andades inom det.

– Jag kan säga på dagen när han förolyckades. Det var som att sågas itu.

De satt tysta långa stunder. Så berättade Hagar igen, glimtar ur sitt liv

när hon och Ottos far en sommarnatt hade gått upp på Högklinta

och det hade blåst så fint att det varit myggfritt där uppe

och hon hade provat brudklädningen
och den hade varit för lång så att hon måst rulla upp kjollinningen några varv.
Anna-Stava såg för sig hur han omfamnade henne, en okänd man som liknat hennes yngre bror, Lars? eller Per?
och något av honom, något omärkligt kännbart av honom fanns kvar i tyget? ännu?
och 'a Catarinamor! Ett saltkorn av hennes svett låg ännu och frätte i halslinningen?
hela tyget var bristfärdigt
inte hade tomma luften kunnat slita det så?
Anna-Stava mindes att Strömmen någon gång förklarat att silke hämtades ur maskar som dödades genom att sänkas i kokande vatten
att barn satt och nystade fram tråden ur maskarnas inre
att andra barn vävde tyget
att det sedan fraktades över haven till Franrkrike och England
och därifrån till Stockholm och Skjellet
och nu alltså runt Lillvattnets byar
alla händer som farit med det i hunger, vanmakt, girighet, beundran triumf sorg älskog raseri
ett ögonblick såg Anna-Stava hur detta tyg omspände allt.
Inom kort skulle den dödas ben skrubbas av rötter
och maskar skulle karda hennes hull
och svepning
utan att märka skillnaden?
och gravgårdens gräs
skulle nära socknens får i Lillvattnet
och låta en ull växa fram som skulle bli nya kläder,
strävare och mer sedesamma än detta silke
och just som ordet *sedesam* kom för henne måste hon le åt sitt förakt för tapeten i *Gästsalen.*
Hagar sa:

– Jag somnade nästan ett ögonblick. Och drömde eller tänkte – att det där tyget visste allt – och att det bara är medan man är människa som man ingenting förstår.

– Kanske var det en sanndröm också, sa Anna-Stava.

Lysveden var utbränd. Men renvåmmen i öster-gluggen blev svagt skär, och silket behöll sin gulaktiga vithet i grå-mörkret.

Det skulle dröja ännu en timma innan solen.

– Ska vi bada oss, innan det blir dag?

Och de hämtade upp vatten ur ådern som den döda hade synat fram ur backen med hjälp av en rönnklyka, för ett halvsekel sedan, medan hon levat som Isaks hustru

ur brunnen

där hon suttit bortglömd en dag

medan Isak varit förgjord av en vitterkärling

på Månlidens baksida.

De viskade och smög med vattnet. In i fähuset, där de fyllde såar och den stora grytan. De tände eld under den. De gick in i stor-huset, smög i dörrarna, upp i klädskrubben där de fann handdukar och rent linne. De tog såpa och tvål och tvättlappar; hela tiden viskade de som om de hållit på med något förbjudet.

I ett stall eldas det aldrig.

I ett stall får ingenting konkurrera med Häst'n, dess stränga lukt.

I fähuset däremot. Korna är visserligen det viktigaste. Men bredvid dem rymmas gris och får och höns och allehanda göromål. Utrymmet omkring fähus-härden kan vara platsen för den mest husmoderliga trivsel. Där kan lådan med småbarnet få stå medan mamma mjölkar och större syskon hackar rovor. I fähuset kokas det – inte bara gröt åt svinen och sörpa åt kor och kalvar

där sjudes julkorven och andra långkok åt husfolket

där badas barnen; och tvättas det kläder, som inte kan sparas till våren

samt förrättas kyrkbadandet
jämte böner som inte rymmas i kammarn
allt under kreaturens förstående blickar.

Anna-Stava hämtade hö från ladan och la det bredvid såarna så att de kunde ställa sig på det när fötterna var för rena för golvet.

De tvättade varandras hår och förvånades över att det var så likt i färg och tjocklek och längd. De blandade ut hett vatten med kallt till lämplig värma; de sköljde varandras hår; de tvättade varandra på ryggen och skopade vattnet över varandra med den barnsliga vällusten hos flickor ''som icke veta av någon man''.

De ville aldrig bli färdiga; så mycket hade de att tvätta av sig.

När solen kom måste de sluta. Då började korna stiga upp, göra sitt tarv, och tränga ut lukten av såpa och renlighet med kreaturstäv.

PappaMårten kom för att mocka, och Maximiliana och Matilda kom för att utfodra och mjölka. Hagar och Anna-Stava hade nätt och jämnt hunnit avsluta badet, och de plockade ihop efter sig, fort och i ett leende samförstånd som om ''ingen annan skulle kunna förstå vad vi hållit på med''.

Men likvakans föreställning om alltings samhörighet var bara som en inbillning i den skarpa aprildagern. Allting blev åter var-för-sig och i-sin-tid, och outsägliga beskyllningar.

PappaMårten sände bud till Nicke och frågade om han kunde göra en kista. Och fick beskedet att Nicke och Nora med sina minsta hade lämnat stugan i Grenhulta "tills vidare". Dem tänkte pröva sin lycka i trakten omkring Ecksträsk; Nicke hade sett en stuga i kronoparken i Granträskliden innefattande en flarkmyra, tjock med fågel, och som ingen vågade skjuta då eckssträskarna voro så olickligt skrockfulla. S' att den flarken bara väntade på Nicke. Och skulle det bli för långt till folk om vintern, så hade Baltzar och Karl-Agust någon gammelstuga på endera stället där Nicke visste sig välkommen.

Som om hans färd oppåt marka vore ett triumftåg.

Och fastän och emedan Mårten visste vilket mörker Nicke for upp i och vilka besvärjelser detta skryt rymde

kändes det som en förbannelse att Nicke farit – och det utan att hälsa ut sig! så pass som!

Mårten kände sig avspisad och däven – som farbror Laban *nea landet* när den unge Mårten dragit *oppåt marka* med en kälke för att taga sig ett nybygge.

Från och med denna april började han sova med mössan på huvudet. Det drog så kallt "som om västerväggen dragit sig undan" sa'n.

Hagar hade sinat efter vaknatten. Då lade hon dibarnet ifrån sig och tog inte i honom. Moder och fastrar ömkade sig, de kokade välling med sviskon i, de bar honom och vaggade och sjöng. Men han var otröstlig.

Till sist gick Anna-Stava oppa bott'n, ställde sig utanför Hagars dörr och rörde vid den som en ryggtavla. Snälla Hagar. Barnet skrek. Hagar kom och smällde med haken och öppnade dörren så litet att Anna-Stava måste tränga sig in.

– Var det något madam ville?

– Jo. Ta i pojken! Hur ska han tyda det här att...

Hagar plockade ned något i ett knyte.

– Jag är sín.

– Jag förstår det. Men Hagar kan väl hålla i 'an någon stund ändå. Pojken är ju nu ändå mer fäst vid... vid

Anna-Stava kände att du-skapet inte längre var tillåtet

... vid *henne* än vid någon av oss.

– Jag vill inte lura honom. Låtsas att jag har något när det inte rinner till.

Anna-Stava rodnade av en otillständig avund; den här quejna skulle aldrig godkänna några "äktenskapliga plikter", varken på skämt eller av barmhärtighet.

– Men gossen vill bara få vila litet i hennes famn en stund... det är väl ändå inte bara mjölken som räknas!

– Åjo. Skulle jag ha fått vila mig ett halvår utan mjölken! På spinnhuset kanske! Men inte hos folk! Jag har arbetat som en häst från det jag var fem. Jag behövde den här vilotiden. Och jag behövde få vara oförskämd mot några bonddöttrar som haft det beviljat från början. Men skulle jag ha haft lov taga i det där knytet... utan mjölken? Jag vet vad som räknas här i världen, madam!

Och Anna-Stava snyftade att skulle dem skiljas på detta sätt, och hon hade ju varit så tacksam... och men vars hade Hagar nu tänkt sig?

Barnet sprattlade i hennes famn och ville bara över till Hagar, till denna ursinniga röst.

– Oppåt marka. Eller nea landet. Otto vaktar. Han ska

välja någon skjuts som ser lämplig ut.

Hon drog åt en knut i packningen, som om det gällt att stänga in ett vilddjur.

Och plötsligt kom hon fram till Anna-Stava, ryckte åt sig barnet och höll det emot sig. Hon vände ryggen mot dörren och gick vaggande fram till fönstret.

Ett ögonblick for det genom Anna-Stava *men hon gör honom väl inte något ont... men du min Skapare... denna människa ändå...*

och det värsta visade sig inte omöjligt att ana för henne.

Men gossen jublade som om Hagars torra förtvivlan rymde en hyllning, ännu mer eggande än hennes mjölk.

Och en liten karlavarelse började förbereda sin tröst
som skulle vara till reds om ett kvarts sekel
och dofta mandel och nejlikspik

Medan Hagars förstfödde sprang omkring i snösörjan och valde riktning åt sin moder, om dem skulle fara nea landet eller oppåt marka

travade Didrik upp och ned mellan husen i Månliden och undrade om han skulle köpa Svedjebrännets skog för egen räkning

eller om han skulle utnyttja det sista föret till att besöka socknens stolpar och stöttepelare i och för resonerande om andelssåg

men han kunde inte göra någondera av fruktan för att Hagar skulle ge sig i väg i hans frånvaro

UTAN ATT HAN VISSTE VART

och att han inte hade rätt att fråga en så enkel sak! i sitt eget hus! i sin egen socken!

berättigade honom att öppna det där brevet från Amerika. Åtminstone!

Han rustade sig med litet vatten och hwitmjöl och stängde in sig på *kontoret* med husets vassaste kniv och fick ett besked till svar ur detta brev. För det handlade om *vår sockenbo, Nabot Hard. Som gick under matrasten till sågbänken och blev varande där. Ingen har kunnat förstå hur han tänkte. När han lade sig tvärsöver bänken framom klingan. Även om hon stod just då*

ett ögonblickswärk... att karlen låg där i tvenne...
på ömse håll om det vilt brusande jernet
och allt blodet som färgade sågspånet

Och fastän det stod *oförglömligt* i brevet fortsatte det som förut om biljettpengar till halvkönlingarna och att Lillvattnet var en för fattig del av världen att leva i.

Didrik klistrade ihop brevet och skulle bränna upp det och allt var länsmans fel, allt, allt, och när skulle DEN få sitt straff.

Per kom och sa att Spadar-Abdon hade kommit s'att Didrik måste komma ned och tala förstånd med gubben för han verkade "inte riktigt i ordning". Och Per såg brevet på bordet – om han upptäckte att det var öppnat och åter tillslutet låtsades han inte om det; han bara tog det med sig, eftersom adressaten och så vidare.

Han låg i höskrindan på stöttingarna bland timmerdrivningens rester: halmmadrass, fällar, stekpanna, paltbytta, skovel, yxa, timmersvans, björnbindningar. Sonen Joakim hälsade, fadern hade mössan över ansiktet. Didrik gick fram och höll åt sidan ett par vidjor i skrindan och frågade vars Fridolf var och de andra ecksträskarna. Var de färdiga i Högklinta och hur stod det till?

Abdon reste sig inte och skrek under mössan

– 'a Stina jer döö.

– Per sätt på panna! Nu ska vi gå in å resonér! Och Didrik ställde fram en låda havre framför Abdons häst, som inte såg välskött ut

en av de där trogna extrahästarna som alltid får veta "att int är det mycket att hava för en som är van hava att köra med!"

Didriks munterheter var också mer ihärdiga än roliga... måste komma in och dricka kaffe från Brazilia och taga sig en snus från Makedonien och veta att hela världen var ute för att stärka hans mod eftersom Spadar-Abdon från Ecksträsk var en sjutusan till träffpunkt!

– Och brev från Amerika har det också kommit, bistod Per och lämnade fram.

– Jag har det jävligt så det räcker utan hån från främmande land. Bränn skiten, sa Abdon. Men Joakim snappade åt sig brevet och stoppade det innanför busaronen. Och Didrik tänkte att om han bara hunnit bränna brevet så skulle Nabot ha levat.

Och allt annat var lika omöjligt att *resonera* om.

När de kom ut igen satt Hagar i skrindan, med knyten och wargmössa och sin blekaste vrede.

– Vad är det för häst som dött för dig då, sa Abdon.

Att en olycksdrabbad inte genast blir snäll och taktfull? Men Hagar tog det nästan som en uppmuntran och sa:

– Ja säg det du! Men jag är på väg oppåt marka! Som alla idioter! Så nog kan jag få följa med i din höskrinda till nästa skjutshåll!

Otto sysslade kring huvudet på Abdons häst, drog bort havrelådan, satte sig framför skrindan bredvid Joakim

och varken Hagar eller hennes son sa ett ord till avsked.

Didrik stod kvar och såg efter dem. Ett par vidjor hängde lösa i skrindan; allt var raggigt; och solskenet glanslöst av sömnbrist.

Didrik drogs efter denna fora, av en ofattbar kraft, och ansträngningen att inte röra sig, att bara stå på stället kostade allt han hade av styrka

och han bad utom sig att denna avmakt

skulle råda tio år tidigare

så att han tappade Nabots sten

Lista på några dialektala eller ålderdomliga ord, som känts nödvändiga och utmärkts med * i texten.

am-stolen	i varje hem fanns en stol en tum lägre än vanlig sitthöjd – spädbarnsmammans stol
arg	livskraftig, duktig
armest	knappt, knappast
avita	omyndig, befängd, dåraktig, meningslös
avvittra	kungöra vad som bör avskiljas
avvittring	slutgiltig boskillnad mellan Kronans och enskildas ägarintressen; "vid avvittringen fick nybyggaren så och så mycket skog och utängar – till stöd för det jordbruk han påbörjat". I samband med avvittring skattlades *nybruket* och kallades därefter *hemman*
bagga	stjäla skog, särskilt från Kronans marker
begärlig	lockande; fördelaktig
björnbindningar	järnkedjor, med vilka timmerstockarna bands fast på stöttingarna
blanda	kärnmjölk och vassla, eller vatten, lätt saltat – stående vardagsdryck
blida	töväder
cattun	bomullstyg, cotton
corderoj	ett tjockt, hårdtvinnat bomulls- el. halvylletyg; inte lika "rekorderligt" som hemvävt tyg!
hedenna	det där
hondenna	hon där, något nedsättande
doktorera	bota, utöva läkekonst
dol	tupplur
drav	svinmat, mjuk massa, bottensats, drägg
fara	1. ge sig av – även om korta sträckor 2. börja
fasta	lagfart på hemman
filbruttu	tunnbröd brutet i bitar i långfil

fårfeta	talg; på grund av matens svåråtkomlighet för de flesta var *fårfeta* ungefär det läckraste man kunde tänka sig; och aldrig var någon så mätt att han inte kunde äta tre *fetpaltar* om han bjöds; fetpalten var (till skillnad från flatpalten) fylld med fläsk eller fårfeta
förgångs-	som gått före
moder, kärling gubbe, kall, folk stuga, kammare vedbrand, ull	när ett äldre bondfolk *satte ifrån sig*, dvs sålde hemmanet till något av barnen, upprättades ett förgångskontrakt, enligt vilket de två gamla hade rätt till mat, husrum och omvårdnad till döddagar
försona	bokstaven *o* bör uttalas som i *son* – dvs Didrik kände sig älskansvärd som sin egen son
gálant	snäll
gall-år	om kor, när de går ett år utan kalv
gatt	var tvungen (jetta gatt gåtte)
glommer	klinga, dundra, ljömma
grämja	bitterhet, harm – mest i uttrycket slå grämjan på någon dvs avleda sin ilska på någon annan än den vållande
guss'ol	gudsord
gälla, gällde, gallt	duga;lyckas
hale	den hårde;fan
halverst	nästan, halvt om halvt
halsben	röst;förmåga att skrika, gala, sjunga
halvylle	i överförd betydelse var halvylle nedsättande. Halv- stod för *köpt, okänd, utblandad,* ej fullt förtjänad; halvyllebracka = halvherre; halvkall, värre än ljum
hammerve	hemmavid
hennar	henne
henna	den, det här
hev	stolt; högfärdig
hov	vett; gott skick
huld	sparsam, aktsam; snål
Hustaflan	I gamla katekesen fanns en husordning föreskriven, som inpräntade lydnad för

	öfverheten/husbonden. Ho sig sätter emot Öfverheten, han sätter sig emot Guds förordnande. För gifta män: Den sin hustru älskar, han älskar sig själv. För gifta kvinnor: Hustrurna vare sina män undergivna, såsom Herren Gud; ty mannen är qwinnans hufvud. För tjenstefolk: Varer edra herrar undergivne med vördnad, icke allenast de goda och saktmodiga, utan ock de vrångsinnade.
hutter	huttra
huvudsvag	med anlag för höjdskräck
höbände	platt vidjekorg med hö i som lades framför hästen vid kortare raster
impediment	mager jord, varken tjänlig som bete, odling eller skogsmark; termen användes i lantmäteri, lagfarter o.d.
jenna	här, hon'jenna, den här
jömma	genljuda
kantor	stort hörnskåp i vilket förvarades mjölk-tråg
kara	kratta, räfsa, fösa
katt-släkt	sysslingar, bryllingar och ännu avlägsnare
kavelbro	rundstockar lagda tätt bredvid varandra till väg över sank mark
klanke	rena rama
knävligt	försmädligt, svårt, besvärlig
kom-i-säng-tröja	vit bomullsblus med spetsar som flickorna satte på sig när de väntade friare
kråma-kärling	som kramar ut barnet; jordemor, klok gumma
kräka	husdjuren
kvamna	kvävas
kyrkotagning	en gammal rit, som innebar att hustrun "återupptogs" i församlingen efter havandeskap och nedkomst. Kyrkotag-

	ningen för ogifta mödrar innebar en offentlig skändning
köntel	bergsknalle; puckel
marka	lappmarken
menföre	när snön börjat smälta så att släden skär i barmark
monka	kokt mjölk med klimp
moras	sank mark
människan	I första Mosebok 2:25 heter det i Carl XII:s bibelöversättning: Och the woro både nakne, menniskian och hans hustru, och de blygdes intet
nalta	något litet
nog mer att...	det fattas bara att...
näst	hos
nöhl-	norr
olickligt	ovanligt, över det normala
omatsligheter	som inte kan ätas; dålig mat
oppa bott'n	uppe på övre våningen
o-rive	störd rasande
o-slög	oskicklig
papist	lutherskt öknamn på påve-anhängare
påsa-rasket	pungen
queejn, qwejnen	kvinna, kvinnor. Trots Hustaflans bud och trots fattigdomen var kvinnorna i Västerbotten tämligen suveräna, som uttalet av ordet också ger vid handen
i qwällst	i går kväll
raga	torrtall, rik på terpentin
råta	rista, rita, skriva
ränna	åka skidor
röta	torv
skidra	ränna, åka skidor
skurlänk	ett u-format järn som sattes kring ena stöttingmeden till broms i utförsbackarna; användes särskilt i timmerkör-

ning, då lasset kunde få en farlig hastighet

skämma, skämd — skada, särskilt psykiskt
slepan — mulen; stor underläpp
slög, slöglig — händig, praktisk, skicklig
småen — 1. småbarnen
2. omskrivning för vittran ”små människor som lever under jorden”
snallare — en som körde lass från grosshandlarna vid kusten till de mindre handelsbodarna oppåt marka
solsticka — i hem som ännu saknade klocka brukade man ha en sticka i ett fönster och av dess skugga bestämma tiden
spann — ovalt matskrin med järnbeslag
spörs — he spörs, det sägs att
stejnta, stejnten — flicka, flickor
sticksöm — stickarbete, stickning
Stiftelsen — Evangeliska Fosterlandsstiftelsen grundad av Rosénius o. a. 1856
stilla — utfodra husdjur
storhyllan — två åsar under kökstaket där man hängde upp saker till tork – från bröd och barntrasor till skor, seltyg och slöjdvirke
storstömmelras — stömmel=svans
1. råtta av den långsvansade sorten
2. person som uppträdde högfärdigt kunde sägas vara av storstömmelras!
sätta ifrån sig — överlåta hemmanet och eller bestämmanderätten
söök — söka; *fara å söök*, gå till doktorn; uttrycket är troligen en kvarleva från den tid när man sökte medicinalväxter i skogen, och då man av magiska skäl undvek att uttala namnet på den läkande örten

tillfång — redskap
tjuka — 1. hästklocka
2. röta i trä
3. björkticka

tummare, träkrympare	virkesmätare; träkrympare var den nedsättande beteckningen för en mätare som man misstänkte höll ned måtten till fördel för bolaget och till förlust för skogsarbetaren
täv	stark doft av folk, djur, revir
töppa/tööpp	fitta
underlig	retad, förargad
utlagor	skatter
val, vaal	varda, må, bli
välstånd	sämja mellan älskande eller vänner
ye, yeres	Ni, Er